어나더 경제사 1

ANOTHER ECONOMIC HISTORY

어나더 경제사
1

자본주의

홍기빈 지음

시월

어나더 경제사를 시작하며

이 책은 인류의 5만 년 경제사에 대한 이야기입니다만, 이미 나와 있는 경제사 교과서나 대중서와 비슷한 책을 또 하나 내놓으려는 것은 아닙니다. 저는 21세기의 막다른 곤경에 처한 인류가 앞길을 모색할 실마리를 찾을 수 있도록 '인류 경제생활의 진화사'를 조망해 보고자 합니다. '인류와 진화'라는 아주 거창한 단어들이 나왔습니다만, 그냥 말을 멋있게 하려는 의도에서 쓴 것은 아닙니다. 그런 큰 어휘로 표현할 수밖에 없는 중대한 기로에 우리가 서 있다고 생각합니다.

인류 경제생활의 진화사

저는 21세기에 들어서서 인류라는 생물종이 경제생활을 영위하는 방식과 시스템이 인류와 지구 전체의 생태 환경과 관련하여 중요한 변곡점 혹은 특이점을 이루고 있다고 믿습니다. 한때 나무 위에서만 살다가 겨우 땅에 내려왔으나 맹수들이 덮칠까 봐 두리번거리면서 조심스레 걸어다니며 자신의 미약함을 확인할 수밖에 없는 존재였던 우리 조상은 호모 사피엔스로 진화하였고 이제는 또 다른 전대미문의 생물종으로 다시 진화했습니다. 기껏 몇백 명 규모로 여기저기 떠돌며 먹을 것을 찾아다니던 인류는 대략 1만 년 전에서 5천 년 전 사이에 식물을 길들이고 동물을 길들이면서 정착 생활을 시작하였고, 그다음에는 '사람 자신도' 길들이면서 도시와 국가를 만들어 큰 제국까지 이루게 되었습니다. 자연에는 아예 존재하지도 않는 먹을거리, 입을 거리, 싸울 거리를 만들어 냈을 뿐만 아니라 '신'이라는 희대의 발명품까지 갖추었고, 이런 것들을 두고 서로 죽이고 죽는 대규모 전쟁까지 만들어 냈습니다. 그러다가 약 3백 년 전부터는 죽어 있는 물질에까지 생명을 불어넣어 자신의 뜻대로 움직이도록 길들였을 뿐만 아니라, 눈에 보이지 않는 온갖 법칙과 원리까지도 자유자재로 활용하게 되면서 이제는 '신'을 넘보는 존재가 되었습니다.

인류 자신만 새롭게 진화한 것이 아닙니다. 18세기 이후 인류의 경제생활에 큰 변동이 일면서 이제 인류는 아예 지구 전체의 생명 영역 biosphere에 대변동을 일으키거나 존망까지 좌우할 수 있는 힘을 가지게 되었습니다. 지구 전역, 바다와 하늘과 땅속까지 파고든 인류는 무수한 생물종을 멸종에 이르게 했으며 이제는 자기 스스로를 포함해 여타 다른 생물종들까지 모두 대규모 멸종 사태로 몰아넣기라도 하듯 무지한 행태를 벌이고 있습니다. 생명 영역뿐만 아니라 기후 조건 및 해류의 순환 같은 지질학적 역동에도 악영향을 끼치는 존재가 되었으니, 그야말로 '모든 신들'을 낳은 지구의 어머니 가이아 여신까지 때려잡을 기세입니다. 이는 '인류세anthropocene'라는 새로운 지질학적 시대 정의를 둘러싸고 이견이 분분한 논의로 나타나고 있습니다.

인류는 어떻게 하여 이러한 특이한 존재가 되었을까요? 저는 약 3백 년 전에 인류의 진화에 '특이점'이 나타난 데에서 그 원인을 찾고자 합니다. 이 시점을 거치면서 인류는 정신적으로나 물질적으로나 그전과는 완전히 다른 존재로 바뀌었습니다. 인간과 자연이 관계를 맺는 방식, 인간이 인간과 관계를 맺는 방식, 인간이 정신적 세계와 관계를 맺는 방식이 모두 완전히 변하였고, 이제는 80억의 개체가 모두 동일한 리듬에 따라 움직이면서 동일한 운명을 공유하는 특이한 생명체가 되었습니다. 따라서 "도대체 3백 년 전에 무슨 일이 벌어진 것인가?"를 해명하는 것은 우리의, 아니 어쩌면 지구의 앞날을 결정짓는 중요한 질문이라고 생각합니다. 이 책은 그 문제를 풀기 위해서 인류 경제생활의 진화사를 되돌아보고자 합니다.

골자만 말씀드리면, 지난 3백 년 동안에 벌어진 일은 자본주의, 산업 문명, 지구적 시스템이라는 세 개의 층위가 순서대로 나타나면서 다음의 것들을 발생시키는 과정이었다는 것이 이 책에 담겨 있는 생각입니다. 대략 3백 년쯤 전에 자본주의라는 질서의 알고리듬이 성립하였고, 그 후에는 자본주의가 인류의 경제생활 전체를 지배하게 되면서 산업 문명이라는 새로운 층위를 낳았고, 산업 문명의 발생은 다시 지구 전체의 사람과 동식물과 자연을 하나의 리듬으로 움직이게 하는 지구적 시스템을 낳았다는 것입니다. 이 세 개의 층위는 각각 독자적인 조직과 운영 원리에 따라 움직이지만, 모두 자신을 낳은 그리고 여전히 자신의 아래에 깔려 있는 층위와 얽히고 서로를 다시 규정하면서 어지러울 정도로 복잡하고 무질서해 보이는 현실을 보여 주고 있습니다. 이러한 방식으로 지난 3백 년간의 변화를 이해하자는 것이 '인류 경제생활의 진화사'라는 거창해 보이는 말의 뜻입니다.

빅히스토리에서 배운다, 여러 층위의 '누적'과 '뒤엉킴'

조금 낯설고 멀게 느껴질 수 있는 이러한 생각을 좀 더 쉽게 이해하기 위해서 요즘 각광을 받고 있는 빅히스토리Big History와 비교하여 풀어 보겠습니다. 우리의 '지금'을 이해하기 위해 지구의 탄생을 넘어서 아예 우주가 생겨난 빅뱅까지 거슬러 올라가서 138억 년의 역사를 조망하는 이 관점은 우리에게 여러 시각을 제시하고 있습니다.[1] 저는 그중에서도 먼저 '여러 층위의 누적accumulation of layers'이라는 관점에 착목하고자 합니다.

빅뱅으로 질료, 시간, 공간이 생겨나면서 물리적 과정이라는 것이 생겨납니다. 물리적 과정은 다시 여러 원소와 물질을 낳고 그 물질들이 정신없이 서로 결합되고 흩어지는 화학적 과정을 낳습니다. 화학적 과정은 다시 별, 특히 지구라는 독특한 환경을 낳았고, 그 안에서 생명이라는 새로운 과정이 또다시 생겨납니다. 생명이라는 과정은 마침내 의식이라는 과정을 낳고 이는 다시 문명이라는 과정을 낳게 됩니다. 이 모든 과정들은 분명히 그 이전의 과정으로 환원될 수 없는 독자적 차원을 가지고 있습니다. 생명이라는 현상을 오로지 물리적·화학적 과정으로 분해하여 설명할 수 없고, 문명과 문화의 전개라는 과정 역시 인간의 생물학적 과정으로 분해하여 설명할 수 없음은 말할 것도 없습니다.

여기에서 우리는 하나의 과정이 다른 과정을 낳고 그 과정이 원래 있던 과정 위에 중첩되면서 또 새로운 과정을 낳는 '여러 층위의 누적'의 전개를 볼 수 있습니다. 만약 이 '여러 층위의 누적'이라는 관점이 없다

---

[1] 누구나 쉽게 접근할 수 있으면서도 내용이 알찬 책으로 송만호 안중호, 『사피엔스의 깊은 역사: 과학이 들려주는 138억 년 이야기』 바다출판사, 2022.를 권합니다.

면 빅히스토리라는 것도 시간만 138억 년으로 크게 벌려 놓았다뿐 그 냥 벌어졌던 이런저런 일들을 띄엄띄엄 기록한 무의미하고 밋밋한 이 야기에 불과할 것입니다.

그렇다고 해서 이러한 과정들이 그 이전의 과정들로부터 완전히 독 립된 별개의 과정인 것도 아닙니다. 어떤 생명체도 그 삶을 규정하는 물리적 · 화학적 과정에서 자유롭지 못하며, 제아무리 고차적으로 보이 는 인간 문명도 그 근저에 깔려 있는 생물학적 과정에서 독립되어 있는 것이 아닙니다.

하나가 더 있습니다. 새로운 층위의 과정이 나타나게 되면, 이 과정 은 그 이전부터 있었던 과정에 다시 영향을 주고 변형시키면서 전체가 완전히 새로운 양상으로 나아가게 하는 '뒤엉킴entanglement'을 낳습니다. 광합성을 하는 생명체가 나타나 산소가 대량으로 발생하면서 그 생명 체를 낳았던 지구의 대기 자체도 완전히 새롭게 바뀝니다. 의식을 가진 생명체인 인간이 다른 식물을 길들이고 동물을 길들이면서 인간에게 유리한 식물과 동물의 개체수가 폭증하게 되며, 이는 다시 인간과 그 식물 · 동물을 낳았던 생태계에도 큰 변화를 일으킵니다. 게다가 인간 이 '스스로를 길들이면서' 나타난 위계질서와 거기에 근간한 거대 복합 사회 및 산업 문명은, 지구 시스템의 여러 과정과 생물학적 과정은 물 론 인간의 의식과 문화라는 과정까지도 송두리째 바꾸어 놓았습니다.

이렇게 여러 과정들은 한편으로는 분명히 독립적인 새로운 과정을 생성시킵니다. 하지만 또 다른 한편으로는 그 새로운 과정들이 예전의 과정들에 극단적으로 의존할 뿐만 아니라 그것들과 서로 얽혀 바꾸어 버리고, 이 여러 과정들의 묶음 전체가 모두 함께 새로운 양상으로 나 아갑니다. 빅히스토리는 이렇게 "여러 층위의 과정들이 '누적'되고 '뒤

엉킴'되는 이야기"로 138억 년을 엮어 냅니다. 이 '누적'과 '뒤엉킴'이
바로 우리가 빅히스토리라는 새로운 역사 개념에서 얻을 수 있는 중요
한 핵심이라고 생각합니다.

자본주의, 산업 문명, 지구적 시스템

빅히스토리를 통해 습득한 '누적'과 '뒤엉킴'이라는 개념은 지난 3백
년 남짓의 기간 동안 벌어진 '인류 경제생활의 진화사'에서 있었던 대
변혁에 대해서도 새로운 관점을 던집니다. 자본주의, 산업 문명, 지구적
시스템이라는 세 개의 과정이 순서대로 그 뒤의 것을 발생시키고, 이
렇게 발생된 새로운 과정들은 그 이전의 과정을 하나의 '인프라'로 밑
에 깔면서 또 완전히 새로운 과정을 만들어 내고, 새로운 과정들이 다
시 또 아래의 과정들에 근본적인 변화를 불러일으키면서 전체 시스템
을 아무도 예측할 수 없는 방향으로 끌고 갑니다. 즉 자본주의, 산업 문
명, 지구적 시스템이라는 층위들이 순차적으로 발생하면서 '누적'되고
'뒤엉킴'되어 어디론가 미친 듯이 달려가는 이야기인 것이지요.

　자본주의가 생겨나기 이전부터 인류 문명에는 국가를 중심으로 한
권력과 지배의 과정이 있었고, 개인 및 집단 사이의 채권과 채무 등의
물적 관계를 측량, 기록, 재배치를 하기 위한 화폐라는 과정이 있었습
니다. 그런데 서유럽 문명이 흑사병에서 시작하여 르네상스와 종교전
쟁의 시대까지 통과하면서 대혼란에 빠지자 이 권력과 화폐라는 두 개
의 과정이 결합됩니다. 그저 비유일 뿐이지만, 생명체의 기원을 설명하
는 가설 중 하나인 '원시 수프primordial soup' 이론과 비교하자면, 아미노산
과 단당류처럼 그전부터 존재했던 권력과 화폐라는 두 요소가 뒤죽박

죽 대혼란이었던 중세 말 근대 초의 서유럽이라는 원시 바다의 공간에서 결합되어 '스스로 증식하는 자산'이라는 생명체를 낳았던 셈입니다.

18세기 말, 자본주의는 인류의 '경제생활'에 본격적으로 침투하여 그것을 완전히 뒤바꾸어 놓습니다. 본래 경제란 인간이 스스로의 좋은 삶에 필요한 유형 · 무형의 것들을 조달하는 행위에 불과하며, 화폐로 계산되는 권력의 무한 팽창이라는 자본주의와는 원칙적으로 전혀 별개의 것이었고, 역사가 브로델의 표현을 빌리자면 18세기까지만 해도 생산 행위는 기껏해야 '집 나간 자본주의'에 불과했습니다. 하지만 자본주의가 인간 세상을 전면적으로 지배하게 되자 그 원리에 맞추어 경제생활도 송두리째 바뀌는 강력한 흐름이 나타났고, 이에 산업혁명이 시작됩니다.

물론 인간 사회는 기계의 합리성과 자산 증식의 합리성만으로 조직될 수 있는 것이 아닙니다. 그러다가는 사회 전체가 해체되거나 파멸될 위험이 있습니다. 이에 사람들의 격렬한 싸움이 나타납니다. 하지만 이러다가 사회의 작동과 존속 자체가 위협을 받게 된다면 산업의 작동은 물론 자본주의 자체도 소멸하게 될 것입니다. 따라서 기술적 변화를 둘러싼 여러 사회 세력들 간의 싸움과 갈등에 대해 타협을 보고 일정한 질서를 수립하여 그것을 제도의 형태로 안착시키는 것으로 결론을 보게 됩니다. 이렇게 기술의 혁신, 사회 세력의 충돌과 결합, 제도의 형성과 안착이라는 세 가지 축이 맞물리면서 산업 문명의 형성과 진화라는, 정말로 종착지도 방향도 알 수 없는 갈지자 횡보의 독특한 과정이 생겨납니다.

산업 문명의 등장과 진화라는 층위는 비록 그 밑의 자본주의라는 과정에서 생성되기는 했지만, '누적'과 '뒤엉킴'을 이루면서 자본주의의 작동 방식 자체를 크게 바꾸어 버립니다. 절대주의 국가 시대인 18세기의 중상주의 자본주의, 영국 제국주의가 지배했던 19세기의 자유방임 자본주의, 혼란스러운 지구적 시스템 속에 등장한 20세기의 국가 자본주의, 오늘날 미국 패권 아래에서의 신자유주의적 자본주의 등 자본주의도 계속 모습을 바꾸며 진화합니다. 그야말로 산업 문명이라는 층위가 낳은 '뒤엉킴'의 결과물들입니다.

20세기 후반이 되면 산업 문명은 이제 지구적 시스템이라는 새로운 층위를 낳습니다. 물론 자본주의도 산업 문명도 그 출발부터 세계 무역이라는 것을 전제 조건으로 태어난 것들이지만, 전 지구의 인간과 사회와 자연을 하나의 리듬으로 꽁꽁 묶어 버리는 '시스템'으로서의 지구적 질서가 대두한 것은 제2차 세계대전 이후, 특히 지난 40년간의 일이라고 보아야 합니다. 단순히 무역과 금융으로 여러 자원과 채권·채무 관계가 얽히는 것으로 '세계 시스템world-system'을 이야기한다면 그건 기원전 3천 년 전, 아니 2만 년 전에도 있었다고 볼 수 있습니다. 하지만 지금 우리가 말하는 지구적 시스템은 단순히 자원의 유통만을 말하는 것이 아닙니다. 살아 움직이는 사람들이 개인적으로 또 집단적으로 생각을 서로 맞추고 일상적인 행동까지 모두 통일하여 일관된 리듬으로 움직이는 싱크로나이제이션synchronization이야말로 열역학 법칙이 독특한 방식으로 관철되는 '계界, system'를 말하는 것입니다. 특히 디지털혁명 이후로 정보와 지식과 생각 등의 무형적 요소의 이동과 결합이 비약적인 속도로 증가하였습니다. 이는 사실상의 '고립된 시스템isolated system'으로, 지구적 산업 문명 엔트로피에 심대한 충격을 가져왔습니다. 그래서 지구적 시스템은 이미 20세기 초, 아니 19세기 초부터 '역동적 정상 상태dynamic steady state'와 '혼돈의 이행기chaotic transition'를 오가게 됩니다. 이번에

다가올 수 있는 21세기의 '혼돈의 이행기'는 그 파장의 진폭과 파괴성에 있어서 이전, 예를 들어 20세기에 있었던 양차 세계대전과 대공황과 파시즘이 나타났던 20년의 기간과는 비교도 할 수 없을 만큼 클 것입니다.

지구적 시스템의 출현과 위기는 다시 그 이전 혹은 그 아래에 깔려 있는 자본주의와 산업 문명의 두 층위와 '뒤엉킴'을 일으켜서 그 두 가지의 성격을 또다시 근본적으로 바꾸어 버립니다. 1830년대에 그랬던 것처럼, 1930년대에 그랬던 것처럼, 2030년대가 되면 더 좋은 것이든 더 나쁜 것이든 이전과는 전혀 다른 새로운 자본주의와 새로운 산업 문명이 우리를 기다리고 있을지도 모릅니다.

이 책의 구성

이 책을 굳이 세 권이라는 큰 규모로 전개하게 된 이유가 여기에 있습니다. 제 짧은 견해이지만, 지금까지 이 3백 년 동안의 대격변을 이해하려고 큰 노력을 기울였던 대사상가들이 무수한 혜안을 남겼음에도 불구하고 끊임없이 혼동을 겪었던 이유는 바로 자본주의, 산업 문명, 지구적 시스템이라는 세 개의 층위를 나누고 그 '누적'과 '뒤엉킴'으로 이해하는 시각을 갖지 못했기 때문이라고 생각합니다. 자본주의와 인간의 경제 자체, 어떤 이들은 자본주의와 권력 및 화폐, 산업 문명과 자본주의, 지구적 시스템과 자본주의 등등의 조합이 제대로 구별되지 못하고 마구 뒤섞이고 혼동된 것이 문제였다고 봅니다.

그렇게 된 데에는 위대한 사상가들이 명확한 답을 내놓지 못한 탓도 있을 것입니다. 그들이 저보다 지적으로 부족해서 그런 것이 아니라 그저 그들보다 제가 늦게 태어나 그들이 볼 수 없었던 흐름을 살필 수 있는 기회를 얻었기 때문입니다. 21세기가 시작되어 벌써 5분의 1이 경과한 지금 시점에 살고 있는 우리로서는 조금만 냉철하게 생각해 본다면, 이 세 가지 층위의 '누적'과 '뒤엉킴'으로 지난 3백 년을 이해하는 방법이 별다른 논증이 필요하지 않을 만큼 너무 자명하고 심지어 뻔한 것으로까지 느껴집니다.

그래서 이제부터 세 권에 걸쳐서 그 각각의 층위를 다루고자 합니다. 1권은 인류 역사의 시작부터 존재했던 (국가)권력 및 지배의 과정과 화폐라는 상징 작용의 과정이 어떻게 결합되어 자본주의를 낳게 되었는지를 설명하고자 합니다. 2권은 자본주의로 인해 산업혁명이 나타난 이후 인간 사회가 어떻게 산업 문명이라는 독특한 삶의 방식으로 재편되었는지 그 과정을 살펴보고자 합니다. 3권에서는 지구적 시스템이라는, 45억 년의 지구 역사에서 처음으로 생겨난 미증유의 현상을 살펴보고자 합니다. 그리고 이 현상이 자본주의와 산업 문명을 어떻게 바꾸어 놓았고 나아가 인류와 지구의 미래에 어떠한 함의를 던지는지를 생각해 보고자 합니다.

마지막으로 이 말을 덧붙입니다. 이 책은 학술 서적이 아닙니다. 이런 정도의 큰 이야기를 엄밀한 학술 서적으로 쓰고자 했다면 부피도 집필 기간도 족히 100배는 늘어나야 할 것입니다. 그런 작업은 저의 역량과 주어진 시간을 한참 넘어서는 일이므로 제가 감히 엄두도 내기 힘든 일입니다. 그래서 저는 재미있게 편한 마음으로 읽어 볼 수 있는 이야기 방식을 선택했습니다. 여기엔 제 절박한 사정도 있습니다. 초두에 말했지만, 아둔한 제가 보기에도 지금 우리 인류는 너무나 중요한 결정적 시점에 서 있습니다. 나와 내 이웃과 멀리 살고 있는 모든 인류, 나아가 함께 숨을 쉬고 있는 모든 동물과 식물, 이들을 지켜 주는 지구 전체의 운명이, 우리가 지금 여기에서 어떻게 생각하고 어떻게 살아가고 어떻게 행동하느냐에 따라 천국으로 갈 수도 지옥으로 갈 수도 있는 순간입니다. 책을 많이 읽지 않아도, 뉴스와 신문을 많이 보지 않아도, 심지어 바깥세상에 별로 관심이 없다고 해도 "지금의 세상이 얼마나 지속될 수 있을까?"라는 의문을 한 번쯤 가져 보았을 것입니다. 이런 문제들에 대해 학술적으로 엄밀한 증명이 이루어지고, 그것이 다시 세계학계 전체의 합의를 거쳐 인증을 받는 진리가 되고, 그에 기반하여 공론장에서 새롭게 논의가 이루어지고, 그를 통해 전 세계 각국의 정치와 법적 제도가 바뀌는 과정을 묵묵히 참고 있기엔 지구가 우리의 어리석음을 더는 기다려 주지 않을 것 같다는 생각입니다. 그래서 부족하고 빈틈도 많지만, 하루라도 빨리 3백 년간에 펼쳐진 '인류 경제생활의 진화사'를 모두가 알 수 있고 모두가 마음으로 느끼고 모두가 다르게 살고 행동할 수 있도록 만들고픈 마음에서 이 책을 쓰게 되었습니다.

여러분이 이 책을 읽으면서, 지금 우리가 겪고 있는 현실이 지난 3백 년 동안 어떤 것들이 '누적'되고 '뒤엉킴'되면서 나타난 것들인지 이해하실 수 있으면 좋겠습니다. 그리고 우리와 우리 이후의 세대들이 살게 될 세상이 불필요한 옛날 세상의 껍데기들을 벗어 던지고 사람과 모든 생명과 지구 전체가 각자 생겨난 제 갈 길을 갈 수 있는 '부엔 비비르_{buen vivir}', 즉 '좋은 삶'을 이어 갈 세상을 준비하고 상상하는 데에 함께할 수 있으면 좋겠습니다. 그 길에 우리가 같이 선다면 비록 길고 외로운 과정이었지만, 제게는 이 수고로움과 걱정을 다 잊을 만큼 보람이 있을 것입니다.

PART5 근대국가의 형성

PART6 신용과 은행

PART7 권력은 화폐로 화폐는 권력으로

자본주의, 권력과 화폐의 결합

누구나 쓰는 말이면서도 누구도 그 정확한 의미를 규정하지 못하는 말이 있습니다. 바로 '자본주의'입니다. 또한 이 말처럼 사람마다 쓰는 의미가 모두 다른 말도 드물 것입니다. 그래서 오늘날 학계에서는 자본주의라는 표현이 학술적으로 의미가 있는 것인지 의심하는 지경에 이르렀습니다.

하지만 현실 세계에서는 이야기가 전혀 다릅니다. 우리가 운영하고 있는 경제 체제를 자본주의라고 부릅니다. 어떤 사건이나 정책 제도 등이 쟁점이 되면 정치가들이나 언론인들은 물론이고 학자들까지도 "그것이 자본주의 원리에 부합하는 것인가?"하는 문제를 놓고 목에 핏대를 세우며 논쟁을 벌입니다. 지금 우리가 살고 있는 세상을 저주하고 욕할 때에도 이 말을 쓰며, 찬양하고 높일 때에도 이 말을 씁니다. 다시 말해서 자본주의란 21세기에 살고 있는 우리들의 개인적 집단적 삶을 규정하는 압도적인 현실을 지칭하는 말임을 아무도 의심하지 않지만 누구도 그게 정확히 무슨 뜻인지 어떻게 정의할 수 있는지는 자신 있게 이야기하지 못합니다.

어쩌다가 이토록 중요한, 어쩌면 사회과학 전체를 놓고 보아도 매우 중요한 위치에 놓여 있는 이 열쇠 말이 이처럼 애매한 상태가 된 것일까요? 20세기 아니 19세기 초 이래로 자본주의라는 관념 혹은 개념을 놓고 그토록 많은 토론과 논쟁이 쏟아졌건만 아직도 자본주의라는 것을 명확히 규명하지 못하고 미완으로 남아 있는 것일까요?

이 혼란의 원인은 자본주의를 '경제'에서 생겨난 것으로 이해하려 했던 데에 있습니다. 자본주의는 경제가 아닙니다. 그리고 자본주의는 '경제'에서 생겨나지도 않았습니다. 자본주의는 경제보다 훨씬 더 큰 것이며, 그 기원에 있어서는 경제와 무관합니다. 비록 자본주의가 점점 성장해 감에 따라 결국에는 인류의 경제생활까지 온통 지배해 버리게 되었지만, 그것은 어디까지나 19세기 이후의 일이며 아무리 오래 잡아도 18세기 이전으로 거슬러 올라갈 수는 없습니다.

자본주의는 경제를 넘어선 인류의 포괄적인 생활 방식의 진화에서 나타난 한 단계로서, 약 500년 전에 새롭게 발명되어 진화해 온 새로운 '권력 양식'입니다. 즉 사람에 대한 사람의 지배라는 사회적 권력이 화폐라는 사회적 기술과 만나면서 생겨난 현상입니다. 따라서 그 역사적 기원과 진화 과정은 좁은 의미에서 경제의 역사가 아니라 권력과 지배의 방식이 발전해 온 역사 그리고 그와 맞물려서 화폐라는 사회적 기술이 발전해 온 역사에서 찾아야 합니다. 여기에 더해 근대국가의 형성과 근대화폐의 성립 속에서 어떻게 권력과 화폐가 내용과 형식으로 결합되었는지를 살피고, 그 이후에 어떻게 해서 '무한 축적'이라는 원리로 인류 문명 전체를 조직하는 메커니즘인 자본주의가 나타나게 되었는지를 보아야 합니다. 이 탐구를 위해 이 책은 어쩌면 여러분이 당혹스럽게 느낄 만한 주장을 답으로 내세우고자 합니다.

자본주의는 경제에서 생겨나지 않았다

먼저 '경제'라는 것이 무엇인지 생각해 보겠습니다. 경제란 사람의 살림살이 즉 삶에 필요한 것들을 조달하는 행위를 말합니다.[2] 사람은 욕구를 충족하고자 하는 본능이 있습니다. 또 식욕과 같은 본능은 생존과도 관련이 있습니다. 그래서 우리가 벌이는 활동이 생산과 소비입니다. 크게 보아 인간이 개인적으로 집단적으로 이렇게 생산과 소비 활동을 조직하고 영위하는 과정 전체를 경제라고 부릅니다. 이렇게 본다면, 자본주의가 생겨나기 이전에도 몇천 년, 몇만 년 아니 그 이상의 시간 동안 경제는 항상 존재했습니다. 그리고 인류가 지구 위에 존속하는 그날까지 영원히 존재할 것입니다. 경제 그 자체란 이렇게 '사람들이 자신들의 좋은 삶과 생존 욕구를 위해 필요한 것을 조달하여 향유하는 활동'이라고 정의할 수 있습니다.

한편 자본주의란 자본의 무한 축적이라는 원리로 조직되는 활동과 제도를 뜻하기도 합니다. 이때의 '자본'이란 '무한히 가치가 증식되는 것을 전제로 하는 자산asset'을 뜻합니다. 이 말을 풀어서 설명해 보겠습니다. '자산'이란 경제적 가치가 있는 유형, 무형의 재산입니다. 가치를 매기기 위해서는 만사만물을 화폐라는 동일한 수량 단위로 바꾸어 계산할 수 있어야 합니다. 아이에게 먹일 우유를 얻기 위한 목축업 생산물부터 공장에서 만들어 내는 공산품 같은 유형의 가치는 물론이고, 인기 연예인의 매력과 재능 같은 무형의 가치까지 자산의 범위는 매우 넓습니다.

여기에서 더 나아가 여러 국가들의 국력 차이, 인공지능의 발전 속

---

2 여기서 말하는 '경제' 정의는 칼 폴라니가 말하는 '실체적 정의'를 따른 것입니다. 이 논의는 칼 폴라니, 『사람의 살림살이 1: 시장 사회의 허구성』, 박현수 역, 풀빛, 1998의 2장 「경제라는 말의 두 가지 의미」를 참조하세요.

도, 세계 인구의 증감률과 같은 애매모호하고도 거대한 상황의 전개와 같은 것들도 모두 숫자를 매겨서 화폐 가치로 바꿀 수 있어야 합니다. 이를 통해서 방금 말한 것들을 소유하고 있다면 그것이 어느 정도의 가치가 있는지 즉 '현재 가치'를 다시 계산해 냅니다. 그렇게 해서 계산된 소유권의 가치가 바로 '자산의 가치'입니다. 이 엄청나게 복잡하고 다양하고 어려운 계산을 해내기 위해 오늘도 금융 시장이라는 거대한 제도가 힘차게 작동하고 있으며, 여기에서 다양한 종류의 자산이 매매됩니다. 방금 말한 예들과 연결해서 보자면, 농산물 시장의 가격, 회사채, 연예기획사의 주가, 국채의 리스크 프리미엄, 기술주의 등락, 장기 혹은 초장기 채권 수익률의 변화 등등과 같은 현상이 나타납니다.

이 '자산'의 가치는 그냥 멈추어 있지 않습니다. 자본주의란 이 '자산'의 가치가 계속 팽창하는 것을 원리로 삼는 사회 조직의 방식을 말합니다. 하지만 새끼를 쳐서 번식을 할 수도 없는 '무성의 존재'인 자산이 계속 규모를 불려 나갈 수 있는 비밀은 어디에 있을까요? 이는 그 자산의 가치가 계속 불어나도록 인간과 사회와 자연을 해체하여 재조직할 수 있는 사회적 권력에 있습니다. 그래서 이러한 권력을 많이 가진 이의 자산은 빠른 속도로 불어나게 되고, 그러한 권력이 적거나 없는 이들의 자산은 크기가 잘 불어나지 않거나 아예 쪼그라들어 없어지기까지 합니다. 이 말이 직관적으로 이해가 가지 않는 분들은 매일매일 사람들의 아귀다툼이 벌어지는 부동산 시장과 주식 시장의 모습을 잠깐 생각해 보시기 바랍니다.

이제 "자본주의는 경제에서 생겨나지 않았다."라는 말을 조금 더 설명할 수 있겠습니다. 경제는 그저 사람들이 먹고 살고 즐기기 위해 벌이는 여러 활동일 뿐입니다. 따라서 그 자체로는 화폐와 무관합니다.

오늘날과 같은 근대 화폐가 발명된 약 300년 전 이전의 사람들이 어떻게 경제를 조직했는지 잠깐만 생각해 보십시오. 그 과정에서 지금의 화폐와 비슷한 것이 등장할 때도 있었지만, 사실상 화폐와 전혀 무관하게 벌어지는 일들이 훨씬 더 큰 비중을 차지했습니다.

또한 경제는 무한히 팽창하지도 않습니다. 사람들이 생산과 향유 활동을 할 수 있는 시간도 하루 24시간으로 유한합니다. 더욱이 그 24시간의 상당 부분은 수면과 생리 활동 등 경제와는 무관한 과정에 쓰입니다. 물론 인구가 불어난다면 경제의 크기도 늘어날 것입니다. 기술과 문화가 발전하여 사람들의 생산과 향유의 폭과 깊이가 늘어날 때도 마찬가지입니다. 하지만 인구의 변화나 기술·문화의 발전이라는 것은 들쭉날쭉하거나 아주 오랜 시간에 걸쳐 조금씩 일어나는 것이므로, '연간 15퍼센트 성장'이라는 식의 '복리compound interest'로 계산할 문제가 아닙니다. 게다가 경제란 그 크기와 성장에 항상 한계가 있으며, 무한히 팽창하는 일은 절대로 벌어지지 않습니다. 요컨대 본래 경제란(근대적) 화폐와도 무관하며, 또 무한히 계속 불어나는 것도 아닙니다.

자본주의는 '근대국가'와 '근대 화폐'의 결합이다

그렇다면 자본주의의 기원과 진화 과정은 어디에서 찾아야 할까요? 앞에서 이야기한 '자산 가치의 무한 팽창'이라는 말의 뜻에서 답을 찾을 수 있습니다. 만사만물의 가치를 매길 수 있고 또 만사만물을 거래하여 자기 뜻대로 움직일 수 있는 '초고성능high-powered' 화폐, 사람과 사회와 자연을 뜻한 바대로 동원하고 배치하고 재조직할 수 있는 권력, 이 두 가지가 어디에서 어떻게 발전하고 진화하였는가 그리고 이 두 가지가 마침내 어떻게 하나로 결합되었는가를 추적해야 합니다. 그것이 이 책에서 설명하고자 하는 바입니다.

앞으로 자세히 보겠지만, 화폐란 사람과 사람 사이에서 발생하는 가지가지의 채권과 채무를 기록하는 수단일 뿐입니다. 이런 의미에서의 화폐라면 태곳적 아니 구석기 시대부터 인간 세상 어디에서나 존재했던 보편적인 것입니다. 하지만 그 채권과 채무의 성격은 복잡한 인간사만큼이나 다양하며, 그 다양한 인간사에 따라 채권 · 채무를 기록하는 방식과 제도도 무수히 다양했습니다. 남의 팔을 부러뜨렸을 때에 지게 되는 채무, 국가에 세금을 내야 할 채무, 죄 사함을 받고 풍년을 기원하기 위해 신 혹은 신전에 바쳐야 할 채무, 신부를 데려가는 신랑이 처가에 져야 할 채무 등등은 모두 전혀 다른 성격의 채무입니다. 이에 따라 계산의 방식과 수단, 지불의 방법과 형식, 거기에 쓰이는 구체적 물품 등은 모두 제각각이었습니다. 편의상 이런 것들을 모두 화폐라고 부르기는 합니다만, 그것이 오늘날 우리가 쓰고 있는 것과 같은 의미의 화폐라고 말하는 것은 어불성설입니다.

국가라는 것도 마찬가지입니다. 국가를 '공인된 사회적 폭력 수단을 독점하고서 성원 전체에 군림하면서 권력을 행사하는 사회적 조직체'라고 정의한다면, 이러한 의미의 국가 또한 까마득한 옛날부터 인간 세상 어디에서나 항상 존재해 왔다고 할 수 있습니다. 하지만 화폐의 경우와 마찬가지로 국가 또한 복잡한 인간사만큼이나 그 형태와 조직 방식이 무수히 다양했습니다. 파라오의 이집트 '왕국'과 고대 그리스의 '폴리스'와 중국 진시황제의 '제국'과 오늘날의 '미합중국'은 어떤 공통점이 있는지 알 수 없을 정도로 서로 다릅니다. 편의상 이들을 모두 '국가'라는 하나의 범주 안에 넣어 부르기는 하지만, 이집트 왕국과 그리스 폴리스와 통일 진나라가 오늘날 우리가 말하는 '근대국가'와 같은 의미의 '국가'라고 볼 수는 없습니다.

근대 화폐는 상거래는 물론 국가에 대한 세금의 지불 등 거의 모든 인간사에서 채권·채무의 기록과 그 지불을 수행할 수 있는, 보편적이며 사회적인 권력으로서의 '전 목적적all-purpose' 화폐입니다. 이러한 화폐 출현은 아무리 오래 잡아도 500년 전으로 거슬러 올라갈 수는 없습니다. 또 오늘날의 국가는 모든 폭력을 완벽하게 독점하고, 화폐로 세금을 거두어들이고, 철저하게 마련된 절차로 만들어진 법에 따라 스스로를 조직하면서 '주권'을 확립하기 위해 끊임없이 부국강병을 꾀하는 '근대국가modern state'입니다. 이러한 국가의 출현 또한 아무리 오래 잡아도 500년 전으로 거슬러 올라갈 수는 없습니다. 그리고 사실상 근대화폐와 근대국가라는 두 개념의 기원과 발전 과정은 불가분의 관계라고 할 수 있습니다. 즉 이 두 개념은 그 과정에서 파생된 두 개의 측면이라고 보는 것이 옳습니다. 이 단일의 과정이 바로 '권력과 화폐의 결합'으로서의 자본주의가 발생하고 발전해 온 과정이라고 말할 수 있습니다. 500년 전 서유럽에서는 대체 무슨 일이 있었길래 이처럼 놀라운 제도적 변화가 벌어지게 되었을까요?

문명사 전체의 시각으로

이 변화의 성격과 의미를 이해하려면 단순히 500년 전 서유럽만 보는 것만으로는 충분하지 않습니다. 파우스트의 마지막 장면만 보고서 『파우스트』라는 작품을 이해했다고 말할 수 없는 것과 똑같습니다. 파우스트가 하늘로 올라가는 사건의 의미를 이해하고 해석하기 위해서는 그가 처음에 악마 메피스토펠레스와 어떻게 만나게 되었고 그다음에 무슨 일들이 벌어졌는지 따라가 보아야만 합니다. 마찬가지로 약 500년 전부터 서유럽에서 시작된 이 '권력과 화폐의 결합'이라는 사건의 의미와 성격을 이해하기 위해서는 그보다 훨씬 더 큰 시간적·공간적 시야를 가져야만 합니다. 그래서 이 책은 구석기 시대부터 인류가 어떻게 '경제'를 꾸려 왔는지, '화폐'는 무엇이었고 어떻게 발생했는지, 전쟁과 '국가' 권력은 어떻게 서로 불가분의 관계로 엮여 왔는지 두루 살펴보고자 합니다.

또한 인간을 이해하고 인간 세상을 바라보는 우리의 시야 또한 '문명사' 전체, 즉 '물질적 생활과 정신적 생활이 결합되는 역사'라는 틀로 확장해야 합니다. 앞에서 말했듯이 자본주의가 경제에서 생겨난 것이 아니므로 좁은 의미의 경제사만으로는 부족합니다.

500년 전 서유럽에서 권력과 화폐의 놀라운 변형과 결합이 벌어지게 된 배경을 이해하려면 단순히 정치·사회 제도의 틀을 살피는 것만으로도 부족합니다. 사람들이 자신들의 존재와 사회, 나아가 자연과 우주에 대해 어떤 생각을 품고 있었는지는 물론, 그것에 어떠한 변화가 일어나게 되었는지까지 살펴볼 수 있도록 시야의 범위를 크게 확장해야만 합니다.

그래서 이제부터는 구석기인들의 식생활, 14세기 서유럽의 흑사병 사태, 복식부기의 발명 등 어떻게 보면 서로 연관이 없어 보이는, 하지만 서로 유기적으로 이어진 다종다기한 이야기들이 펼쳐질 것입니다. 그동안 우리가 자본주의라는 말과 경제나 화폐와 같은 말에 대해 가지고 있었던 고정관념과 편견을 잠시 내려놓고 머리와 마음을 편안하게 풀어놓은 상태에서 이야기를 들어 주시기 바랍니다.

PART 1

고대 사회 경제 생활

1

구석기 시대 사람들이
지금 우리보다 더 풍요로웠다고?

구석기 시대에 대한 몇 가지 통념

인류학자 마셜 살린스Marshall Sahlins가 1960년대에 냈던 『석기 시대 경제학Stone Age Economics』이라는 책이 있습니다. 제목처럼 석기 시대의 경제 상황 등을 다룬 것으로 아주 유명한데요, 궁금하지 않으십니까? 석기 시대의 사람들은 어떻게 경제 활동을 했고, 또 어떻게 먹고살았을까요?

한때 유행했던 다이어트 방법 중에 '구석기 시대 다이어트'라는 것이 있었습니다.[3] 논리는 간단합니다. 구석기 시대 사람들처럼 먹자는 것입니다. 무슨 이야기인지 조금 더 살펴볼까요.

약 12,000년 전에 농업혁명이 일어나면서 구석기에서 신석기로 넘어갔습니다. 구석기 다이어트 신봉자들은 이 시점부터 인류의 체형

---

3 'zone 다이어트'로 검색하면 많은 정보를 얻을 수 있습니다.

이 변하기 시작했다고 말하고 있습니다. 그런데 인류가 처음 생겨났을 때에는 그렇지 않았다는 것이죠. 결론적으로 인간이 몇천만 년 동안 내내 유지했던 몸이 있고 식습관이 있는데, 가축을 기르고 곡식을 재배하면서 단백질과 지방 특히 탄수화물을 과도하게 잔뜩 섭취하게 되었으니 인간의 몸이 제대로 버틸 수 있겠냐는 겁니다. 따라서 구석기 시대 사람들처럼 먹는 것이 우리 몸에 가장 이상적이라는 주장입니다.

물론 다이어트 전문가가 아닌 저로서는 어디까지가 사실인지 알 길이 없지만, 아주 흥미로운 이야기라는 생각이 듭니다. 제 관점에서 봤을 때 이런 주장은 우리가 구석기 시대 사람들에게 가지고 있는 통념을 깰 수 있는 기회가 되기 때문입니다.

사실 구석기만큼 많은 오해를 받는 시기도 없습니다. 사람들은 흔히 구석기인들이 음식을 조달했던 방법은 수렵·채집·어로뿐이라서 고기와 과일과 물고기를 찾아 정처 없는 떠돌이 생활을 했을 거라고 생각합니다. 생산력도 높지 않았을 것이고 군집의 크기도 작았을 테니, 사실 두 발로 걸으며 돌도끼를 썼다고 해도 다른 영장류들의 삶과 큰 차이가 없었을 거라고 하죠. 극단적인 주장을 펼치는 이들은 구석기인들이 '식인 풍습'을 가졌을 거라고 주장하기도 합니다. 즉 이때는 사람을 잡아 봐야 노예로 쓰지 못했다는 논리입니다.

노예로 쓰려면 '잉여 생산물'이 나와야만 합니다. 잉여 생산물이란 생존에 필요한 정도 이상의 생산물을 말하는데요, 잉여 생산물이 없다면 노예가 있어도 결국 굶어 죽을 수밖에 없을 테니 어찌 보면 당연한 말입니다. 그러니 노예제도라는 것도 있을 수 없고, 만약 전쟁이 벌어졌다면 그 목적은 상대방을 잡아먹기 위함이었을 것이라는 소리까지

나옵니다.[4]

이게 우리가 구석기 시대 사람들에 대해 가지고 있는 이미지입니다. 이런 시기를 지나 농경 사회에 접어들면서 비로소 문명이라는 것이 생겨났다고 흔히들 알고 있습니다. 좀 더 구체적으로 이야기하자면 구석기는 주먹도끼·찍개·찌르개 등을 이르는 뗀석기를 지칭하는 말인데, 이처럼 돌을 깨뜨리거나 떼어 내 도구를 만들어 쓰던 때를 구석기 시대라고 합니다. 그러다 돌을 갈아서 도구를 만드는 신석기 시대에 접어들고, 그다음 아주 중요한 단계인 동물과 식물을 키우는 시기가 옵니다. 목축과 농경인데요, 두 개는 다른 것 같지만 사실은 비슷합니다. 키우는 게 동물이면 목축, 식물이면 농경이라는 차이가 있을 뿐이니까요.

우리는 멧돼지와 집돼지가 얼마나 다른지 잘 알고 있습니다. 같은 동물이라고 할 수 없을 정도입니다. 쌀도 마찬가지죠. 야생 쌀이라고 하는 것은 우리가 오늘 밥을 지었던 그 쌀과는 전혀 다릅니다. 생김새는 물론 맛도 그렇죠. 학자들은 인류가 이렇게 식물과 동물을 키우게 된 것을 대략 12,000년 전이라고 추정합니다. 그때부터 생산력이 올라갔고, 드디어 사람들이 빈곤과 결핍에서 벗어났으며, 정착 생활도 하기 시작했다고 합니다. 자연스럽게 군집은 커지고, 생산력이 늘어나니 잉여 생산물의 양이 많아지고, 재산 소유라는 개념도 생기고, 전쟁도 벌어지고, 국가도 나타나고…, 뭐 이런 식으로 역사가 흘러갔다는 것이 우리의 오래된 통념입니다. 농경·목축·정착 생활이 본격적으로 이루

---

[4] 옛날 책에 나오는 이야기일 뿐, 최근 연구에 따르면 구석기 시대의 식인 풍습은 대부분 의식이나 제례와 관련이 있고, 영양분 섭취 목적으로 보기는 힘들다고 합니다. 사냥 가능한 다른 동물들에 비해 인체의 영양소 함유량이 너무 적다는 것 등이 이를 뒷받침하는 논거입니다.

어진 이른바 '신석기혁명'이라는 것이 대략 1만 년 전쯤 시작되었으며,[5] 이를 통해서 인간은 비로소 여타 영장류들과 다른 '문명' 단계로 들어왔다는 것이 바로 사람들이 상식처럼 알고 있는 인류 역사의 한 부분입니다. 이런 내용은 미하일 일린Mikhail Il'in이 쓴 『인간의 역사』와 같은 책에도 보이는데요,[6] 이런 책들 때문에 구석기인이 흉측하게 생겼고, 또 먹고살기 힘들었을 거라는 추측, 그 이후 농경이 발전하면서 문명이 생겨나고 서서히 발전해 나가기 시작했다는 식의 이야기가 통념으로 굳어졌습니다.

마셜 살린스가 연구한 구석기 시대의 모습

이것이 과연 맞는 이야기일까요? 그렇다면 굳이 이렇게 긴 서두를 깔지 않았겠죠. 앞서 소개한 마셜 살린스의 견해[7]를 통해 우리가 구석기 시대 사람들에게 가지고 있는 통념에 의문을 제기해 보려고 합니다. 살린스는 구석기인들이 어떻게 경제생활을 했는지 오랫동안 연구했습니다. 구석기 시대는 끝나 버렸는데 어떻게 알 수 있을까요? 지구의 오지

---

5 이 '신석기혁명neolithic revolution'이라는 말은 영국의 마르크스주의 고고학자였던 비어 고든 차일드Vere. Gordon Childe가 1935년에 한 연설에서 유래한 것으로 알려져 있습니다. "인류가 산업혁명과 러시아혁명을 거쳐 계속 새로운 문명으로 나아가고 있듯이, 태곳적에도 그에 해당하는 혁명이 있어서 비로소 '문명'이 시작되었다"는 것입니다. 이는 그가 만든 또 하나의 개념인 '도시혁명urban revolution'과 함께 인간이 어떻게 구석기 영장류에서 생산력 발전을 거쳐 '문명' 단계로 들어섰는지를 설명하는 관점을 형성합니다. Vere. Gordon Childe, Man Makes Himself: Man's Progress through the Ages, New American Library, 1957. 『신석기혁명과 도시혁명』 김성태 이경미 역, 주류성, 2013.

6 『인간의 역사』, 동완 역, 동서문화사, 2008.

7 Marshall Sahlins, Stone Age Economics Routledge, 2014. 『석기 시대 경제학』, 박충환 역, 한울, 2014.

곳곳을 뒤져 보면 농업혁명이 일어나기 전, 다시 말해 식물과 동물을 길들이기 이전의 생활 방식을 유지하는 사람들을 찾아볼 수 있습니다. 이를테면 아프리카의 소수 민족이나 사하라 사막의 부족, 아마존 원시 부족 등이 있는데요, 이들은 농경이나 목축을 전혀 하지 않고 지금까지도 여전히 수렵·어로·채집 방식으로 식량을 조달하며 살고 있습니다. 살린스가 이 사람들을 관찰했더니, 우리 상식과 전혀 다른 결과를 얻었습니다. 그들이 전혀 가난하지 않게 살고 있더라는 겁니다. 도리어 어떤 면에서는 우리보다 훨씬 풍요로운 지점도 있을 정도라고 합니다.

사하라 사막에 사는 부족을 예로 들어 보겠습니다. 가볍게 생각해 보면 사막에 먹을 게 있을까 의문이 들죠. 하지만 이들은 그 사막에서 먹을 것을 찾아냅니다. 거기에 쓰는 시간은 하루에 약 서너 시간 정도입니다. 그럼 나머지 시간은 뭘 했을까요? 놀았답니다. 먹을 것을 찾는 시간을 제외하곤 친구들과 종일 놀았다고 해요. 그러다 다음 날 배고프면 또 서너 시간을 투자해 먹을 것을 찾고, 나머지 시간은 또 놉니다. 현대인 관점에서는 이해하기 쉽지 않거나, 그저 부럽기만 한 삶이죠. 살린스가 이걸 보고 '원초적인 풍요의 시대Primordial Affluent Age'라는 이름을 붙입니다.

이 말에는 약간의 사연이 있습니다. 1958년, 존 갤브레이스John Galbraith라는 경제학자가, 미국 사회는 생산력 및 공급 능력의 폭발적인 증가로 수요 문제가 사실상 해결되었고, 따라서 이제 사회는 이 새로운 수준의 공급 능력에 걸맞도록 '공공 소비'와 '복지' 등을 강화한 새로운 사회로 전환해야 한다는 주장을 펼치기 위해 『풍요로운 사회Affluent Society』라는 책을 출간했습니다. 이 책이 베스트셀러가 되면서 1950~1960년대 미국 사람들은 자신들이 의식주 문제가 해결된 사회에 살고 있다고 믿었습니다. 살린스가 보니까 이런 풍요로운 사회는 1950년대에 새로 생긴 개념이 아니라 구석기 시대 사람들이 이미 그렇게 살았다는 거예요.

자, 여기서 "배를 쫄쫄 굶으면서 종일 노는 게 무슨 풍요로운 사회냐?"라고 의문을 제기할 수 있습니다. 구석기인들이 일을 많이 하지 않았다는 것은 알겠지만, 물질적으로 비참한 상태에 있었던 게 아니냐는 의문입니다. 살린스 이후 인류학자들과 고고학자들이 다양하게 연구를 진행하고, 의학이 발전하면서 구석기 시대 사람들의 뼈를 조사해 영양 상태에 대한 데이터를 모았습니다. 이 과정을 통해 구석기 시대 사람들이 실제로 어떻게 살았는지 조금 더 구체적으로 파악할 수 있게 되었는데요, 놀라운 결론에 도달합니다. 그들은 우리가 생각하는 것과 달리 영양 결핍 상태에 있었다고 보기 힘들다는 겁니다. 물론 그들이 여기저기 돌아다녔던 건 맞습니다. 하지만 우리가 생각하듯 떼거지처럼 먹을 것을 찾아 정처 없이 헤매던 것은 아니었습니다. 그들은 그렇게 단순하지 않았어요. 자기가 살던 지역을 중심으로 어느 철에 어떤 지역으로 가면 어떤 과일을 먹을 수 있고, 어떤 시기에 어떤 호수로 가면 어떤 생선을 먹을 수 있는지 정확히 알고 있었습니다. 이를테면 "3월에는 어떤 지역에서 멧돼지 사냥을 해야 한다." 혹은 "9월에는 바다에서 나는 어떤 생선이 좋더라." 같은 명확한 데이터가 있었던 겁니다. 따지고 보면 이게 지금 우리가 이야기하는 제철 음식과 다름없죠. 그러니 구석기 시대 사람들은 철마다 제일 맛있는 과일을 먹고, 제일 통통한 잉어를 먹고, 알이 가득한 꽃게를 먹었던 셈입니다. 게다가 운동량은 또 얼마나 많았겠습니까. 지금 현대 사회에서 이야기하는 이상적인 다이어트 방법이 아닌가요.

그렇게 이동하고, 제철 음식 먹고, 남는 시간은 노는 삶을 살았던 거죠. 실제로 그들의 건강 상태는 농경 사회 이후 사람들보다 훨씬 양호한 경우가 많았다고 합니다. 물론 지금 제가 말씀드리는 것이 분명한 역사적 사실이라고 칼로 자르듯 단정할 수는 없습니다. 확실해지려면 좀 더 많은 데이터가 축적되어야 합니다. 다만 우리가 알고 있던 단선적인 역사관, 즉 그들이 짐승과 거의 구별되지 않았고 먹을 게 없으면 사람도 잡아먹다가 어느 순간 동물과 식물을 키운 덕에 잘 살기 시작하면서 문명이라는 것이 발생했다는 기존의 스토리는 심각한 도전을 받고 있다고 할 수 있습니다.

사실 구석기 시대에도 씨를 뿌리면 싹이 나고, 열매를 맺고, 곡식을 수확할 수 있다는 사실 자체는 이미 알려져 있었습니다. 그래서 씨를 뿌려 놓고 지역을 한 바퀴 도는 방식으로 삶을 영위했죠. 예를 들면 옥수수 씨앗을 뿌려 놓고, 다른 어느 지역으로 이동합니다. 거기서 싱싱한 해산물을 먹고, 또 때가 되면 다른 지역으로 가서 무슨「청산별곡」에 나오는 이야기처럼 머루랑 다래랑 먹으면서 지내다가 원래 있던 곳으로 돌아오면 옥수수가 자라 있습니다. 그러면 이때부터는 또 당분간 옥수수를 먹으면서 지냅니다. 농경이라는 게 꼭 정착 생활과 한 세트로 붙어 있는 게 아니라는 겁니다.

그 이후 정착 생활과 결부된 목축과 농경이 시작되면서 인류의 생활양식이 큰 변화를 맞게 된 것은 분명합니다. 다만 거대 문명 지역을 제외하면, 이렇게 전 지구적으로 정착 생활을 하는 문화가 형성된 것은 그보다 훨씬 뒤의 일이라는 겁니다. 이렇게 농경 생활을 시작하고 곡물을 섭취하면서부터 인류의 신체가 심각하게 위협당했다는 연구 결과는 상당히 많습니다. 쌀과 콩과 보리를 먹는 것을 당연히 여기는 지금의 우리는 좀 이상하다고 볼 수 있겠지만 조금만 달리 생각해 보면 당연한 이치입니다. 몇천만 년 동안 여기저기 다니면서 가장 신선하고 맛있는 제철 음식을 먹고 살던 사람들이 이제 정착해 매일매일 그곳에서 기른 쌀과 옥수수만 먹어야 한다면 '몸'의 입장에선 얼마나 큰 충격이겠습니까. 그전과는 달리 온통 탄수화물 위주의 식생활이었을 테니 더욱 그랬을 겁니다. 이때 과연 무슨 일이 있었고, 어떤 계기로 농경과 목축이 시작되었는지는 아직 명확히 밝혀진 바는 없습니다. 어떤 기록이 남아 있는 것이 아니니까요. 하지만 이 농경의 발전이 생산력과 결부되어 있다는 기존의 통설을 역사적 사실로 받아들이기엔 조금 무리가 있을 것 같습니다.[8]

여러분은 어떤 노후를 꿈꾸십니까? 저는 철마다 가장 싱싱하고 맛있는 음식을 먹고, 건강하게 등산하고, 하이킹하고, 친구들과 바다에서 놀고, 들에서 노는 그런 삶을 꿈꾸는데요, 이게 바로 구석기 시대의 생활상 중 하나가 아니었나 생각해 봅니다. 요즘으로 치면 칼라하리 사막에 사는 종족 부시먼의 삶이 그러할 듯합니다. 구석기 시대 사람들의 삶을 알게 되면서 저도 부시먼처럼 살고 싶어졌습니다.

저는 구석기 시대가 낙원이라고 말하는 게 아닙니다. 하지만 적어도 우리가 지금껏 알고 있던 경제 관념 하나쯤은 바꿀 필요가 있지 않나 생각합니다. 많은 현대인들이 은연중에 지금을 과거보다 우월하게 여기는 경우가 많습니다. 옛날로 거슬러 올라가면 갈수록 못살고 더럽고 나쁘고, 현대로 오면 올수록 깨끗하고 풍요롭고 좋다는 생각 말입니다.

---

8 이러한 농업의 기원과 역할에 대해 새로운 관점을 제시하는 책으로 다음 저서를 참고할 수 있습니다. James C. Scott, Against the Grain: A Deep History of the Earliest States, Yale University Press, 2017., 『농경의 배신』, 전경훈 역, 책과 함께, 2019.

물론 그런 측면도 있겠죠. 하지만 모든 역사, 모든 경제사를 그렇게 단순화한다면 우리는 결코 앞으로 나갈 수 없을 뿐 아니라, 많은 현상을 제대로 보지 못하게 됩니다.

2

고대 사회
선물 행위

현재의 우리는 일상생활에 필요한 물건이 있으면 마트나 시장에 가서 돈을 주고 사 오는 것이 일반적입니다. 뭐 요즘은 온라인 몰도 워낙 잘되어 있긴 하지만 크게 보면 이 모든 것은 '시장'이라는 경제 제도의 일종이라고 볼 수 있겠습니다. 하지만 지금처럼 '시장'이라는 것이 완전히 보편화되어 원하는 것을 조달하는 지배적 방법으로 자리 잡은 것은 그리 오래된 일이 아닙니다. 아무리 길게 잡아도 몇백 년 이상으로 거슬러 올라갈 수는 없습니다. 그렇다면 그 이전의 사람들은 수천 년 동안 일상에 필요한 물건들을 어떻게 조달해 왔을까요? 크게 두 가지 방법이 있었는데, 하나는 '선물'이었고 다른 하나는 '재분배'였습니다.

이때 '선물'은 선물 시장futures market이라고 할 때의 선물이 아니라 생일 선물이라고 할 때의 선물gift입니다. 좀 의아할 수 있습니다. 선물 하면 제일 먼저 생각나는 것이 생일이나 크리스마스 혹은 밸런타인데이 정도일 텐데, 이게 경제와 과연 무슨 상관이 있나 하는 의문도 들 겁니다. 현대의 우리는 선물이라고 하면 마음을 표현하는 물건 혹은 정서적인 교감 정도로 생각하지 경제 활동이라고 생각하지는 않으니까요.

하지만 원래 인류가 주고받았던 선물은 살아가는 데 필수적인 품목들이었습니다. 서로에게 필요한 물품들을 선물 행위로 조달했다는 뜻이죠. 20세기 초까지만 해도 많은 경제학자들은 고대 인류가 필요한 물건을 구하는 가장 보편적인 방법이 시장에 나와 서로 물물교환을 하거나 화폐를 주고 물건을 구매하는 것이라고 생각했는데요, 이는 굉장히 큰 착각이었습니다.

칼 폴라니Karl Polanyi라는 20세기의 저명한 경제 사상가 및 경제인류학자가 주장한 바에 따르면, 역사상 대부분의 인간 사회에서 시장교환이나 물물교환이 없었던 것은 아니지만 이런 행태가 부수적인 위치를 넘어선 적이 없다고 합니다. 이해를 돕기 위해 우선 선물이라고 하는 것의 경제학적인 원리에 대해 이야기해 보겠습니다.

"가는 정이 있어야 오는 정이 있다."라는 속담이 있죠. 이 말은 '가는 정'을 먼저 쓸 것인지 아니면 '오는 정'을 먼저 쓸 것인지에 따라 또는 어조에 따라 상대방을 비난하는 말이 될 수도 있고, 스스로를 자책하는 말이 될 수도 있습니다. 가는 게 먼저일까요? 오는 게 먼저일까요? 이 문제를 풀지 못하면 아무도 선물을 먼저 하지 않은 채 버티다가 서로 주고받는 것이 전혀 없는 상황이 벌어집니다. 그러니 우리는 우선 "왜 선물을 주고받게 되었을까?" 하는 점에 대해 논리적으로 생각할 필요가 있습니다. 간단하게 말하자면 자본주의 이전의 선물은 일종의 냉장고와 다름없었습니다.

현대인의 삶은 냉장고라는 물건에 익숙해져 있습니다만, 따지고 보면 냉장고는 근대적 개인의 삶을 완성한 물건이라고 할 수 있습니다.

먹다가 남으면 그냥 집어넣었다가 나중에 또 먹으면 되니까 함께 먹을 사람이나 이웃이 전혀 필요하지 않죠. 하지만 냉장고가 없던 시절의 사람들에게 식량을 저장한다는 것은 보통 골치 아픈 문제가 아니었습니다. 마을이 생겨나고 공동체가 생겨난 큰 이유 중 하나가 남은 음식을 어떻게 할 것인가와 관련이 있다고 주장하는 경우도 있으니까요.

이런 시절에는 큰 동물 같은 것을 잡아 오면 온 마을 사람들이 나눠 갖는 방식으로 해결하곤 했습니다. 어느 가족이 멧돼지를 잡았다고 해도 가족 구성원만으로는 이걸 다 먹을 수 없으니, 마을 사람들이 다 같이 모여 함께 먹고, 다음에 다른 가족이 멧돼지를 잡으면 또 마을 사람들과 분배하는 방식이었던 셈이죠.

고기가 아니라 포도 같은 품목이라면 어땠을까요? 가령 한 가족이 포도 농사를 짓는데 엄청난 풍년이 들었습니다. 포도를 먹고 또 먹고, 잼을 만들고 포도주까지 만들었는데 그래도 남았습니다. 이 남은 포도는 일주일만 지나도 썩을 게 틀림없으니, 어떻게 하는 것이 가장 현명할까요? 이웃에게 선물하는 것이 가장 좋은 방법이지 않을까요? 지금 우리가 먹다 남은 포도를 냉장고에 집어넣는 것처럼, 냉장고가 없던 시절 사람들은 남은 포도를 선물이라는 명목으로 옆집에 '집어넣었던' 겁니다. 우리가 냉장고에 포도를 집어넣으면 시간이 지나도 다시 포도를 먹을 수 있죠. 이웃에게 선물하는 것도 크게 다르지 않았습니다. 옆집에 포도를 집어넣으면 나중에 뭔가가 돌아오기 마련이었으니까요. 물론 이웃은 냉장고가 아니니까 포도를 집어넣었다고 해서 포도로 돌아오진 않습니다. 생선이 올 수도 있고 두부가 올 수도 있습니다. 어떤 품목인지는 그쪽의 마음과 상황에 달려 있다는 점이 냉장고와 차이라면 차이일 수 있겠습니다. 이처럼 이웃에게 선물하는 행위는 남은 음식을 버리는 것보다는 훨씬 나은 선택지였고, 선물을 주고받는 것 자체가 상당한 합리성을 가지고 있었습니다.

참고로 고대 그리스 시대에 헤시오도스Hesiodos라는 시인이 있었는데요, 그가 기원전 8세기경에 쓴 『노동과 나날』이라는 책에 다음과 같은 내용이 실려 있습니다. "이웃에게서 빌릴 때는 빌리는 양을 정확히 재어 그만큼으로 돌려주어라. 그래야 정말 아쉬울 때 또 빌릴 수가 있다." 이런 서술을 보면 그 시절의 선물이 삶을 영위하기 위한 일반적이고 당위적인 행위였다는 것이 잘 드러납니다.

이 시대의 선물은 또 하나의 역할을 더 가지고 있는데요, 이해하기 쉽게 예를 든다면 일종의 보험이라고 할 수 있습니다. 보통 우리가 생각하기에 전통적인 농업·어업·목축업 같은 산업은 안정적일 것 같지만 실은 전혀 그렇지 않습니다. 오히려 위험성이 아주 높은 산업군에 속합니다. 내가 아무리 열심히 농사를 지어도 하늘이 도와주지 않으면 말짱 꽝이니까요. 그러니 내가 부지런하고 성실하게 임한다고 해도 내년에 굶지 않을 거라는 보장은 어디에도 없습니다. 올해 농사가 완전히 망해서 알거지가 되는 상황, 전염병이 돌아 가축이 모두 죽는 상황이 얼마든지 발생할 수 있는 겁니다. 오늘날 사람들은 이런 위험에 대처하기 위해 보험을 들어 정기적으로 돈을 냅니다. 보험사가 없던 시절에는 어떻게 했을까요? 누군가가 도와주는 수밖에 없습니다. 그렇게 나의 피해를 도와줄 든든한 인간 네트워크를 형성하려면 충실한 신뢰 관계로 엮여 있어야겠죠. 그런 신뢰 관계를 맺고, 인적 네트워크를 만드는 방법이 바로 선물이었습니다.

하나가 더 있습니다. 앞의 두 가지가 '시간적 차원'이었다면, 이번엔 '공간적 차원'입니다. 선물은 바로 옆집과만 하는 것이 아닙니다. 멀리 떨어진 곳에 있는 이들과도 행합니다. 그러면 자기가 사는 곳에서는 얻을 수 없는, 하지만 생활에 큰 이익과 의미를 가져다주는 것들을 얻을 수가 있습니다. 인류학자 브로니슬라브 말리노프스키Bronislaw Malinowski가 발굴하여 보고한 것 중에 유명한 사례가 있습니다.[9]

남태평양의 트로브리안드 군도 주민들은 '쿨라'라는 교역을 행하는데요, 멀리 떨어진 섬에 있는 자기의 파트너 즉 일종의 무역 관계를 맺은 사람들과 이런저런 물품을 주고받으며 경제 활동을 합니다. 이처럼 지리적·공간적 차이를 넘어서서 경제적 이익을 추구하는 기능도 선물의 중요한 측면이었습니다. 결국 과거 사회에서 선물은 두 가지 역할을 했습니다. 시간적으로 보면 잉여 물건을 보관하는 냉장고이자 위험에 대처할 수 있는 보험이었으며, 공간적으로 보면 지리상의 차이를 극복하여 이익을 얻을 수 있는 관계를 구축할 수 있는 수단이었습니다.

하지만 이는 어디까지나 '경제적 합리성' 차원에서 따져 본 것일 뿐, 막상 선물을 주고받는 당사자들이 이런 계산속을 가지고 행했다고 볼 수는 없습니다. 선물을 주고받는 사람들은 선물을 주고받음으로써 인간관계를 강화하는 것에 중점을 두는 것이지, 선물을 통해 물건을 취득하고 이익을 획득하는 것이 목표가 아니라는 사실을 간과해서는 안 됩니다. 선물이란 물건과 물건의 관계가 아니라 사람과 사람의 관계라는 태도를 취해야 한다는 것이죠.

이 '선물 개념'을 이론으로 정립한 이가 있었으니 프랑스의 사회학자이자 인류학자였던 마르셀 모스Marcel Mauss입니다. 모스가 1925년에 쓴

---

9 Bronislaw Malinowski, Argonauts of the Western Pacific: An Account of Native Enterprise and Adventure in the Archipelagoes of Melanesian New Guinea London: Routledge & Kegan Paul, 1922.

『증여론Essai sur le don』이라는 아주 유명한 책이 있는데요, 그때까지 유럽인들의 선물 관념을 완전히 뒤바꾼 책으로 평가받고 있습니다.[10]

모스는 『증여론』에서 선물에 대해 두 가지 명제를 이야기했는데요, 첫 번째로 선물은 원래 비서구권 사회 구성원들이 필요한 물건을 조달하는 가장 중요한 경제 행위였다고 말합니다. 즉 삶에 실질적인 도움이 되는 아주 중요하고 굵직한 경제 활동이라는 점을 강조했습니다. 그리고 두 번째는 이 사람들이 선물을 주고받는 동기는 경제적인 측면이 아니라 일종의 신화적이고 마술적인 행위라는 것이었습니다. 무슨 말이냐면, 선물을 주는 사람이나 받는 사람은 그 행위를 통해 자신들이 어떤 위치를 점하고 있는가를 확인하고, 그 위치에 있는 일원으로서 마땅히 해야 할 당위성에 따라 선물이라는 것을 했지, 이걸 선물하면 쌀 몇 가마니가 생기겠구나 하는 계산적인 태도가 아니었다는 것입니다. 모스의 해석에 따르면 "이 우주의 순환 속에서 모든 인간과 사물이 있어야 할, 또 마땅히 가야 할 자리"를 분명히 해석하고, 거기로 사람과 사물을 보내는 종교적·마술적 행위가 바로 선물이라는 것입니다.

조금 다른 관점에 속하는 예를 들어 보겠습니다. 조선 후기 소설인 『심청전』을 보면 심청이가 아버지의 눈을 뜨게 하기 위해 공양미 3백 석에 목숨을 던지려고 합니다. 심청이를 자기 딸처럼 아끼던 인근의 부잣집에서 이를 알고 3백 석을 대신 내주겠다고 하지만 심청이는 이를 거절하고 그대로 인당수로 향합니다. 왜 그랬을까요? 심청의 행동을 단순히 경제적 관점에서 보면, 최고의 가치라고 할 수 있는 '자신의 목숨'

---

10 『증여론』, 류정아 역, 커뮤니케이션스 북, 2016.

을 그보다 하위 가치라고 할 수 있는 '아버지의 눈 뜨기'와 맞바꾼 셈입니다. 모든 것을 등가 교환으로 치환하는 시장 자본주의 입장에서는 이해할 수 없는 사고방식이라고 할 수 있겠죠. 하지만 심청의 행동을 경제 개념으로 판단할 사람은 없습니다. 그녀가 보인 모습은 '인간이 해야 할 바'를 완수하려는 실존적 결단이니까요. 다시 말해 이것은 절대자와 심청이의 선물 행위라고 할 수 있습니다.

모스가 말한 포인트와 심청의 행위가 다르지 않습니다. 당시에 사람들이 선물을 주고받은 품목은 있어도 그만 없어도 그만인 것들이 아니었습니다. 치료에 꼭 필요한 약재나 생존을 위한 곡물 등이었기 때문에 절대로 사소한 물건이 아니었죠. 하지만 이걸 주고받은 당사자들은 쌀을 받기 위해 고구마를 준다는 의미가 아니라 '삼촌의 도리로 조카를 돌봐야지.', '이웃의 도리로 선물을 해야지.' 같은 느낌이었다는 겁니다. 선물이라는 행위 속에는 인간의 도리라는 신화적이고 종교적이고 마술적인 의미가 들어 있고, 이 두 개의 포인트를 놓고 보면 고대 사람들 사이에 통용된 선물이라는 의미는 근대 서양인들이 인식하는 것과 완전히 다르다는 것을 알 수 있습니다.

이는 선물을 주고받는 사람들의 인식에서도 잘 드러납니다. 선물 관계를 맺은 사람들은 즉시 답례해서도 안 되지만 받은 선물과 똑같은 걸 돌려주어서도 안 됩니다. 즉 '등가equivalency'라는 개념은 내포하고 있으나, 그것이 곧 '같음same'을 의미하는 것은 아닙니다. 포도를 받으면 포도가 아닌 고구마나 생선을 줘야지 다시 포도로 돌려주면 이는 선물을 거부했다는 뜻과 마찬가지여서 몹시 무례한 행동이 됩니다. 즉시 답례하지 않고 일정한 시간 동안 뜸을 들였다가 예를 표하는 것 역시 선물을 준 사람의 마음을 기리는 시간이 필요하다는 인식 때문입니다.

이 다른 품목의 내용과 수량이 답례로서의 '등가물'로 여겨지려면, 공리적 계산이 아니라 선물을 주고받는 이들이 공유하는 신화나 세계관과 동떨어지지 않는 공통의 가치관에 근거해야 합니다. 즉 '의미론적 상호작용semantical interaction'일 때 서로에게 정상적인 가치로서 기능할 수 있습니다. 앞의 심청이 사례에서 '눈 뜨기 수술 = 쌀 3백 석 = 젊은 여성의 목숨 = 대략 현재 가치로 1억 2,000만 원'이라는 오늘날 방식의 '경제적 합리성'은 통용되지 않습니다. 공양미 3백 석은 산술화된 조건일 뿐, '아버지 눈 뜨기'와 교환할 수 있는 등가물은 '딸의 목숨'만이 될 수 있다는 신화적·마술적 세계관이 작동합니다.

요즘은 어떤가요? 선물 행위가 남아 있기는 합니다만 모스가 말한 선물과는 전혀 다른 것이 되어 버렸습니다. 우리 모두가 공유하는 신화적 세계관이나 마술적 세계관은 예전에 다 깨져 버렸고, 오로지 남은 것은 "돈으로 얼마짜리야?"라는 등가 관계만 남았을 뿐입니다. 그래서 선물도 다 은연중에 액수를 따져서 이루어지니 이제는 위장된 관계, 시장적 관계가 되어 버렸습니다. 대표적으로 결혼 전에 양가에서 주고받는 '봉채'와 '예단'이 어떻게 변질되었는지를 들 수 있겠지요.

3

재분배의
기원과 신전 경제

분배의 개념

앞서 고대 사회 사람들이 필요한 물건을 조달하는 방법은 크게 두 가
지가 있다는 이야기를 했습니다. 이번 장에서는 선물과 함께 당시 또
하나의 중요한 경제 개념인 재분배 그리고 재분배의 기원을 이야기할
때 반드시 등장하는 개념인 '신전 경제temple economy'에[11] 대해서 알아보
겠습니다.

재분배 개념을 이해하기 위해 갱스터 무비에 자주 등장하는 내용을
예로 보겠습니다. 6명이 팀을 짜서 은행을 털기로 했습니다. 그러면 각
자 역할이 있겠지요. 누구는 망을 보고, 누구는 은행원에게 총을 겨누

---

[11] 이 개념은 사실 '궁정 경제Palace Economy'라는 명칭으로 통용될 때가 더 많고, '신전-국가 경제Temple-State
Economy'로 지칭되기도 합니다. 고대 이집트·크레타·미케네 등 에게 문명 연구에서 시작되어 메소포타미
아 문명과 잉카 문명 등 여러 고대 사회에 광범위하게 나타나는 유형으로 정립되었습니다. 메소포타미아 문
명의 경우 청동기 시대가 저물면서 함께 사라진 것으로 알려져 있습니다.

고, 누구는 금고에 가서 잠금 장치를 해제하고. 누구는 경찰이 출동했을 때 응전하는 역할을 맡아야 할 것입니다. 이렇게 각자 분업을 잘해서 100억 원을 털었습니다. 그러면 이제 이 100억 원을 6명이 어떻게 나눠야 할까요?

이런 경우에 시장교환이나 선물과는 전혀 다른 경제 행위 패턴이 등장할 수밖에 없습니다. 6명의 갱이 힘을 모았고, 각자 어떤 역할을 한 덕분에 100억 원을 훔치는 게 가능했지만 그렇다고 이 6명이 똑같은 행위를 한 건 아닙니다. 망보는 사람은 비교적 안전한 역할일 것이고, 금고 다이얼을 돌리는 사람은 은행 강도라는 특성상 꼭 필요한 역할일 것이고, 총싸움을 한 사람은 제일 위험한 역할일 것입니다. 이렇게 각자의 역할이 다른데 똑같이 분배하면 그게 과연 공평한 것일까요?

여기서 대장의 역할이 중요합니다. 일단 장물의 모든 소유권을 대장에게 넘기기로 했다고 간주합시다. 그러면 대장은 이렇게 자기 손에 들어온 장물을 '다시' 나누는 행위, 즉 재분배를 해야 합니다. 이 갱단을 계속 유지하려면 뒷말이 나오지 않도록 분배를 명확하게 해야겠지요. 위험한 역할을 한 사람에게 더 많은 대가를 주어야 공정성도 확보할 수 있고, 이런 분배 과정을 통해 대장의 위신도 세울 수 있으니까요. 여기서 중요한 것은 재분배 과정에서 '중심'이 갖춰야 할 권위와 공정성입니다. 이 두 가지 요소가 빠지면 '중심'은 구성원의 신뢰를 얻을 수 없으므로 제 역할을 할 수 없게 됩니다. 한편 재분배 과정에서 선물과 대비되는 양상을 파악해 볼 필요도 있습니다. 선물은 서로 마주보는 양측이 직접 행하지만, 재분배는 중앙에 하나의 권력 중심을 설정해 두고 일단 여기에 모두 바친 뒤 중앙에서 자원을 '다시' 나누는 흐름에 따라 경제적 상호작용이 벌어진다는 차이가 있습니다.

신전 경제의 등장

이 재분배의 가장 중요한 형태로 볼 수 있는 것이 바로 신전 경제입니다. 우리가 신전에 갖다 바치는 물건들 그리고 이를 '신의 은총'의 옷을 입고 다시 분배하는 신관들의 행위가 모두 신전에서 이루어지기 때문입니다. 왜 신전에 물건을 바쳐야 했을까요? 고대 사람들에게는 원초적인 죄, 원초적인 부채라는 개념이 있었습니다. 우선 지금 우리 존재는 조상님들로부터 말미암은 것이니 조상신을 향해 무엇인가를 일정하게 바쳐야 한다고 믿었습니다. 이걸 안 했다가는 '동티'가 나서 무슨 재앙이 올지 모릅니다. 여기에서 시작하여 우리가 무언가 바쳐야 하는 숭배 대상은 계속 늘어가며, 그 숭배 대상이 강력한 존재일수록 이 공물 행위의 폭과 양도 계속 확장됩니다. 그렇게 해서 숭배 대상은 신이라는 형태로 치환되고 이 신을 '중심'에 두기 위한 신전이 나타납니다. 사람들은 농사를 짓고, 사냥을 하고, 집을 만들면서 무사히 보낼 수 있는 것은 조상님이나 부족이 다 같이 모시는 신의 가호 덕분이라고 생각했고, 감사의 의미로 일 년 동안 생산한 것 중 일정 부분을 바쳤습니다. 필연적으로 가가호호 다니면서 공물을 걷는 사람들이 생겨났고 신관이나 제사장 같은 성직 관련 계급도 서서히 분화되어 나타납니다. 글자로 기록되기 이전의 일인지라 그 시점이 정확히 언제라고 못 박을 수는 없지만 고고학자들은 이집트와 메소포타미아의 경우 대략 기원전 4,000년경의 일이라고 보는 듯합니다. 그때부터 신전 경제라고 하는 것이 서서히 나타납니다.

신전은 신상이 모셔져 있는 곳인 만큼 많은 공물이 들어왔고, 이를 보관하기 위해 대형 저장소가 필요했습니다. 필연적으로 신관이나 제사장 같은 지위에 있는 사람들이 이를 관리했습니다. 그렇다고 이렇게 모인 물건이나 식량을 신관이 다 가지거나 먹지는 않았습니다. 그 많은 걸 또 어떻게 먹겠어요. 적절한 시기, 필요한 시기가 되면 이걸 다시 분배합니다.

신전 경제를 중심으로 한 재분배는 여러 형태로 나타납니다. 절기마다 행하는 정기적인 분배, 비상시에 행하는 비정기적인 분배가 그런 예입니다. 고비 때는 창고에 있는 걸 꺼내 주민들에게 나눠 주기도 했는데요, 선물의 기원에서 설명했듯 초기 농경 사회에서 사람들을 가장 괴롭히는 위협은 흉년이었습니다. 농업이란 쉽사리 예측할 수 없는 성격의 사업이었고 이를 잘못 운영하면 완전히 알거지 상태가 될 수도 있었죠. 나일강을 비롯해 유프라테스강이나 티그리스강 등 대형 하천에 의지하며 비교적 용이하게 농경을 행하던 지역도 예외는 아니어서 흉년이라는 위협에 대처하는 것이 신전 경제가 내세운 중요한 명분이자 기능이었습니다.

지역에 따라 차이가 있기는 하지만, 초기 신전 경제는 신의 은혜라는 명목으로 생색을 내면서 굶어 죽어 가는 사람들에게 곡식을 나눠 주었지만, 나중에는 이게 곡식을 빌려주고 되받는 형태로 변질되기도 합니다. "배고픈 너희들에게 보리를 나눠 주마. 단 이것은 공짜가 아니다. 언젠가는 갚아야 하는데, 먹은 만큼 갚는다고 되는 게 아니다. 먹은 것 이상으로 갚아야 한다."는 식의 '대출'과 '이자'라는 개념이 등장한 것이죠. 우리나라 역사에도 이것과 유사한 구휼 제도가 등장했고, 나중에는 고리대로 바뀝니다. 조선 시대가 되면 국가가 운영하는 것도 아니고 중간에 권력자들이 자리 잡으면서 외려 농민을 괴롭히는 쪽으로 발전하죠. 다만 이것은 운영상에서 벌어진 타락이나 부패의 양상으로 보는 것이 맞고, 신전 경제라는 제도가 보인 경제적 의미는 제도상 문제점과 별개의 관점에서 바라볼 필요가 있습니다.

수메르 신전 경제와 글자의 기원

이런 재분배 과정에서 재미있는 것이 생겨났는데 바로 글자입니다. 학자들이 우루크 등 고대 수메르 지역 주요 도시국가에서 쓰던 문자의 원형을 찾기 위해 기원전 6000년경까지 메소포타미아 지역에서 사용하던 신전의 장부들을 조사합니다. 여기서 발견한 것이 세계 최초의 글자인 설형문자입니다. 설형문자는 갈대나 대나무 등으로 만든 필기구의 뾰족한 부분을 이용해 점토판 등에 새기듯 쓴 것이고 이게 쐐기와 같은 모습을 띠고 있다고 하여 쐐기문자라고도 불립니다. 이 쐐기문자의 모태가 된 것은 상형문자인데요, 상형 문자를 점토판에 슥슥 그어 표현하다가 문자 형태가 간략해지면서 쐐기문자로 변천한 것으로 보고 있습니다.

이 상형문자의 원형이 신전 경제에서 회계용으로 사용하던 작은 모형 혹은 인형이라는 것입니다. 예를 들어 이집트에 수제맥주로 유명한 성산동이 있다고 가정하겠습니다. 여기 주민들이 일명 성산 맥주를 만들었습니다. 이렇게 만든 맥주는 매년 10통씩 신전에 바쳐야 한다고 치겠습니다. 그러면 신관들은 성산동에서 맥주 공물을 제대로 바쳤는지를 계산하기 위해 진흙으로 작은 맥주컵 모형을 만들어서 사용합니다. 1통씩 들어올 때마다 맥주컵 모형을 지도에 표시된 성산동 지역 위에 올려 둡니다. 만약 올해 세금을 완납했다면 10개의 맥주컵 모형이 다 지도 위에 올라가 있을 겁니다.

물론 신전에는 성산 맥주만 들어오지 않습니다. 망원 치킨도 들어오고, 서교 옷감도 들어옵니다. 처음엔 이걸 일일이 다 모형으로 제작했는데, 시간이 지나니 슬슬 귀찮아집니다. 품목이 늘어날 때마다 진흙으로 빚을 수도 없는 노릇일 테고요. 그러다 어느 순간 동그랗게 빚어놓은 점토판에 그냥 맥주컵 모양을 그리는 방식으로 진화했는데 이것을 상형문자의 시작으로 보는 것이죠. 그래서 1992년에 나온 이 연구서의 요점은 한마디로 '회계에서 쓰기로from accounting to writing'였습니다.[12] 메소포타미아 수메르의 한 예에 불과할 수도 있지만, 신전이 초기 인류 경제에 있어 매우 중요한 역할을 했다는 사실 자체는 틀림없습니다. 덧붙여 신전 경제 조직 원리 밑바닥에 있는 재분배의 개념은 이처럼 초기 회계가 바탕이고, 여기에서 파생된 문자와도 관련이 깊습니다.

---

[12] 이 연구서는 두 권 분량에 도상 및 자료 등이 빼곡하여 읽기가 벅찹니다. 같은 저자가 요점만 추려 접근하기 쉽게 만든 책이 따로 나와 있으므로 이를 권합니다. Denise Schmandt-Besserat, How Writing Came About, University of Texas Press, 1996.

4

교환과 교역의 기원

애덤 스미스와 막스 베버가 말하는 인간 본성

여러분은 흥정을 잘하는 편입니까? 저는 개인적으로 세상에서 제일 못한다고 생각하는 것이 바로 이 흥정입니다. 높은 가격표가 견고하게 붙어 있는 으리으리한 상점에서는 주눅이 들어 못 하고, 시장 같은 곳에서 콩나물처럼 싼 물건을 살 때는 이거 천 원 깎아 뭐 하겠나 싶어 못합니다. 과연 세상엔 저 같은 사람이 많을까요, 아니면 흥정을 즐기고 잘하는 사람이 많을까요?

이 질문에 정답이 있을 수는 없겠지만, 경제학의 아버지라 불리는 애덤 스미스Adam Smith는 "인간은 'barter'와 'truck' 그리고 'trade'를 하려는 성향을 가지고 있다."라는 재미있는 말을 남겼습니다. 여기서 굳이 영어를 쓴 이유는 barter · truck · trade가 우리말로는 다 물물교환 혹은 교환이라는 뜻이기 때문입니다. 애덤 스미스가 하려고 했던 말의 핵심을 짚어 보면 인간은 교환하려는 성향을 본능적으로 가지고 있는 독특한 동물이라고 할 수 있겠지요. 이 주장을 뒷받침하기 위해 "강아

지나 고양이가 물건값을 흥정하는 것을 본 적이 있는가?"라는 좀 엉뚱하게 들리는 논리를 펴기도 합니다. 그런데 저는 아무리 제 자신을 들여다봐도 교환이나 흥정을 하려는 성향이 보이지 않아요. 주변을 봐도 흥정을 즐기는 사람보다는 저처럼 물건값을 깎는 것에 스트레스를 받고, 웬만하면 피하고 싶어 하는 사람들이 더 많은 것 같습니다. 굳이 상대와 갈등을 겪으면서까지 값을 깎는 행위를 하고 싶지 않은 것이죠.

저는 흥정을 주제로 사람들의 성향이나 심리를 파헤치고 싶은 것은 아닙니다. 다만 애덤 스미스의 주장이 맞는 게 아니라면, 그래서 인간의 본성이 교환이나 교역을 즐기는 것이 아니라면 시장과 인류 경제사의 발전 과정에 대해 전혀 다른 전개가 펼쳐져야 하는 것이 아닌가 하는 생각을 해 봅니다.

애덤 스미스는 인간을 이기적이면서도 합리적인 동물이라고 보았습니다. 처음에는 로빈슨 크루소처럼 아무와도 교류하지 않고 살다가, 인간 특유의 이성적인 능력으로 인해 내가 가진 물건과 옆 사람이 가진 물건을 교환하면 양쪽 다 이익이라는 사실을 깨달으면서 자연스럽게 물물교환이 발생했다고 주장했습니다. 그러다 물물교환의 규모가 커지면서 시장이 발전하고, 화폐가 등장하면서 인간 사회가 지금의 형태로 발달했다는 것입니다.

이 이야기는 18세기 자유주의 세계관에 나오는 것으로, 가상의 자연 상태에서 사회가 나왔다는 전형적인 구조를 취하고 있는데요, 이 주장은 아주 오랫동안 사실처럼 받아들여졌습니다. 심지어 요즘 경제학 교과서에도 종종 등장할 정도입니다. 하지만 이후 고고학과 인류학이 발달하면서 아무리 찾아도 이런 식으로 작동하거나 발전한 사회를 찾을 수가 없다는 문제에 봉착합니다. 어느 고대 화폐 연구가는[13] 이런 식의 이야기가 "루소의 『사회계약론』에 맞먹는 허구"라고 단정 짓기도 합니다.

사회학자 막스 베버Max Weber 역시 실제 경제사 데이터를 놓고 시장교환이 어떻게 발달했는지 연구한 후, 애덤 스미스와는 전혀 다른 판단을 내렸습니다.[14] 역사적으로 봤을 때 물물교환이나 교역 같은 것은 서로 사회적·인격적으로 관계를 맺거나 공동체 일원으로서 알고 지내는 사이에서는 절대 발생하지 않았다는 것입니다. 예를 들어 "어머님, 저희가 이번에 500만 원을 준비했으니 외국 여행 한번 다녀오세요. 그 대신 이자는 복리 7퍼센트예요." 같은 상황은 말이 되지 않는다는 논리입니다. 어머니 해외여행 보내 드리는데 이자로 복리 7퍼센트 받는 사람이 있을까요? 아마 없겠죠. 이게 고대 사회에서도 마찬가지였다는 겁니다. 그래서 베버는 시장교환이 공동체 내부에서 발달한 것이 아니라 공동체와 공동체 사이, 즉 아무런 사회학적 관계가 없는 이방인들 사이에서 생겨난 물건과 물건의 관계라고 이야기하고 있습니다. 공동체 구성원들의 관계와 관계 사이에 발생하는 선물과, 공동체와 공동체 사이에서 발생하는 시장교환은 완전히 다른 개념으로 이해해야 하고요.

이 맥락에서 재미있는 사례를 하나 말씀드리고자 합니다. '침묵 교역 Silence trading'이라는 아주 독특한 교환 형태인데요, 이 말 없는 교환 형태

---

13 Paul Einzig, Primitive Money: In Its Ethnological, Historical, and Economic Aspects, London: Eyre and Spottiswoode, 1948.

14 Max Weber, Economy and Society: An Outline of Interpretive Sociology, G. Roth et. al. tr., University of California Press, 1978. ch. 7. Market: Its Impersonality and Ethic(Fragment).

를 제일 처음 이야기한 사람은 헤로도토스Herodotos라는 고대 그리스 역사가입니다. 기원전 5세기경 사람인 헤로도토스는 역사라는 개념을 최초로 '발명'한 사람으로 알려져 있습니다. 이 사람이 쓴 책 제목이 『역사Historiae』인데요, Historiae는 원래 그리스 말로 탐구라는 뜻이었습니다. 이것이 영어권으로 넘어가면서 어형에 변화가 일어나 history가 되었고 현재는 역사라는 의미로 쓰이고 있죠. 이런 연유로 헤로도토스는 역사의 아버지로 불리고 있습니다. 헤로도토스의 『역사』를 보면 페르시아 전쟁 이야기부터 그리스와 지중해를 둘러싼 다양한 인류학적인 내용, 다른 부족은 어떻게 살아가고 있는지 등에 관한 재미있는 이야기가 많이 나옵니다.

이 침묵 교역은 베르베르족이 살던 아프리카 북부를 위시로 전 세계 광범위한 지역에서 행해진 교역 형태인데요, 이들의 교역 방식을 간단히 설명하자면 이렇습니다. 화살을 가진 사람이 이를 물고기와 바꾸려한다고 가정하겠습니다. 그런데 고대 사회에서는 아무런 사회학적 관계가 없는, 친구도 친척도 아니고 서로 선물을 주고받는 사이도 아닌데 서로가 탐내는 물건을 가진 두 집단이 만난다면 우호적으로 대화할 가능성보다 싸움이 일어날 가능성이 훨씬 큽니다. 실제로 싸움이 벌어지지 않아도 자연스럽게 '저들이 혹시 내 생명을 위협하고, 물건을 빼앗으려고 하지 않을까?' 하는 합리적 의심을 품게 됩니다. 그래서 이 두 집단은 가급적이면 서로 접촉하지 않고 피하는 것이 안전하다고 생각합니다.

물건은 바꾸면서 접촉은 최소화하려면 어떻게 해야 할까요? 이때 나온 방식이 바로 이 침묵 교역입니다. 두 사람 사이에 낮은 언덕이 있습니다. 화살을 가진 사람은 언덕 위 소나무 아래로 가서 교역하고자 하는 양만큼 화살을 놓고 내려갑니다. 이후 언덕을 내려갔다는 기척을 내면 이제 물고기를 가진 사람이 올라갈 차례입니다. 이 사람은 또 자기 물고기의 일정 부분을 놓고 내려갑니다. 얼마나? 놓여 있는 화살과 바꿀 용의가 있는 정도입니다. 이제 화살을 가진 사람이 또 올라갑니다. 만약 교역 비율이 마음에 안 들면 화살의 일부를 회수합니다. 그러면 다시 물고기를 가진 사람이 올라갑니다. 거래량이 정당하지 않다고 생각하면 물고기 일부를 가지고 내려갑니다. 이런 식으로 올라갔다 내려 갔다 하다가 일정 시점이 되면 한 사람이 다른 사람이 놓고 간 물건을 가지고 감으로써 거래가 완료됩니다.

이후 세월이 지나 15세기경부터 유럽 사람들이 배를 타고 서아프리카 해안을 거쳐 인도양에 이르면서 밝혀진 바에 따르면 이런 침묵 교역 형태는 아프리카 북부뿐만 아니라 인도양까지 광범위하게 퍼져 있었다고 합니다. 물론 이 말 없는 교환 형태 하나만을 가지고 교환의 기원이라고 하는 것은 어폐가 있습니다만, 교환이라는 것이 애덤 스미스가 생각하는 것처럼 부드럽고 우호적인 관계 속에서 생겨난 것만은 아니라는 점을 강력하게 시사한다고 할 수 있습니다.

애덤 스미스가 주장한, 교역하고 교환하는 걸 좋아한다는 인간 본성은 사실 '18세기 유럽 사람들이 바라는' 인간 본성에 가까웠습니다. 이때의 사람들은 교역과 교환을 강력하게 원하고 있었으니 그럴 만도 했을 겁니다. 하지만 실제로 드러난 침묵 교역이라는 방식은 사람과 사람이 직접 대면하는 것을 상당히 꺼리고 불안해하는 측면을 여실히 보여줍니다.

교환과 교역의 기원

이제 한 걸음 더 나아가 보겠습니다. 막스 베버의 주장처럼 이 교환과 교역이 공동체 내부에서는 생겨날 수 없고, 공동체와 공동체 사이에서 물건을 주고받았던 것에서 비롯된 것이라면 맨 처음 이 관계는 어떻게 성립할 수 있었을까요?

여기서 칼 폴라니가 등장합니다. 이 경제학자가 보는 바에 따르면 교역의 기원은 사실 원정에 있습니다.[15] 물론 이 또한 글자도 없던 시절에 인류가 어떤 삶을 영위했는가에 대한 추론입니다만, 애덤 스미스가 말했던 것처럼 간단한 양상은 분명히 아니었을 겁니다. 각자의 공동체 사이에서 교역이 발생한 그 시작점은 아마도 전쟁이었을 테니까요. 만약 어떤 공동체가 원하는 물건이 자신들이 사는 지역에서 그냥 조달할 수 있다면 굳이 교환할 필요가 없을 겁니다. 마을 사람들이 다 같이 가서 채집하거나 구하면 되겠죠. 그러니 교환의 대상은 공동체가 있는 지역에 존재하지 않는 종류일 가능성이 큽니다. 이걸 취하려면 결국 원정대를 꾸려 가야만 하는데요, 그렇게 도착해서도 상대편에서 "아이고, 어서 오십시오. 애덤 스미스의 말에 따라 우리 교환합시다."라고 순순히 응할 가능성은 크지 않습니다. 그래서 원정을 떠나는 사람은 일전을 치를 각오를 해야 했고, 도착했을 때 싸움이 벌어졌을 가능성도 높습니다.

각기 다른 부족으로 찢어져 살던 시절에 존재했던 중요한 스포츠 중 하나는 옆 부족을 비웃고 깔보고 욕하는 것이었습니다. 그렇게 부족 간

---

15 칼 폴라니, 『거대한 전환: 우리 시대의 정치적 경제적 기원』, 홍기빈 역, 길, 2009. 213쪽. "외부와의 무역이란 그 기원을 따져 보면 물물교환보다는 오히려 모험·탐험·수렵·해적질·전쟁 등의 성격을 띠고 있는 것이다."

의 사이라는 것이 일촉즉발의 위기 관계가 대부분인 와중에 알지도 못하는 부족이 우르르 몰려오면 자신들이 가진 물건을 그냥 줄 리 만무합니다. 싸움에 이겨서 빼앗아 올 때도 있었겠지만, 때로는 저서 빈손으로 돌아올 때도 있었을 겁니다. 이런 원정과 폭력이라는 관계가 일정 시간이 지나 외교적으로 안정되면 어느 순간 "우리 이제 그만 싸우자. 너희들이 필요한 것이 뭔지 알겠으니 바꿀 만한 무엇인가를 가져오면 우리도 그걸 내주겠다."는 식의 조정이 이루어지면서 교환 관계가 생겨났다는 것이 칼 폴라니의 주장입니다.

어차피 교환과 교역이라는 행위가 생겨났으면 그만이지 애덤 스미스가 말한 방식대로 생겨난 것과 칼 폴라니가 말한 방식대로 생겨난 것에 무슨 차이가 있느냐는 의문을 가질 수 있을 텐데요, 이 두 관점 사이에는 굉장히 중요한 차이점이 있습니다. 만약 애덤 스미스의 주장처럼 사람들이 만나면 반갑다고 인사도 하고 서로 농담도 주고받으며 교역했다면, 흥정은 언제 어디에서나 자유롭게 벌어졌을 것이고 그 교환 비율도 다소 느슨한 상태였을 것입니다. 하지만 칼 폴라니의 주장이 맞는다면 그들 사이에 흥정은 없습니다. 원정대가 오가고 수많은 피를 본 다음 겨우 조마조마한 안정을 찾으며 시장교환이라는 개념이 나왔다면 교환 비율은 아주 엄정했을 것이고, 만약 이 비율을 바꾸거나 물품이 부족하다면 교환 행위는 즉각 중지되었을 것입니다.

실제로 원시 부족들이 행한 물물교환과 교역 행태를 살펴보면 칼 폴라니가 말한 것과 비슷한 상황이 훨씬 더 많다고 합니다. 이런 예는 유럽인들의 교역 일화에서도 얼마든지 찾아볼 수 있습니다. 15세기 무렵 유럽인들이 배를 타고 아프리카도 가고 인도양도 갑니다. 아프리카에서 교역을 하려는데 처음엔 무척 애를 먹습니다. 그들이 유럽 물품을 탐내지 않았기 때문입니다. 나중에 어찌어찌해서 교역 관계를 맺게 됩니다. 대표적으로 유럽과 아프리카 다호메이 왕국 간에 벌어졌던 시장 교환을 들 수 있는데요, 유럽인들이 총과 철 같은 물건들을 주고서 받은 것은 아프리카 지역에서 나는 이런저런 물건만 있었던 건 아닙니다. 슬프게도 흑인 노예가 주요 교역품 중 하나였습니다.

처음엔 이 교환 비율을 어떻게 정하느냐가 문제가 됩니다. 서로 '저 총이 탐이 난다.', '이 총을 주고 흑인 노예를 받아 오면 좋겠다.' 이런 생각을 했는지는 모르겠으나, 실제로 총을 얼마나 줘야 노예 한 명에 해당할지 정하기가 애매했습니다. 결국 나중에는 일종의 종합 선물 세트 꾸러미를 만드는 것으로 정리되었습니다. 유럽 사람들은 총 몇 자루, 철 몇 킬로그램 등등 해서 하나의 세트로 만들고, 다호메이 왕국 사람들은 흑인 노예 몇 명, 특산품 몇 개를 하나의 꾸러미로 만들어 교환했다고 합니다. 이때 구성물 내용이나 양이 조금만 바뀌어도 분위기가 몹시 험악해졌고 교역이 깨질 가능성도 컸습니다. 그러니 실제로 벌어진 교역과 교환은 늘 일촉즉발의 긴장감이 감돌았고, 언제 폭력적인 사태가 일어날지 모르는 상황이었던 것이죠.[16]

이렇듯 교역이란 파괴적이고 폭력적인 기원과 연결되어 있고, 가격과 거래량이 권력 당국에 의해 규정되어 있는 관리 무역administered trade으로 시작되었을 가능성이 큽니다. 그리고 학자들은 최근 몇백 년 전까지 시장과 물물교환이라는 제도가 차지한 비중은 그리 크지 않았던 것으로 파악하고 있습니다.

---

16 이 '묶음sorting' 교역에 대한 연구는 칼 폴라니 『다호메이 왕국과 노예무역』 10장을 참조하십시오.

5

고대 도시는
어떤 모습이었을까?

오늘날의 사회를 이야기할 때 자주 등장하는 민주주의 · 시민 · 시민권 · 자유 · 토론 · 공화국 · 의회 · 재판 같은 개념들은 모두 로마와 아테네에 기원을 두고 있습니다. 그래서 그런지 모르겠지만 근대 이후 유럽에서 '좀 배웠다'는 사람들 사이에서 현재 삶의 질서를 고대 아테네나 로마 같은 도시와 동일시하는 경향이 있었습니다. 예를 들어 1789년 프랑스혁명이 일어났을 때 급진파를 이끌었던 지도자인 막시밀리앙 드로베스피에르Maximilien de Robespierre는 스스로를 로마 공화국 사람이라고 생각했습니다. 로마 공화국을 건설했던 역사를 자신이 충실히 재현하고 있다고 믿었죠. 그로부터 얼마 지나지 않은 프랑스혁명기에 공산주의의 아버지라 불리는 프랑수아 에밀 바뵈프François Émile Babeuf라는 아주 급진적인 인물이 등장했는데 자기 이름을 아예 그라쿠스로 바꿔 부르기도 했습니다. 그라쿠스Gracchus 형제는 고대 로마 공화정 말기에 토지 분배 불평등 문제를 해결하기 위해 노력하다 비참하게 죽었던 인물들입니다.

지금이야 당시 로마나 아테네와 현재의 도시를 같은 선상에 놓고 생각하지는 않겠지만 여전히 고대 도시는 정치적·경제적·사회적·문화적 상상력의 원형이 되어 사람들의 마음을 사로잡기도 합니다. 이 때문에 현재의 상황을 당시와 동일시하는 경향도 나타납니다. 이는 당연히 경계해야 하는 문제입니다. 그때의 상황이 지금과 비슷한 면도 있지만 다른 점이 훨씬 더 많기 때문이지요. 이런 간극을 무시한 채 고대 도시 상황을 현재로 가져오면 코미디가 벌어질 수밖에 없습니다.

고대 도시는 어떻게 만들어졌을까?

도시혁명Urban Revolution이라는 개념이 있습니다. 이 말을 처음으로 만든 사람은 비어 고든 차일드라는 고고학자입니다. 이 사람에 의하면 기원전 5000년경에 도시라고 부를 만한 것들이 도처에 나타나기 시작했고, 이런 도시들이 나중에 조직 국가의 기반이 되었습니다. 물론 이때의 도시와 기원전 800년 이후에 나타난 고대 그리스나 로마의 도시는 커다란 차이가 있습니다.

여기서 도시의 개념을 기능이나 지위의 관점에서 살펴봅시다. 흔히 워싱턴 D.C.를 미국의 수도라고 하지만 엄밀히 따지면 행정 수도라고 해야 맞을 것입니다. 경제적 수도에 가까운 건 뉴욕이고요. 캐나다도 행정상으로는 오타와가 수도이지만 경제적으로 보면 토론토나 몬트리올 같은 도시가 더 중요한 기능을 하고 있습니다. 다시 말해 행정 중심지로서의 도시가 있고 상업 중심지로서의 도시가 있는데, 기원전 5000년경 도시들을 상업 도시라고 할 수는 없습니다. 그 당시에는 아직 신전 경제 등의 재분배 경제가 지배했을 가능성이 훨씬 더 큽니다. 각 지역에 농촌 공동체나 자원 공동체가 있고 거기서 물자를 징발해 재분배를 행했던 만큼 신관과 왕이 사는 곳, 즉 신전과 창고가 있는 곳이었으니, 지금으로 치면 행정 수도라고 부를 수 있을 정도의 수준입니다. 오늘날 우리가 이야기하는 것과 같은, 화폐를 매개로 하여 상업이나 교역이 활발하게 일어나는 그런 도시는 아닙니다.

행정 수도라고 해서 단순히 행정만 이루어지지는 않았겠지요. 왕과 관리들이 있으니 군사 중심지 역할을 겸했습니다. 또한 이들이 먹고살아야 하니 물건을 대는 조달업자도 있었고, 사람들이 많이 모여 시장처럼 북적북적하는 곳도 존재했습니다. 하지만 상업 기능이 강했던 건 아닙니다. 메소포타미아 문명의 경우 탐카룸tamkarum이라는 명칭으로 불리는 무리들이 원거리 무역을 담당하곤 했습니다. 역사가들에 의하면 탐카룸은 왕실에 필요한 물건을 대는 조달청 관리에 가까웠다고 합니다. 탐카룸들이 조달을 잘해 오면 왕이 "이만큼은 네가 가져라." 하고 하사품을 내렸고 이들은 이걸 이윤으로 취했습니다. 그러니 상인이라고 하기에는 좀 애매하고, 왕 밑에서 일하는 공무원 혹은 조달업자라고 하는 게 좀 더 정확한 표현일 것 같습니다.

그러다 기원전 1200~1000년대로 오면 이집트와 메소포타미아 지역의 청동기 문명이 몰락하고 이와 동시에 강력한 재분배 국가가 해체되기 시작합니다. 그러면서 서서히 작은 도시들이 나타나는데, 이 도시에서는 탐카룸들이 아니라 진짜 상인들이 원거리 무역을 행했습니다. 전형적이고 대표적인 곳이 페니키아입니다. 오늘날 시리아나 레바논이 있는 지중해 동쪽을 일컫는 고대 지명인데요, 페니키아의 시돈과 티루스 두 개 도시는 성경에 등장하기도 하죠. 이 도시들이 지중해를 이용한 원거리 무역의 주요한 중개지 역할을 했습니다. 고대 사회에서는 백양나무가 고급 목재로 쓰였는데 이 백양나무 숲이 지중해 건너 먼 곳에 있었습니다. 멤피스나 바빌론에서 배를 보내 지중해 반대편까지 간 다음, 나무를 베어다 배에 싣고 다시 제국으로 돌아오려면 일이 너무 번거롭죠. 그래서 이즈음부터 제국의 왕이 백양나무를 구해오라고 하면 예전처럼 탐카룸이 직접 나가는 게 아니라 시돈이나 티루스 같은 도시와 계약을 맺어 일종의 중계 무역을 했던 겁니다. 이런 도시들은 빠르게 움직이는 배를 여러 척 갖고 있었기 때문에 일을 훨씬 원활하게 진행할 수 있었죠. 참고로 성경에도 등장하는 이스라엘의 왕 솔로몬도 시돈과 티루스와 손잡고 황금 무역을 해서 수익을 많이 냈다는 '썰'이 있는데요, 나중에 실제로 관련 내용을 뒷받침하는 유적이 발굴되기도 했습니다.

이렇게 예전처럼 세금을 뜯어서 신전에 모아 놓고 재분배를 행하는 행정 수도 개념의 도시가 아니라 원거리 무역 같은 상업에 치중하는 도시들이 지중해 곳곳에 생겨났습니다. 그러다 보니 당연히 항구도 있어야 할 테고, 사람들이 많이 모이는 만큼 다양한 시설도 지어야겠죠. 페니키아 사람들은 더 활발한 상업을 위해 지중해 연안 곳곳에 포스트 역할을 하는 여러 도시들을 세웠습니다.

고대 도시의 독특한 성격

이후 오늘날의 에게해 지역, 그리스나 튀르키예 연안 등지에서 많은 도시국가가 생겨나는데요, 이 도시국가들이 어떤 성격을 띠고 있었는지 짚고 넘어갈 필요가 있습니다. 프랑스 역사가 퓌스텔 드쿨랑주Fustel de Coulanges가 1864년에 낸 『고대 도시La Cité antique』라는 책이 있습니다.[17]

보통 역사학에서 100년이 넘은 책이 가치를 발휘하는 경우는 흔치 않은데 이 책만큼은 출간된 지 150여 년이 지났음에도 여전히 높은 평가를 받고 있습니다. 쿨랑주의 이야기를 들어 보면 고대 도시가 참 흥미로운 곳이었다는 걸 느낄 수 있습니다.

잠깐 다른 이야기지만 이 책을 읽는 분들 중에도 지금 도시에 살고 있는 사람이 많을 텐데요, 왜 도시에 살고 있는지 물어보면 대부분 일자리 때문이라고 답할 겁니다. 결국 돈이죠, 돈. 이를테면 서울은 약 천만 명이 우글우글 모여 집단을 이루고 있는데 그중에 서울이 좋아서, 혹은 조상 대대로 서울에서 살았기 때문이라고 답하는 사람이 몇이나 되겠습니까. 대부분 돈을 따라서 모인 경우가 많습니다. 뭐 교육 때문에 왔다는 사람도 있겠지만, 따지고 보면 같은 맥락에서 이해할 수 있는 이야기죠.

고대 도시는 이야기가 좀 다릅니다. 쿨랑주에 따르면 고대 도시를 하나의 공동체로 결속하는 가장 중요한 매개는 종교였습니다. 이 관점으로 보면 기원전 1500년 이전의 도시들도 크게 다르지 않은데, 바빌론 같은 곳에서는 신들의 신인 마르두크Marduk를 모두 함께 섬기는 식이었습니다. 이렇게 도시에 사는 시민들 모두가 하나로 섬기는 신과 그 신에 대한 종교 의식과 제사 등이 존재했는데요, 이게 도시를 하나로 모으는 구심점 역할을 했다는 겁니다. 우리가 지금 돈(일자리나 교육) 때문에 도시에 산다면, 이때는 종교 때문에 도시에 산다고도 말할 수 있

---

17 『고대 도시』, 김응종 역, 아카넷, 2000.

는 셈입니다. 그런데 당시 종교가 지닌 굉장히 중요한 기능 중 하나가 누가 토지를 소유할지 결정하는 것이었습니다.

아마 우리 대부분은 한 번쯤 집 때문에 절망하거나, 월세·전세를 전전하면서 설움을 겪었던 적이 있었을 겁니다. 도대체 신께서 만들어 놓은 땅에 누가 처음 선을 그어 경계를 삼았으며, 어떤 연유로 그 땅을 인간이 사고팔게 되었는지 억울하다고 생각해 본 적 없으세요? 사실 이건 지난 몇천 년 동안 인류가 가장 많이 던졌던 질문이라고 해도 과언은 아닐 겁니다. "토지를 소유하고 거래하는 것을 누가 정했으며, 누구의 권위로 허용하는 것이냐?" 하는 문제는 어느 시대를 막론하고 인간사회에서 항상 분란의 씨앗이었습니다. 오늘날에는 이걸 정하는 게 법이라면 고대 사회에서는 종교였다는 것이 쿨랑주의 생각입니다. 도시에 사는 사람들이 함께 섬기는 절대적인 권위를 가진 신이 있으니, 이 신을 모시는 신전에서 "누구는 어디에 농사를 짓는다, 어디에 있는 과수원은 누구 것이다."라고 정했다는 거죠.

종교가 이런 기능을 하게 되면 필연적으로 사람들은 둘로 나뉠 것입니다. 토지의 배타적 소유권을 인정받는 소수의 귀족과, 토지 소유에서 배제되고 소외되는 다수의 가난한 평민으로 말이지요. 그리스나 로마지중해 근처에 나타났던 고대 도시를 보면 어김없이 이 두 부류의 대립구도가 형성되어 있습니다. 종교의 권위에 기대 큰 땅을 가진 귀족들은 그걸 바탕으로 잘 먹고 잘 살았지만, 땅을 소유하지 못한 평민들은 먹고살기 위해 상업에 의존해야만 했습니다.

고대 그리스 시인 헤시오도스의 『노동과 나날』이라는 저서에는 이와 관련한 말도 나오는데 "정 먹고살기 위한 땅이 없으면 바다로 나가는 수밖에 없다."라는 구절입니다. 시구라기보다 요즘 말로 '뼈 때리는' 현실 감각이 아닌가 싶기도 합니다. 영국에서도 근대 이후 장자 상속권이 확립되면서 차남 이하의 남자들은 상인이 되거나 아니면 선원이 되어 배를 타는 수밖에 없었다고 하며, 이게 영국이 해양 제국으로 성장하는 기틀이 되었다고 합니다. 상업의 발전과 토지 소유제의 연관 관계를 관찰할 수 있는 한 사례입니다.

좀 엉뚱할지도 모르겠지만 저는 고대 도시를 보면서 21세기도 비슷하다는 생각을 가끔 합니다. 몇 년 전에 리처드 플로리다Richard Florida의 『도시는 왜 불평등한가The New Urban Crisis』라는 책을 읽었는데요,[18] 이 책에 도시의 부동산을 부자들이 거의 다 사 버렸다는 이야기가 나옵니다. 서울뿐 아니라 뉴욕·런던·파리 등등 어디 할 것 없이 대도시에 나타나는 공통적인 현상입니다. 이로 인해 부동산값이 천정부지로 뛰게 되었는데, 런던 템스강 근처에 있는 약 66제곱미터밖에 안 되는 작은 아파트가 무려 87억 원이라고 합니다. 알고 보니 두바이 부자가 투자용으로 사 놓고 내버려 둔 것이라고 하는데요, 그 부자는 돈이 아쉽지 않으니 딱히 값을 내릴 이유가 없습니다. 이런 일이 벌어지면서 원래 도시에서 살던 사람들은 젠트리피케이션이다 뭐다 해서 계속 뒤로 밀려나고 있습니다.

이게 고대 도시와 같은 양상인지는 모르겠지만 현재에도 도시에 토지를 소유한 사람과 그러지 못한 사람들의 갈등은 계속 나타나는 것 같습니다. 도시란, 눈에 보이지 않는 수많은 무형 요소들이 집약된 곳입니다. 눈에 보이는 토지 위에 눈에 보이지 않는 무언가가 어마어마하게

---

18 리처드 플로리다, 『도시는 왜 불평등한가』, 안종희 역, 매일경제신문사, 2018.

쌓여 있고, 그런 무형의 가치들은 결국 토지를 소유한 사람의 것이 됩니다. 그래서 도시의 운명, 도시에 사는 사람들의 운명은 그 도시의 토지를 누가, 얼마나 가지고 있는가에 따라 결정될 수밖에 없습니다.

서양의 경우 대부분의 도시 중심지에는 성당과 은행이 있고, 이 성당과 은행은 서로 높게 지어서 경쟁합니다. 이유는 명확한데요, 보이지 않는 무형의 가치를 누가 차지하느냐의 싸움이기 때문입니다. 서울도 성당과 교회가 뒤섞여 있다는 차이만 있을 뿐 비슷한 모습입니다. 고대 도시에 살던 사람들이 그랬듯이 21세기의 인류도 아직 도시에서 벌어지는 문제를 어떻게 풀지 답을 찾지 못한 것 같습니다. 답은커녕 이 문제를 인식하고 있는지조차 의문이긴 하죠.

다시 원래 이야기로 돌아와, 쿨랑주는 토지를 가진 귀족과 토지를 갖지 못한 평민의 대립 구도는 한두 군데가 아니라 거의 모든 고대 도시에서 있었기 때문에 나중에는 같은 계급끼리 서로 일종의 연합을 했다고 합니다. 20세기 초에 벌어진 사회주의 운동을 보면 노동계급이 국제적인 차원에서 하나로 뭉쳐야 한다면서 인터내셔널이라는 걸 만들었는데, 고대에도 이와 비슷한 연대가 있었다는 거죠. 가령 어느 도시에서 평민들이 귀족을 때려잡겠다고 들고일어나면 다른 도시의 평민들도 그걸 돕거나, 자기 도시에서도 동조하는 방식으로 '연대'했습니다. 반대로 어느 도시의 귀족이 곤란한 일이 생기면 다른 도시의 귀족이 도와주기도 했습니다.

이런 계급 갈등이 아주 극적인 종말을 맞게 되는 사건이 있었으니, 바로 포에니 전쟁입니다. 페니키아 사람들이 건설했던 도시 중에 지금의 튀니지 지역에 있는 카르타고가 있습니다. 이 카르타고에 모여 있던 페니키아 사람들은 지중해 무역 상권을 장악하고 있었죠. 그러다 이탈리아 테베레강 변에서 생겨나 농업에 기초를 둔 작은 공화국이었던 로마가 지중해 패권을 놓고 카르타고와 한판 붙는 싸움이 벌어집니다. 총 3차례에 걸친 이 전쟁에서 카르타고가 몰락하고 로마가 지중해를 정복하는데요, 넓게 보자면 토지에 기초한 세력과 해상 상업에 기초한 세력이 국제적으로 전쟁을 벌여 토지 세력이 승리했다고 할 수 있습니다.

이 전쟁 이후에는 큰 갈등 없이 육상 세력과 해상 세력이 잘 섞여 새로운 질서를 만들게 되었는데요, 거기에는 로마 사람들이 종교를 대하는 재미있는 태도가 큰 역할을 했습니다. 그게 뭐냐면 이른바 '모두 다 인정'이었습니다.

물론 로마인들에게도 소중하게 섬기는 신들이 존재했습니다. 조상신을 비롯해 여러 신들이 있었어요. 하지만 자기들이 믿는 신이 유일한 신이라고 생각하지도 않았을 뿐 아니라, 어느 도시에서 무슨 신을 섬기든 다 인정했습니다. 심지어 다른 도시 사람들이 로마로 이주하면 원래 섬기던 신을 로마에서 모시는 것도 가능했고, 로마 사람들이 개종하는 경우도 종종 있었습니다. 일종의 쇼핑과 비슷하다고 할까요. "새로 생긴 테마파크가 괜찮다던데 거기나 놀러 가 볼까?" 하면서 관광지 쇼핑하듯, "최근 시리아에서 들어온 종교가 괜찮다는데 같이 집회나 가 볼까?" 뭐 이런 식이었다는 거죠. 기독교에 대한 탄압이 있었지만 그건 아주 예외적인 경우였다고 하고요. 이렇게 종교에 열린 태도를 가지고 있었기 때문에 기존에 존재했던 여러 상업 도시들과 지중해 근방의 도시들을 무리 없이 하나로 통합할 수 있었습니다.

참고로 고대 도시와 현대 도시의 차이점으로 짚고 넘어가야 할 것이 하나 있습니다. 고대 도시는 소비의 장이었지 생산의 장은 아니었다는 점인데요, 산업혁명 이후 오늘날의 도시가 갖는 가장 중요한 기능은 생산입니다. 단순히 제조업뿐 아니라 디자인 같은 조형성 등 유무형의 가치를 끊임없이 만들어 내고 있지요. 하지만 고대 도시에는 지배계급이 세금을 걷어 살던 곳이다 보니 소비가 압도적으로 많았다고 합니다. 이런 상황을 경제적인 관점에서 보자면 고대 도시는 기생적인 시장 형태였다고 할 수 있습니다.

우리가 반드시 기억해야 할 고대 도시의 가장 중요한 특징은 서로 다른 얼굴이 동시에 드러난다는 점입니다. 토지에 기초한 귀족적이고 보수적인 경향을 보이는 사상이나 문화가 존재하는 한편, 상업적이고 진취적이고 파괴적인, 오늘날로 치면 진보적이고 자유주의적인 문화도 공존했다는 겁니다. 로마, 그리스 시대의 고전문학이나 철학을 봐도 그렇습니다. 키케로Cicero나 플라톤Platon, 아리스토텔레스Aristoteles의 사상이나 그들이 쓴 문헌에는 토지에 기초한 귀족적인 세계관이 자주 등장합니다. 반대로 데모크리토스Democritos나 소피스트sophist들의 철학은 굉장히 진취적이고 상업 친화적이죠. 이 묘한 공존과 갈등이야말로 고대의 지중해 도시들을 바라볼 때 주의를 기울여야 할 주요한 포인트라고 할 수 있습니다.

6

아리스토텔레스
경제 사상

욕망은 무한한가?

아리스토텔레스…. 그 이름, 못 들어 본 사람이 없을 정도로 유명한 인물이죠. 아무리 유명해도 경제사 이야기를 하다가 웬 아리스토텔레스냐 싶으실 텐데요, 우리가 고대 경제를 이야기할 때 아리스토텔레스를 알아야 하는 이유가 몇 가지 있습니다.[19]

첫 번째, 아리스토텔레스가 한 이야기를 음미해 보면 그 당시 경제가 어떤 모습이었는지 드러나는 지점이 있습니다.

두 번째, 이 사람은 자본주의를 굉장히 싫어했습니다. 그래서 중세때도 그랬고, 근대에도 그랬고, 심지어 오늘날까지도 자본주의 경제를 반대하고 공격하는 사상이나 논리는 거의 예외 없이 아리스토텔레스의

---

[19] 아리스토텔레스의 경제 사상에 대해서는 홍기빈 저 『아리스토텔레스, 경제를 말하다』가 입문서가 될 수 있을 것입니다. 고전 연구에서 나온 성과들을 모은 보다 세밀한 논의는 Scott Meikle, Aristotle's Economic Thought, Clarendon Press, 1997.

경제 사상과 연결됩니다.

세 번째, 제가 이 사람의 경제 사상을 아주 좋아하는 건 아닙니다만, 현재에도 시사하는 바가 크다는 점을 거론하지 않을 수 없습니다. 현재 생태 위기나 심한 불평등이 촉발되면서 산업문명이 막다른 길에 왔다고 진단하는 학자들이 여럿 있는데요, 그 출구가 되는 원리를 아리스토텔레스의 개념에서 끌어낼 수 있다고 생각하는 경우가 많습니다.

네 번째, 가장 중요한 이유가 있습니다. 아리스토텔레스의 경제 사상은 근대가 시작되기 이전까지 기독교 문명과 이슬람 문명의 경제 사상에 아주 큰, 때로는 거의 지배적일 정도의 영향력을 미쳤습니다. 그 증거로 그의 경제 사상이 동서를 막론하고 고대 및 중세를 비롯한 전근대 사회의 경제생활에서 보편으로 나타났다는 점을 들 수 있습니다. 이는 아리스토텔레스의 위대성에도 기인하겠지만, 동시에 귀족 및 토지 소유 계급의 세계관과 정서를 담아내고 있기 때문이라고 보입니다. 따라서 아리스토텔레스의 경제 사상에 대해 살펴보는 것은, 그 몇천 년의 세월 동안 귀족 및 토지 소유 계급이 어떤 식으로 경제를 대했는지 엿볼 수 있을 뿐만 아니라, 힘 있는 이들이 만들어 내려고 했던 경제 질서의 원리를 이해하는 데에도 도움이 됩니다. 제가 깊은 지식이 있는 것은 아니지만, 중국과 한국의 전통 시대 경제 사상에서도 비슷한 생각들을 발견할 수 있습니다.

이런 점을 염두에 두고 아리스토텔레스의 경제 사상 중 몇 가지 중요한 골자들을 이야기해 보려고 합니다. 우선 아리스토텔레스가 처음으로 던지는 질문이 있습니다. 아리스토텔레스의 경제 사상을 이해하기 위해선 그가 던지는 질문에 대해 음미하고 고민해 보아야 합니다. 그 질문이란 바로 이것입니다.

"사람의 욕망은 무한한가?"

여러분은 어떻게 생각하시나요? 오늘날 대학에서 가르치는 경제학 교과서를 펼치면 "인간의 욕망은 무한하며 주어진 자원은 희소하다. 그래서 인간은 항상 선택의 상황에 서는데 이때 선택을 잘하는 것이 경제다."라는 말이 초반부에 등장하곤 합니다. 사람의 욕망이 무한하다는 건 현대인에게 마치 하나의 공리처럼 되어 있는데 아리스토텔레스는 이걸 거부하고 사람의 욕망은 무한하지 않으며 수단 또한 희소하지 않다고 이야기합니다. 즉 욕망이든 수단이든 절대적이지 않음을 전제하고 있는 것이죠.

만약 인간의 욕망이 무한하지 않다면 아주 중요한 질문 하나가 다시 나오는데 이걸 잘 기억하시기 바랍니다. 이 질문이 아리스토텔레스 철학의 키워드이자 고대 경제 사상의 키워드이고, 제가 보기엔 21세기의 키워드이기도 합니다.

"좋은 삶이란 무엇인가?"

만약 사람의 욕망이 무한하다고 생각하는 사람이라면 계속 돈 벌고 계속 재물을 모아서 영원히 채워지지 않을 욕망을 영원히 채워 나가는 것이 좋은 삶일 겁니다. 하지만 욕망이 무한하지 않다고 생각한다면 이야기는 달라지지요. 매일같이 많은 돈을 벌고 배 터지게 먹는 게 전부가 아니라고 여긴다면, 좋은 삶이란 다른 문제가 됩니다.

좋은 삶이라…. 참 어려운 문제죠. 이 난제를 어떻게 풀어야 할까요? 아리스토텔레스가 보기에 이 답을 푸는 방법은 함께 모여서 토론하는 것이었습니다. 이 질문에 혼자 답할 수 있는 사람은 신이거나 짐승인데, 우리 인간은 신도 아니고 짐승도 아니니까 어떤 삶이 좋은 삶인지 토론하는 수밖에 없다고 믿었습니다. 이렇게 좋은 삶에 관한 토론을 위해 모인 집단을 폴리스polis라고 합니다. 아리스토텔레스가 보기에 국가의 목적은 경제 성장이 아닙니다. 전쟁하려고 모인 것도 아니고요. 좋은 삶이 무엇인지 토론하기 위해 모인 게 바로 국가였습니다. 인간은 좋은 삶이 무엇인지 알아야만 살아갈 수 있는 동물이고, 그래서 아리스토텔레스는 인간을 '폴리스 생활을 하는 동물zoon politikon'이라고 규정했습니다. 이 말이 지금 와서는 '인간은 사회적 동물'이라고 좀 다르게 번역되었죠.

아리스토텔레스의 경제 사상

아리스토텔레스는 이런 철학을 내비친 후에 경제 사상 이야기를 시작하는데요, 경제라는 건 돈을 버는 것도, 재물을 모으는 것도 아니라 좋은 삶을 영위하는 데 필요한 것을 조달하는 행위라고 규정합니다.

참고로 경제를 일컫는 영어 단어 이코노미economy의 어원을 따져 보면 그리스 말 오이코노미아oikonomia에서 온 것입니다. 이 단어는 오이코스oikos에서 나왔는데요, 오이코스는 고대 그리스어로 사는 곳, 가정이라는 뜻입니다. 물질적인 의식주를 누리고 사는 삶, 즉 생활의 자급자족이 가능한 단위를 말하는 것이죠. 밭도 있고 집도 있고 우물도 있고 노예도 있고 자식도 있는 인적·물적 자원의 집합이라고 할 수 있습니다. 이를 잘 관리하고 다듬는 것, 다시 말해 농사도 잘하고 자식도 잘 키우고 노예도 잘 다스려서 집안을 잘 관리하는 것이 바로 '오이코노미아'

라는 것입니다. 우리말로는 살림살이 정도로 번역할 수 있지 않을까 싶은데요, 곰곰이 생각해 보면 집과 밭을 잘 가꾸고 자식을 잘 키우고 배우자와 화목하게 사는 게 뭐겠어요? 그게 바로 좋은 삶 아닐까요?

좋은 삶을 살려면 물질적인 차원에서 필요한 게 있을 텐데, 그걸 조달하는 행위가 오이코노미아, 즉 경제라는 거예요. 그럼 재물을 모으는 건 뭐냐? 이걸 뜻하는 그리스 말이 따로 있는데, 크레마티스티케 chrematistike라고 합니다. 여기서 크레마chrema란 재물이나 돈을 의미하고 크레마티스티케는 재물을 모으는 기술 정도라고 할 수 있습니다. 이 용어를 정확히 지시할 수 있는 우리말은 없지만 대략 재테크 정도로 생각하면 적당하지 않을까 싶습니다. 아리스토텔레스가 살던 당시의 아테네에서도 고대 자본주의라고 할 만한 질서가 번창하고 있었습니다. 상업도 많이 번성해서 토지가 전혀 없는데 돈을 벌어 풍족하게 사는 상인도 많았고, 재테크도 열풍이었습니다. 주식이니 가상화폐니 부동산이니 하는 요즘과 크게 다를 바가 없었지요. 이들을 두고 아리스토텔레스가 한마디 한 적이 있습니다.

"당신들은 오이코노미아(경제 활동)를 크레마티스티케(재물을 모으는 기술)와 혼동하고 있다!"

아리스토텔레스는 이 둘은 엄연히 다른 거라고 선을 긋습니다. 다만 완전히 다른 건 아니고 크레마티스티케가 오이코노미아의 하부 기술이라고 설명하는데요, 즉 재물 획득 자체가 목적이 되어서는 안 되고, 나와 내 가족의 좋은 삶을 위한 것일 때 비로소 의미가 있는 기술이라는 것입니다.

그래서 아리스토텔레스는 재테크 자체를 추구하면서 이리 뛰고 저리 뛰는 사람들을 몹시 경멸했고요. 또 다른 측면에서 싫어했던 게, 하나는 장사꾼이고 하나는 고리대금업자였습니다. 큰 규모의 장사가 아니고, 물건을 이고 지고 다니면서 사람들한테 자잘하게 물건을 파는 일종의 보부상들을 그리스어로는 카펠리케kapelike라고 하는데, 이게 사기꾼과 같은 뜻입니다. 장사꾼의 경제 활동은 어떤 물건을 싼값에 사서 비싸게 파는 건데요, 상인들도 이윤이 남아야 먹고살 수 있으니 그럴 수밖에 없습니다. 하지만 아리스토텔레스는 카펠리케, 즉 장사꾼이나 사기꾼이나 다 먹고살려고 거짓말을 하는 존재이니 똑같은 것들이라고 보았고, 이건 제대로 된 사람들이 할 일이 아니라고 생각했습니다. 그러면서 인간이 자연적으로 생계를 도모할 수 있는 활동으로 농사와 어업을 비롯해 대략 6개 정도를 꼽았는데, 그중에는 도적질도 들어가 있습니다. 도적질은 힘이 세고 용감한 사람이 힘이 약하고 겁이 많은 사람의 것을 빼앗는 건데 힘이 세고 용감한 것도 자연적으로 타고난 거니까 그걸 활용해서 도적질하는 것은 자연스러운 거라는 논리였죠. 그러니 차라리 도적질을 하면 도적질을 했지, 장사로 이윤을 얻는 건 인간으로서 할 일이 아니라는 겁니다. 좀 황당하죠?

아리스토텔레스가 또 싫어했던 것은 이자였습니다. 5,000원을 빌려줬으면 5,000원을 받아야지 왜 5,200원을 받냐는 겁니다. 이자를 그리스말로 토코스tokos라고 하는데 여기엔 새끼라는 뜻도 있습니다. 만약 낙타라면 새끼를 낳을 수 있는데 동글납작한 주화가 새끼를 낳는다는 게 말이 되냐는 주장인데요, 화폐는 새끼를 낳을 수 없는 것이므로 화폐를 빌려주었다고 이자를 받는 건 명백한 사기라는 게 이 사람의 논리였습니다. 장사도 하지 말라, 고리대도 하지 말라, 그럼 폴리스에 있는 사람들은 어떻게 경제 활동을 하라는 걸까요?

아리스토텔레스가 권하는 건 선물이었습니다. 그의 『니코마코스 윤리학』5권에서 주장하는 바는 부자가 됐건 가난한 사람이 됐건 같은 시민으로서 솔선수범하여 상대에게 먼저 선물을 하라는 것입니다. 은혜의 여신인 카리스charis의 신상을 도시 한복판에 세워 놓은 이유도 다 그러한 정신을 일깨우기 위함이라는 겁니다. 그러면 이렇게 선물을 받은 이는 준 사람의 우애와 우정을 깊이 느낄 수 있을 테고, 그에 상응하는 만큼의 무언가로 답례를 합니다. 이렇게 하여 선물 행위가 자연스럽게 시민들 사이의 교환으로 연결되는 형국이 형성됩니다. 그때 선물 교환 가치에 대해 어떻게 등가를 이룰 것인가에 관한 고민을 다룬 부분은 학자들 사이에서도 엄청나게 말도 많고 탈도 많았는데요,[20] 아리스토텔레스의 주장만을 간단하게 요약하자면, 선물을 했던 시민이 어렵거나 굶거나 하는 곤란한 처지가 되면 선물로 갚아 줄 거라는 이야기죠. 치사하게 장사하고 고리대를 할 게 아니라 서로 선물을 통해 우정과 선의로 결속하면 이것이 공동체를 엮는 강력한 끈이 된다는 주장입니다. 이게참…, 말은 좋은데 정말 환상이죠. 이렇게 되면 얼마나 살기 좋겠습니까. 현대의 우리가 경험하는 야멸찬 시장 논리와는 거리가 먼 이야기라고 하지 않을 수 없습니다.

---

20 이 부분의 내용은 19세기와 20세기 내내 대부분의 경제학자들과 고전학자들이 오늘날의 시장과 같은 의미의 '시장교환'으로 보아 다루었습니다. 그 결과 아리스토텔레스를 '한계효용학파'의 아버지라고 주장하는 사람들도 나타났습니다. 고대 아테네의 시민 경제의 맥락 속에서 이 5권의 내용이 사실상 시민들 사이의 선물 행위에 기초한 교환임을 발견하고 강조한 것은 칼 폴라니 그리고 그에게 영향을 받은 고전학자 모제스 핀리M. I. Finley의 중요한 업적입니다. 이후의 논쟁에 대해서는 Robert Gallagher, The Role of Grace in Aristotle's Theory of Exchange, Méthexis 24, 2013.

분배에 관하여

아리스토텔레스는 분배에 대해서도 말한 게 있는데요, 이 분배법을 가지고 대략 천 년 동안 별의별 논쟁이 다 있었습니다. 이 분배법의 구체적인 수치를 계산하기 위해 희한한 공식이 등장하기도 했습니다. 저는 이런저런 해석이나 다른 학자들의 계산법 같은 것은 차치하고 문헌에 있는 내용만 간략히 설명하겠습니다. 결론은 선물이나 분배를 한 결과로 분배를 받은 사람들의 사회적 · 정치적 신분에 변동이 없도록 하라는 게 원칙입니다.

좀 더 구체적으로 예를 들자면, 제2차 세계대전이 끝난 후 미국은 전쟁에 나가는 군인을 우대하는 사회로 바뀌었습니다. 보통 전쟁에 나가는 사람 대다수는 노동계급이었죠. 그래서 전쟁 전후로 노동계급의 임금도 올리고, 교육 기회도 늘리고, 복지도 후하게 해 주는 식으로 분배제도가 바뀌게 됩니다. 이로 인해 1940년대 말부터 1950년대 초에 이르러 미국 노동계급의 경제 수준이 거의 중산층 정도로 올라갔는데요, 그때부터 미국 지배계급은 1910~1920년대에 그랬던 것과 달리 노동자들을 함부로 멸시할 수도 없었고, 푼돈을 던져 주면서 구두나 닦으라는 식의 건방진 짓도 할 수 없게 되었습니다. 이렇게 분배 주도 사회로 바뀐 덕분에 미국 내에서 일종의 정치적 · 사회적 신분 변화가 일어나게 된 것이죠.

아리스토텔레스에 따르면 이런 일이 벌어져서는 안 됩니다. 분배는 하더라도 노동자는 여전히 노동자의 신분에 맞게 살고, 지배층은 지배층의 권위를 누려야만 합니다. 아리스토텔레스는 '사회적 · 정치적 신분에 변동이 없도록' 하라고 했으니까요. 이 논리는 현재 관점에서 보면 도무지 인정할 수 없고 받아들일 수 없습니다. 수구 세력과 기득권 세력의 이익만을 위한 주장이라고 할 수 있으니까요. 물론 오늘날의 철학자 중에선 아리스토텔레스의 주장을 좀 더 진보적이거나 심지어 급진적으로 재해석하는 사람도 있습니다만 문헌만을 압축해서 정리하면 그렇습니다.

이제 기원전 4세기 무렵에 살았던 이 철학자의 이야기가 왜 중요한지 정리하겠습니다. 우선 고대 사상가 중에 경제라는 문제에 대해 이 정도로 체계적인 논리를 제시한 사람이 드뭅니다. 물론 지금의 현실과 맞지 않는 것도 상당하지만 아리스토텔레스의 경제 사상은 이후 기독교 문화권은 물론 아랍 문화권에도 결정적인 영향력을 행사했습니다. 일례로 아리스토텔레스가 죽고 1,500년 정도 지난 뒤에 가톨릭 신학자 토마스 아퀴나스Thomas Aquinas는 상인들과 고리대에 대해 아리스토텔레스가 펼친 것과 똑같은 논리로 공격하기도 했고요. 이슬람 문화권 역시 오늘날까지도 최소한 공식적으로는 이자 수취가 금지되어 있습니다. 이렇게 아리스토텔레스의 경제 사상은 자본주의가 등장하기 이전에 있었던 전통 시대의 경제관을 반영하고 있고 또 그 형성에 큰 역할을 했습니다.

두 번째 이유를 이야기하기 전에 질문을 하나 던져 보겠습니다. 지금까지 읽은 바를 토대로 판단해 보십시오. 아리스토텔레스의 경제 철학은 보수적인가요, 진보적인가요? 애매하죠? 사실 두 가지 얼굴이 다 있습니다. 그에게서는 토지를 가진 사람의 경제관이 그대로 드러납니다. 사회가 어지러워져서는 안 되고 경제생활 그 자체보다 기존의 관습을 지키는 것이 더 중요하다는 보수적이고 전통적인 귀족주의적 경향이 분명 존재합니다.

동시에 21세기에 와서는 많은 사람이 아리스토텔레스에게서 전혀 다른 의미를 뽑아냅니다. 20세기의 경제 체제와 경제 사상의 최대 목적은 성장과 축적이었습니다. 그 맥락은 오늘날까지도 이어지면서 지금 우리 사회의 경제 시스템 또한 거시적으로든, 개개인의 삶의 차원에서든 더 많이 벌어서 더 많이 축적해서 더 많이 쓴다는 원리로 조직되어 있다고 해도 과언이 아닙니다. 그런 와중에 우리는 과연 나의 좋은 삶, 우리의 좋은 삶을 위해서 필요한 것은 무엇인지, 얼마나 가져야 충분한지 고민하고 질문한 적이 있을까요?

심각한 불평등에 직면한 현재 상황을 인식하고 대안적인 경제 체제를 고민하면서, 발전과 성장과 축적이 아닌 궁극적인 대안을 찾으려는 사람들이 있는데요, 생태경제학자들을 비롯한 많은 이들이 아리스토텔레스가 그토록 강조했던 좋은 삶, 나와 우리의 좋은 삶을 위해 필요한 것을 조달하는 게 진정한 의미의 경제라는 이야기를 하고 있습니다.

한 사람만 더 이야기하겠습니다. 로마 공화정의 마지막 수호자였던 키케로의 '시장 및 교환'에 대한 주장도 사실 지금까지 본 이야기와 거의 동일합니다. 그는 교환의 '자연적 질서'를 믿었지만, 이는 오늘날 밀턴 프리드먼Milton Friedman 같은 이들이 이야기하는 바와는 거리가 멉니다. 키케로가 주장한 것은 로마 공화정의 최상층을 이루고 있었던 토지 소유자들의 '절제와 우정과 배려의 교환'을 이야기하는 것이었습니다. 로마의 지배계급은 원로원 계급과 그 바로 아래의 기사 계급으로 이루어져 있었고, 이들은 모두 자기 토지를 가지고 경작하면서 자급자족을 이루었습니다. 이들이 철학과 윤리 훈련을 통해 탐욕을 끊어버린 상태에서 이웃 시민과 서로 도움을 주고받는 '교환'이야말로 농업의 '자연적' 질서를 반영한 '자연적' 경제라고 생각했습니다. 이것이 오랜 세월을 거쳐 애덤 스미스에게도 영향을 줍니다. 따지고 보면 이들의 생각은 모두 아리스토텔레스의 주장과 크게 다르지 않은, 고대 혹은 전통 사회의 '시민 경제'의 보수적 질서를 반영한 것이었습니다. 하지만 이것이 오늘날에 와서 현대 자본주의의 대기업 경제 옹호 논리로 변해 버리게 된 것은 참으로 황당한 일입니다.[21]

---

21 Jacob Soll, Free Market: The History of Idea, Basic Books, 2022. 제이콥 솔, 『자유시장 사상의 역사(가제)』, 홍기빈 역, 이십일세기북스, 2023.

PART 2

— 중세 경제와 부르주아의 등장 —

1

주군,
봉신, 봉토

경제사에서 봉건제feudalism라는 단어만큼 논쟁도 많고 또 그만큼 애매하게
쓰이는 말도 없을 듯싶습니다. 봉건제만 놓고도 말들이 많은데 중세 봉건
제 같은 단어는 문제를 더 어렵게 만듭니다. 그럼 자연스럽게 중세는 뭔
지, 고대 봉건제나 현대 봉건제는 없는지 하는 질문도 나올 수 있죠. 여기
서 끝이 아닙니다. 서양 중세 봉건제라는 말도 있습니다. 이렇게 되면 조합
이 대체 몇 개입니까. 이게 다 무슨 뜻인지 헷갈리지 않을 수가 없습니다.

　이 복잡한 봉건제 역사 논쟁으로 깊이 들어갈 필요는 없지만, 유럽에
서 어떻게 하여 부르주아라는 독특한 계급이 등장하게 되었는지 이해
하기 위해서는 그 체제의 두 가지 특징에 착목할 필요가 있습니다. 하
나는 정치적 · 권력적 측면이며, 다른 하나는 문명사적 · 사회사적 측면
입니다. 전자는 막스 베버나 프랑수아 루이 강쇼프François Louis Ganshof와[22]

---

[22] François Louis Ganshof, Feudalism, University of Toronto Press, 1996.

같은 이들이 강조하였고, 후자는 마르크 블로크Marc Bloch와[23] 조르주 뒤비Georges Duby와[24] 같은 이들이 좀 더 주의를 기울입니다. 이번 장에서는 먼저 정치적·권력적 측면의 특징을 살펴보겠습니다.

중세의 두 가지 봉급 체계

봉건제는 '주군과 봉신vassal 사이에서 봉토를 놓고 벌어지는 쌍무 관계와 계약'이라고 정의합니다. 이게 무슨 뜻인지 이해하기 위해서는 고대나 중세에 왕이 신하에게 보수를 지급하는 두 가지 형태를 구별해야 합니다. 둘 다 낯선 유럽 언어인데, 하나는 프륀데Pfründe이고 또 하나는 레헨Lehen입니다. 두 단어는 뜻을 놓고 보면 화끈하게 갈라지는데요, 프륀데는 한마디로 봉급이라고 할 수 있습니다. 주군이 세금을 걷은 다음 자기 부하나 가신에게 일정한 금액을 정기적으로 주는 것입니다. 직장인들이 받는 월급과 같은 개념이죠. 다만 프륀데를 한 달 주기로 준 것이 아니기 때문에 월급이라는 단어 뜻과 맞지 않아서, 봉록이라는 말로 표현하곤 합니다. 레헨은 아예 땅을 떼 주는 방식을 말합니다. 거기서 나오는 소출을 가지고 알아서 먹고살도록 하는 겁니다. 확연하게 구별이 되죠?

이런 형태는 우리나라와 일본의 역사에서도 나타납니다. 고려 시대에는 전시과라는 게 있었습니다. 농사지어 먹을 땅을 전田이라고 하고, 땔감을 구하기 위한 임야를 시柴라고 했는데요, 전시과란 농사를 지을 수 있는 땅과 땔감을 구할 수 있는 임야를 신하들에게 나누어 주던 제

---

23 마르크 블로크, 『봉건 사회』, 한정숙 역, 한길사, 2001.

24 Georges Duby, Three Orders: Feudal Society Imagined, University of Chicago Press, 1982.

도를 말합니다. 조선 시대에 들어와서 이름이 과전법이라고 바뀌지만, 맥락은 비슷하고요. 이 개념이 레헨에 해당하겠죠.

일본 사무라이들의 경우를 보겠습니다. 16세기까지의 사무라이들은 큰 세력을 가진 봉건 제후인 다이묘大名에게 목숨을 바치는 무사들이었고, 그들은 그 대가로 일정한 봉토를 받았습니다. 하지만 도쿠가와 이에야스德川家康의 에도 막부가 열린 이후, 다이묘들끼리의 전쟁은 금지되었고, 심지어 사무라이들이 함부로 칼을 쓰는 행위도 억제되었습니다. 다이묘들은 비록 자기들 봉토의 세습권은 인정받았지만, 반란을 꾀하지 않겠다는 서약의 의미로 매년 일정 기간 동안은 수도에 머물러야 하는 신세가 되었습니다. 따라서 사무라이들도 사실상 유명무실한 존재로 전락하고 말았습니다. 목숨을 걸고 다이묘를 따르는 식솔들이라 내칠 수는 없으나, 전국시대가 끝나서 전쟁이 없으니 별 쓸모는 없는 존재들이었던 것입니다. 이제 이들은 봉토가 아니라, 고정된 액수의 '봉록'을 받는 연금 생활자와 비슷한 신세가 됩니다.

다이묘가 나누어 주는 봉록이 사무라이들의 높은 자존심을 충족해 줄 만한 수준은 아니었을 것입니다. 한 사람의 무사로 성장시키려면 어린 나이부터 검술과 전쟁 기술을 익히도록 해야 합니다. 또 거기에 수반되는 무기·갑옷·말 등을 생각하면 제대로 싸울 줄 아는 사무라이로 키우는 데에 들어가는 경제적 비용은 실로 만만치 않습니다. 상황이 그런데도 그저 생활이나 간신히 할 정도의 봉록만 지급한다는 것은 사실상 그들이 지닌 무사 기능을 포기하겠다는 말이나 마찬가지입니다.

사무라이의 운명은 시간이 지나면서 더욱 비참해집니다. 19세기 초가 되면 인플레이션이 벌어지면서, 고정된 액수의 봉록을 받는 사무라이들은 빈곤 상태에 처합니다. 이들의 불만이 일본 메이지 유신의 중요한 동력이 되기도 합니다. 하지만 메이지 유신이 벌어진 다음에는 더 희한한 일이 벌어집니다. 사무라이들에게 줄 봉록을 매년 현금으로 마련하기 힘들었던 유신 정부는 이들에게 지급할 봉록을 몽땅 채권으로 준 것입니다. 채권이 뭐고 돈 계산이 뭔지도 모르던 사무라이 계급은 어찌해야 할 줄 모른 채 한 번에 탕진해 버리고 몰락하는 경우도 속출했습니다.

고대 사회든 봉건 사회든 지배 계층 내에서 관계가 어떻게 조직되어 있는지를 볼 때 레헨이냐, 프륀데냐 하는 것은 매우 중요합니다. 왕이 가신이나 지배 계층에게 봉록을 주면 지배계급 전체가 왕에게 종속되지 않을 수가 없습니다. 권력이 왕을 중심으로 강하게 집중된다는 뜻이죠. 여기서 전적으로 프륀데에 의존하는 사람이 더 많이 나타나면서 관료제가 등장하고, 일종의 과거 시험 같은 것과 연결되면서 오로지 왕에게만 충성을 바치는 새로운 종류의 신하들이 등장합니다. 이런 과정을 거쳐 관료제가 완성되지요.

봉건제가 강할 때는 레헨, 무너질 때는 프륀데

유럽의 경우를 보면 처음 카를 대제가 신성 로마 제국의 전신이라 할 수 있는 프랑크 제국을 건설했을 때만 해도 항시 외적의 침입에 시달리고 있었습니다. 중세 초기의 강력한 외적만 따져 봐도 북쪽의 바이킹족, 인근의 호전적인 이교도 색슨족, 남쪽의 이슬람 사람들이 있었습니다. 이런 적들을 막기 위해 카를 대제는 각 지방으로 봉신들을 보내 총독 역할을 맡겼습니다.

봉신들은 자신들이 맡은 지역에 있는 인적·물적 자원을 모아 단단한 지역 방위 체제를 구축했는데요, 여기에서 우리가 아는 공작·후작·백작·자작·남작 등의 개념이 생겨났습니다. 이들을 중심으로 한 집단이 일종의 군사 방위 단위입니다. 하지만 이 '오등작'은 실제 용어의 뜻을 번역했다기보다는 주나라의 봉작제에 쓰인 작위에 대비한 것이라서 한자어의 뜻을 따지면 좀 맞지 않습니다. 아래 내용은 귀족 지위의 개념을 대략적으로 이해하기 위한 설명입니다.

- **듀크**(Duke, 공작)
  왕국kingdom과 엄밀히 구별이 되지 않을 정도로 크고 독립적인 정치 단위를 통째로 지배하는 고위 귀족

- **마르케스**(Marquess, 후작)
  아주 호전적이고 야만스러운 무리와 인접한 곳에 있어 여차하면 치고 나가야 하는 군사 지역을 지배하는 고위 귀족

- **카운트**(Count, 백작)
  가장 표준적인 행정 단위를 맡는 귀족으로, 황제나 왕이 파견하는 영주이며 본래는 세습이 되지 않았던 왕실 귀족

이들은 처음 각 지역을 지키기 위해 올 때까지만 해도 백작처럼 왕에게 복속된 신하들이었거나 최소한 왕에게 충성을 맹세한 고위 귀족들이었습니다. 그런데 지역 방위 체제를 구성하다 보면 인적·물적 자원을 현지 권력자나 감독관이 스스로 조직해, 스스로 군대를 만들고, 스스로 전쟁을 벌이는 독자적인 행동을 해야 할 경우가 많아질 수밖에 없

습니다. 그러면서 자연스럽게 그 지역에서 절대 권력을 쥐게 되는데요, 나중에 영주들은 자기 영지 안에서 세금만 뜯는 게 아니라 군사권·사법권·행정권·경제권까지 휘두르는, 마치 왕과 같은 포괄적인 권리를 갖게 되었습니다. 오마주homage라는 말도 이때 나왔는데, 지금은 문화 예술계에서 존경 혹은 경의 같은 뜻으로 많이 쓰이지만, 원래는 '인신구속', '누구를 주군으로 모신다'는 의미에 가까웠습니다.

상황이 이렇다 보니 카를 대제가 세상을 떠난 다음 그 커다란 제국이 조각나기 시작합니다. 대표적으로 프랑스의 카페 왕조를 예로 들 수 있겠는데요, 프랑크 왕국 전체 지역에서 오늘날의 파리 일대 지역을 맡은 백작 왕가의 후손이 위그 카페Hugues Capet라는 인물이었습니다. 이 사람이 파리에서 스스로 왕이 되어 왕조를 열면서 프랑스 왕국이 시작되지만, 그 권력은 크지 않았고 기껏해야 파리 근방 지역에 미치는 정도였습니다. 오늘날로 치면 파리에 자기 성이 있었는데, 자기가 나머지 광활한 프랑스 지역을 다 지킬 수 없으니 지역을 이리저리 쪼개 다른 귀족들에게 맡기고 충성 서약을 받는 식이었던 것입니다. 결국 구조적으로 그 지역의 독자성을 인정할 수밖에 없습니다.

알아 두어야 할 것이 하나 더 있습니다. 만약 각 지역을 지키던 관리들이 죽으면 어떻게 될까요? 자신의 영토와 지위 등을 자식에게 물려줍니다. 본래 프랑크 왕국 시절 백작은 세습권이 없었습니다만, 시간이 지나면서 제도화되었습니다. 결국 레헨으로 인해 처음엔 지방 감독관이었던 봉신이 지역의 군주가 되고, 그게 세습으로까지 이어지면서 황제 아래 왕이 있고, 왕 아래 공작·후작·백작 등이 다스리는 자잘한 단위의 독립된 소왕국이 어지럽게 병립하게 되었다고 볼 수 있습니다. 역사학자인 페리 앤더슨Perry Anderson은 이를 두고 파편화된 주권fragmented sovereignty이라고 일컫기도 했습니다.[25]

덧붙여 봉신들은 땅을 가지고 다스리는 대신 주군에 대한 의무도 있었는데요, 가장 중요한 의무는 주군이 봉홧불을 올리면 군대를 이끌고 전쟁을 돕는 것이었습니다. 재미있는 건 일 년 내내, 혹은 전쟁이 끝날 때까지 참여하는 게 아니었다는 건데요, 시대에 따라 조금 차이가 있기는 하지만 정해진 기간이 있었습니다. 그래서 중세를 배경으로 한 소설을 보면 전쟁이 한창 벌어지는 중에 백작 하나가 "내일이면 날수가 다 찼으니 저는 이만 돌아가겠습니다." 이런 식으로 말하는 장면도 나옵니다. 돌아가겠다고 하는 건 부담스럽다는 이야기겠지요. 이렇게 날이 갈수록 주군에 대한 봉신들의 복무 의무가 커지면서 봉신들이 점차 돈으로 자신의 의무를 때우게 되었고, 주군은 그 돈으로 병사를 사서 고용하는 용병제가 발달하기도 합니다.

지금까지 말한 개념이 루이 강쇼프가 이야기한 봉건제의 정의입니다. 인적·물적 자원이 결합된 영지에 대한 권리를 놓고 주군과 봉신 관계에서 처음에는 전자가 후자에 대해 우위에 있다가 시간이 지나면서 양쪽이 다 서로에게 의무를 지는 쌍무적 관계로 바뀌게 되는데 이를 봉건제로 보아야 한다는 것입니다.

제도 변화 과정을 살펴보면 봉건제가 강할 때는 레헨 시스템으로 굴러가지만, 봉건제가 무너질 때쯤이면 프륀데로 넘어가는 현상이 나타납니다. 일본도 봉건제가 강할 땐 레헨이었다가, 도쿠가와 이에야스가 등장하면서 프륀데로 바뀌었습니다. 지역 차이는 있지만 비슷한 현상

---

25 Perry Anderson, Lineages of the Absolutist State, Verso, 2014.

이 일어났던 것이죠. 레헨으로 굴러가던 봉건제의 프랑스가 중세 후기부터 근세까지 약 3세기 동안 절대 왕정이 들어서면서 서서히 근대국가를 만들기 시작하는데요, 페리 앤더슨 같은 이들이 말한 것처럼 "절대 왕정이란 봉건제 관습을 약화하고 왕에게 권력이 집중되는 현상"을 일컫습니다. 절대 왕정의 대표적인 인물로 루이 14세를 꼽을 수 있는데요, 그는 지방의 영주들이 각자의 영지에서 일 년에 얼마씩 세금을 걷을 수 있도록 했지만, 그 대신 영지를 버리고 파리에 와서 베르사유 궁전 근처에서 살도록 했습니다. 이렇게 왕 주변의 귀족들이 각자의 영지에서 권력을 마음껏 휘두르며 사는 게 아니라 왕 근처에 있었다는 것은 완전히 프뤤데로 바뀐 건 아니지만 레헨으로 인한 지방 분권 체제였던 이전의 유럽 봉건제가 서서히 무너진다는 걸 의미합니다.

지금까지 지배계급의 관계를 이야기했지만 이걸 경제 차원에서 좀 살펴보겠습니다. 이런 봉건제 사회에서 국가가 돈을 축적할 수 있었을까요? 고대 사회에서는 대제국에서 중앙에 커다란 창고를 지어 놓고, 큰 규모의 세금을 걷고, 큰 규모의 사업을 벌이면서, 큰 규모의 재산을 축적하는 것이 가능했습니다. 하지만 레헨 형태로 갈라지면 부가 축적될 중심지가 애매해지죠. 이 중세 봉건제라고 하는 것은 정치적인 권력 차원에서도 여러 지방으로 쪼개질 뿐 아니라 부의 측면에서도 중심이 되는 축적 지역을 만들어 내기 힘든 측면이 있습니다.

결론적으로 국가는 봉건제로 인해 경제적 부를 축적하는 주체가 되지 못하고, 때에 따라 가톨릭 교황청이나 성당 기사단 그리고 앞으로 나타나게 될 도시 부르주아 등으로 세력이 나뉘어 있었다는 이야기가 됩니다. 특히 도시 부르주아들의 경우 본격적인 시장 경제 활성화를 이루는 주체로 성장했다는 점에서 경제사적으로 굉장히 중요한 의미가 있습니다.

2

기도하는 자, 싸우는 자, 일하는 자

세속 권력과 영적 권력의 분리

마르크 블로크와 그 영향을 받은 조르주 뒤비는 봉건제를 하나의 '문명' 개념으로 보고 접근하고자 했습니다. 봉건 사회를 이해하기 위해서는 단순히 지배계급 내부의 관계만 보아서는 안 되고, 형성 과정에 내재된 역사뿐 아니라 정신 그리고 사회 구성까지 살펴야 한다는 것인데요, 이들은 봉건 사회에 존속했던 신분을 세 가지로 구분합니다.

첫 번째는 기도하는 자, 성직자입니다. 두 번째는 싸우는 자, 귀족입니다. 세 번째는 일하는 자, 농민과 상인입니다. 참고로, 봉건제 당시 서유럽은 군사에 기초해 귀족 계급이 형성되었습니다. 여기에는 기사·왕·황제 같은 세속 권력자들도 포함되는데, 이런 사실은 문신들이 압도적인 우위를 점하여 사회 기초를 만들면서 지배계급을 이루었던 동양의 여러 왕조들의 역사와 대조됩니다.

여기서 우리가 유념해야 할 사실은 중세 유럽이 세속 권력과 영적 권력으로 분리되어 있었다는 것입니다. 이게 바로 다른 시기의 유럽 문명과 중세 유럽 문명의 극명한 차이입니다.

　로마 시대 말엽에 기독교라는 보편 종교가 나타났고, 이로 인해 왕 혹은 황제가 전적인 권력을 휘두르기 힘들어지면서 고대 사회는 무너지기 시작합니다. 그 이후의 중세는 세속 권력과 영적 권력이 기묘하게 분리된다는 특징을 가집니다. 물론 동로마 제국, 즉 비잔틴 제국은 달랐습니다. 로마 제국이 395년에 동서로 나뉘었고, 서로마 제국은 5세기 후반에 게르만족에게 망했지만 동로마 제국은 이후 1453년 오스만튀르크에 무너질 때까지 존속하는데요, 비잔틴 제국에서는 황제가 정교회 수장 위치를 겸했습니다. 다시 말해 황제가 종교 권력의 정점인 동시에 세속 권력의 정점이었던 셈이죠. 이 두 가지 차원의 권력을 하나로 결합하는 과정에서 유스티니아누스 법전이 만들어지고, 동로마 제국 특유의 통치 체제가 나타나기도 했습니다만 서로마 제국의 경우는 달랐습니다. 로마를 근거지로 삼고 있던 서로마 제국은 이미 5세기에 완전히 무너지고, 폐허가 된 로마에는 시궁창과 모기떼와 가톨릭 교황청만 남아 있는 상태였습니다.

　여기에서 생겨난 봉건제의 '문명'에서는 칼과 창이 맞부딪고 피가 튀고 재산과 재물이 오가고 그 과정에서 아귀다툼이 벌어지는 세속적 세계와, 인간은 누구이고 신은 누구이고 진정 옳은 것은 무엇이며 인간은 죽으면 어디로 가는지를 따지는 정신적이고 영적인 세계가 철저히 나뉜 채 병존했던 것입니다.

　세속적인 차원에서의 가치와 종교적 가치가 각각 존재했던 만큼 왕이나 황제의 역할도 좀 달랐죠. 한자 문화권에서는 보통 왕을 하늘과 땅과 인간이라는 삼재三才를 하나로 연결하는 존재라고 설명합니다. 서양에서 황제의 역할은 가톨릭교회를 수호하는 총책임자입니다. 이를테면 신성 로마 제국 황제는 가톨릭교회가 이민족들에게 무너지지 않도록 지켜야 하고, 여기서 황제의 권위와 정당성이 나온다고 설명합니다. 그 아래에 있는 영국 왕이나 프랑스 왕의 존재 이유는 정의를 수호하기 위함, 즉 불의를 행하는 자들을 칼로 베어 정의를 지키는 것이 책무였습니다. 그러니 황제든 왕이든 영적인 것과는 분명한 거리가 있었습니다. 이런 차이로 인해 법적 질서도 두 개로 갈라지는데 왕이나 세속 군주들이 판결을 내릴 때 지침이 되는 관습법이나 실정법 등은 가톨릭교회에서 내거는 신성법이나 교회법과는 체계 자체가 달랐습니다. 물론 이렇게 나뉜 두 개의 권력이 늘 좋은 관계를 유지했던 건 아니었습니다. 황제와 교황이 권력 다툼을 벌이는 바람에 한쪽이 반쯤 벌거벗고 기어가기도 하고, 다른 쪽이 결국 굶어 죽거나 얼어 죽기도 했으니까요.[26]

이런 중세의 모습은 권력관계뿐만 아니라 사회 시스템, 나아가 경제 윤리에 있어서도 독특한 특징을 보입니다.

중세의 독특한 경제 윤리

이렇게 세상이 두 개로 갈라져 있으면 경제 윤리에 어떤 영향을 줄까요? 동양 전통 사회의 경우, 세속적인 가치와 영적인 가치가 대략적으로 섞여 있습니다. 그래서 사람들이 추구하는 삶의 가치는 자식을 많이

---

26 이른바 '카노사의 굴욕'으로 알려져 있는 신성 로마 제국 황제 하인리히 4세와 교황 그레고리우스 7세의 싸움이 유명합니다. 처음에는 허잡한 옷을 입고 맨발로 걸어 카노사 성문 앞에 도달한 하인리히 4세가 무릎을 꿇은 채 교황에게 파문 조치를 취소해 달라고 간청하였지만, 나중에는 하인리히 4세의 군사력에 밀린 그레고리우스 7세가 도피했다가 결국 잡혀 죽습니다. 이 외에도 교황 보니파키우스 8세와 맞섰던 필리프 4세는 아예 교황청을 통째로 아비뇽으로 옮기며 강력해진 왕권을 과시하기도 합니다.

낳아서 부유하게 살며 복락을 누리다가 자신이 죽은 뒤에는 자손들이 잘 커 나가기를 바라는 경우가 많죠. 이런 가치관에서는 세속적 가치와 영적 가치가 병립하는 것이 크게 모순되지 않습니다. 극단적으로 초월적·내세적이 되거나, 극단적으로 물질적·현세적이 되거나 하지 않습니다. 도교·유교·불교가 섞여 있다 보니 경제 윤리도 독특한 모습을 띠는데요, 그래서 동양 문화권을 보면 대개 일을 열심히 하기는 하지만 그 목적을 굳이 세속적 가치나 정신적 가치로 나누지 않죠.

중세 유럽의 봉건 사회처럼 이게 완전히 분리되어 있으면 양상이 좀 다릅니다. 이런 경우 당연히 핵심은 종교적이고 영적인 것에 있습니다. 세속 세계는 영적 세계로 넘어가기 전에 잠시 머무는 곳에 불과합니다. 그러니 경제생활이 무슨 의미가 있겠습니까. 죽어서 재물 싸 들고 가는 사람은 없잖아요. 이런 관점은 부의 축적을 죄악시하는 태도로 귀결됩니다. 이들에게 경제생활이란 그저 살아 있는 동안 굶어 죽지 않고, 적당히 생활이나 할 정도면 충분합니다.

기도하는 자, 싸우는 자, 일하는 자, 이렇게 크게 세 개의 신분으로 나뉘고 세속 세계와 영적 세계가 완전히 분리되어 있는 문명에서 경제생활에 남는 유일한 의미는 자급자족과 생계유지입니다. 잉여 물자는 종교적인 가치와 군사적·정치적 질서를 유지하는 데 사용할 뿐, 부의 축적 그 자체는 목표가 될 수 없다는 생각이 지배하게 됩니다.

다음 장에서는 이 독특한 특징으로 인해 나타난 중세 시대의 경제활동에 대해 좀 더 구체적으로 알아보겠습니다.

3

이익을 목표로 하지 않는
경제 활동

예전에도 그랬지만 오늘날에도 거의 모든 인간은 그 나름의 방식으로 경제 활동을 합니다. 여러분은 어떤 목적으로 경제 활동을 하십니까? 현대 사회에서는 대부분 경제 활동의 목적이 더 많은 돈을 벌고, 더 많은 이익을 누리기 위함에 있습니다. 경제 활동이란 곧 영리 활동인 셈인데요, 예전엔 어땠을까요?

역사적으로 보면 경제 활동의 목적은 그냥 재미있게 잘 살기 위해, 그런대로 살던 삶을 유지하는 데 있다는 대답이 훨씬 많지 않을까 싶습니다. 다시 말해 경제 활동에는 생계를 위한 경제와 영리를 위한 경제가 있습니다. 사실 이 두 개념을 구분한 것은 독일 경제사학자들의 가장 빛나는 업적이라고 해도 과언이 아닙니다. 19세기 중후반까지만 해도 거의 모든 경제학자들은 경제생활의 목표가 이윤과 이익에만 있다고 생각했거든요. 그 이후 독일 경제사학자들이 중세와 고대에 있었던 여러 가지 경제 조직 형태나 운영 원리에 대한 역사적 자료를 살펴보면서 영리만을 위해 존재하는 조직은 오히려 흔하지 않다는 사실을 밝혀냈습니다. 로마 시대에 잠깐 있었고, 지금 우리가 생각하는 회사 같은 조직은 아무리 오래전으로 잡아도 13세기 이전으로 올라가기 힘듭니다. 나머지 인류 역사에서 존재했던 대부분 경제 조직의 목적은 이익이 아니라 성원들의 삶, 지금 우리말로 하자면 살림살이였습니다.

이후 독일 경제사학자들은, 몇천 년 몇만 년 동안 영리가 아니라, 그저 자기들이 쭉 살아오던 삶을 유지하는 것이 목표였던 인류가 어째서 200~300년 전부터 갑자기 영리를 중심으로 경제 활동을 재편하게 되었는지 관심을 기울이게 됩니다. 그 이야기는 뒤에서 다시 하도록 하고, 여기서는 경제 활동의 목표가 생계를 유지하는 것, 그런저런 삶을 이어 나가기 위함이 될 수도 있다는 사실을 기억해 주기 바랍니다.

중세 농업 공동체 장원

장원이란 중세 농업의 기본 단위이자 자급자족 공동체라고 할 수 있습니다. 오늘날의 서유럽을 차 타고 달리다 보면 참 고즈넉하달까요, 평화롭달까요, 넓은 평야에 말과 소가 여유롭게 풀 뜯고 있고, 중간중간 예쁜 집들도 보이곤 하는데 중세 때는 이렇지 않았습니다. 특히 암흑시대라고 불리는 7~9세기 유럽의 땅은 대부분이 숲으로 뒤덮여 있었던 데다가 도로도 거의 끊어진 상태였습니다. 로마 제국이 있을 때는 군대가 왔다 갔다 해야 하니 도로를 잘 유지했지만 로마 제국이 망한 뒤에는 도로도 희미해진 상태였고, 유럽 땅 전체를 봐도 사람이 경작하는 지역보다 숲이 더 많았을 정도였습니다.

보통 유럽 동화를 보면 숲속에 마녀나 괴물 등이 살고 있어서 무시무시한 일이 벌어진다는 식으로 스토리가 전개되기도 하는데요, 실제로도 당시 사람들은 그렇게 믿었습니다. 중세 때는 '자연 대 신의 은총'이라는 구도가 있었는데, 신의 은총을 받지 않은 자연 그 자체는 사탄과 온갖 악령이 날뛰는 곳이라는 공포가 지배했어요. 그래서 땅을 개간하려고 숲을 벨 때에는 반드시 두 종류의 사람이 있어야 했습니다.

먼저 성직자들이 숲에 깃들어 있는 악마와 사악한 정령을 몰아내고 땅을 축복합니다. 그래야 이 땅에서 소출이 나오고 정상적으로 농사가 이루어진다고 생각했습니다. 두 번째는 이 땅에 처들어올지 모르는 적이나 괴물을 물리치기 위해 말 타고 칼 든 기사, 즉 영주가 꼭 있어야 합니다. 이 두 가지 조건이 충족된 상태에서 땅을 일구며 하나의 농촌 공동체를 만들었습니다. 참고로 오늘날엔 인간이 열심히 농사를 지으면 그 덕에 작물이 나오고 이게 노동의 산물이라는 걸 알지만, 중세 때는 이런 인식을 부정하는 주장이 지배했습니다. 사람이 열심히 일하는 건 성경에서도 명하는 바인 데다가 아담과 하와 이후 인간이 짊어진 운명이라고 생각했습니다. 또한 풍년이 들지 흉년이 들지는 철저히 신의 뜻에 달린 것이라고 믿었죠.

농민들은 성직자와 영주를 모셨을 뿐 아니라 일종의 고립 상태에 있었으니 농사를 짓는 가장 중요한 목적은 자급자족이었습니다. 어떤 땅에 무슨 농작물을 심을지도 관습에 따라 대부분 결정돼 있었고요. 예를 들어 담배를 생각해 보면 우리는 그냥 편의점에 가서 사면 그만이잖아요. 하지만 장원은 땅 한 귀퉁이에 담배를 심어야만 마을 사람들이 담배를 피울 수 있는 구조였다고 이해하면 되겠습니다. 이런 식으로 마을 사람들의 자급자족을 유지하기 위한 여러 물품을 마을 안에서 공동으로 해결하는, 그 자체로 경제 고리가 완전히 연결된 하나의 단위였습니다.

개간한 땅 중심에 마을 사람들이 사는 집이 모여 있고, 거기서 조금 더 넓게 동심원을 그리면서 경작하는 땅이 나오고, 그다음에 짐승들을 풀어놓는 목초지가 조성되어 있고, 가장 바깥에는 땔감으로 쓸 나무를 구해 오는 숲이 있는 형태가 가장 전형적인 중세 장원 구조라고 할 수 있습니다.

다시 한번 강조하지만, 장원의 생산 목표는 자급자족입니다. 더 많이 생산하기도 힘들고 그렇게까지 할 이유도 없습니다. 만약 잉여 생산물이 지속적으로 나온다면 이는 모두 영주가 가져가서 영주의 군사력을 유지하고 성을 유지하고 치안을 유지하는 데 씁니다. 그러니 장원 그 자체에서는 부의 축적이 이루어지기 힘들었고, 무엇보다 부를 축적한다는 개념 자체가 희박했습니다.

중세 상인 공동체 길드

중세 시대 평민들이 농사만 지었던 건 아닙니다. 도시도 있었으므로 상업도 행했고 여러 생필품을 만드는 기술자들도 있었습니다. 이런 수공업자들은 혼자 개개인으로 가게를 차렸던 게 아니라 동종업자들끼리 모여서 만든 길드guild라는 동업자 조합에 소속되어 있었습니다. 이를테면 맥주 만드는 기술자들이 모인 길드, 구두 기술자들이 모인 길드가 존재했다는 거죠. 그렇다면 길드는 오늘날 회사의 원형이 아니었을까요? 그 사람들이 모여 올해 목표 생산량은 얼마니까 열심히 만들어서 대박 함 터뜨려 보자! 뭐 그러지 않았을까요?

그러지 않았습니다. 길드 또한 장원과 마찬가지로 마구 생산을 늘려 돈 많이 벌자는 조직이 아니었습니다. 길드는 동종업자들의 삶을 돌보기 위한 일종의 생활 공동체였습니다.

　우선 길드에 소속되기 위한 과정을 알아보겠습니다. 가령 맥주 양조장이 있다고 치겠습니다. 아무것도 모르는 열두어 살 정도 되는 소년이 양조장으로 들어옵니다. 심부름부터 시작해서 견습 시절을 거치며 몇 년 동안 일을 배웁니다. 양조장에서 7~8년 정도 일을 배워서 도제 수업을 마치고, 작업장이 어떻게 굴러가는지도 대략 익히면 다른 도시를 가 보기도 하고, 이곳저곳 떠돌다가 괜찮은 곳을 발견하면 취직해서 기술을 더 배우기도 하죠. 장인이라고 부를 정도는 아니지만, 그렇다고 수업을 받는 수준도 아닌, 그냥저냥 어느 정도 일할 수 있는 수준의 사람을 직인저니맨, journeyman이라고 합니다. 그렇게 몇 년 돌아다니면서 충분히 기술을 익혀 스스로 장인의 경지에 올랐다는 판단이 들면 작품을 하나 만듭니다. 한 통의 근사한 맥주를 빚어서 내놓는데, 이걸 다른 장인들이 마셔 보고 인정할 만하다 싶으면 그때 드디어 장인마이스터, meister 칭호를 받게 되지요. 장인으로 인정받기 위해 내놓는 작품을 마스터피스masterpiece라고 하는데, 이 말이 요즘에 이르러서는 걸작이라는 말로 통용되고 있습니다. 그만큼 뛰어난 실력으로 만들어 낸 것이라는 뜻이죠. 이렇게 하나의 길드에 소속되려면 도제 단계, 직인 단계를 거쳐 어엿하고 완숙한 기술자가 되어야 합니다. 그래서 당시 길드에 소속된 사람들은 자기 기술에 대단히 깊은 자부심이 있었고, 함께 맥주 만드는 사람들이 문제없이 일을 계속 잘할 수 있도록 같이 모여 논의하고 또 서로를 보호했습니다.

　길드의 가장 중요한 기능 중 하나는 이들이 만드는 제품의 판로를 확보하고 그 값이 떨어지지 않도록 하는 것이었습니다. 가령 맥주를 잘 만들어서 팔고 있었는데 어디서 만 원에 여섯 캔짜리 맥주를 판매하는 편의점이 등장하면 손에 손에 몽둥이를 들고 가서 편의점을 때려 부숩니다. 실제로 폭력을 자주 행사했는데요, 당시 옷감을 염색하는 날염 길드가 있었는데, 길드에 소속되어 있지 않은 일반 농가에서 날염 외주를 받기 시작했다고 합니다. 소위 '야매'로 싸게 해 주는 식이죠. 그러자 날염 길드가 힘을 모아 농가를 때려 부쉈다고 합니다. 이런 기록이 굉장히 많이 남아 있지요. 이 외에도 길드 내에서 소속원들 간에 싸움이 일어나면 중재하고 화해하도록 하는 일도 했고요. 도제나 직인의 기량이 올라갈 수 있도록 기술을 함께 연구하기도 했습니다.

그렇다고 길드가 직업적인 기능만 한 건 아닙니다. "맥주 만드는 사람들의 영혼이 구원받기 위해 우리는 무엇을 해야 할까?" 이런 영적 차원의 고민을 나누기도 하고 자선사업을 함께하기도 했습니다. 이런 다양한 역할을 보면 길드를 단순히 이익 단체로만 볼 수 없습니다. 길드란 소속된 사람들이 자신의 일을 하면서 좋은 삶을 유지할 수 있도록 정신적으로나 물질적으로나 마치 가족처럼 서로를 돌보는 공동체 같은 개념이라고 보는 것이 더 정확할 것 같습니다.

장원이나 길드의 독특한 양상이 나타날 수 있었던 이유는 무엇일까요? 저는 앞에서 우리가 살펴본 것처럼, 권력의 파편화로 인해 강력한 중앙 집권 국가가 나타나기 힘들어 부의 축적 중심이 만들어지지 못했고, 철저히 분리되어 있던 세속 권력과 영적 권력 두 가지 의식이 사람들의 삶의 단위에 모두 삼투되어 있었기 때문이라고 봅니다.

따져 보면 이 조직들은 오늘날 경제 조직이 추구하는 이상과 동떨어져 있을 뿐 아니라 우리가 알고 있는 일반적인 경제 상식에도 반한다고 할 수 있습니다. 최소한의 비용으로 최대한의 산출을 만들어 내고, 이걸 최대한 축적해 다시 투자하고, 이를 통해 더 많이 생산하는 자본주의적 확대 재생산의 논리로는 이해할 수 없는 조직입니다. 그래서 근대에 들어서면 길드나 장원은 종종 비판의 대상이 되곤 했습니다. 낙후되고 정체되고 맨날 똑같은 일만 반복한다는 지적, 여기에 혁신과 생산력 발전을 저해한다는 비난까지 중세라는 시기와 봉건이라는 제도는 좌파, 우파 가릴 것 없이 입을 모아 성토하는 주제였습니다.

그런데 19세기 후반이 되면 영국에서 서서히 이런 길드식 생산 전통을 찬양하는 사람들이 나타나기 시작합니다. 미술 비평을 창시한 사람 중 하나라는 평가를 받는 영국 사상가 존 러스킨John Ruskin도 중세 길드를 굉장히 높게 평가했고요. 19세기 말의 유명한 인쇄공이자, 시인이자, 작가이자, 화가이자, 디자이너이자, 예술평론가이자, 사회주의자였던 윌리엄 모리스William Morris는 길드 같은 생산자들의 전통, 즉 생산자들을 보호하고 생산자로서의 긍지와 사명에 충실하고 또 같은 구성원을 부양하는 조직이야말로 가장 미래적인 것이라며 길드를 찬양했습니다. 급기야 20세기 초반, 1910~1920년대에 나왔던 길드 사회주의라는 경제 체제 구상은 전 세계적으로 인기를 끌기도 했습니다. 이렇게 중세 상인들의 조직이었던 길드는 세월이 흐르면서 자본주의로 조직된 산업 생산의 대안 형태이자, 새로운 사회를 꿈꾸는 사람들의 상상력을 자극하는 원천으로 자리매김했습니다.[27]

이런 현상은 21세기에도 크게 바뀌지 않아서 최근 "무형 자산이나 무형 지식을 생산하는 조직은 20세기에 만들어진 대량 생산·대량 소비 형태의 기업 조직이 아니라, 길드와 같은 생산 형태로 가야 하지 않

---

27 G. D. H. 콜, 『길드 사회주의』, 장석준 역, 책세상, 2022.

느냐?"하는 주장이 여기저기에서 나옵니다. 일각에서는 "생산자도 소비자도 다 함께 행복하고 만족하는 게 최고의 가치라는 원리로 생산을 조직하는 것이, 영리 활동을 위해 생산을 조직하는 것보다 우월한 게 아니냐?"이런 이야기도 나오고 있는 실정입니다. 수단을 가리지 않고 경제 성장을 추구하며 맹목적으로 부를 축적하다가 지구가 박살 나고 사회가 무너지기 시작하자 사람들은 서서히 아리스토텔레스 경제 사상을 이야기하고, 경제 활동의 원래 목표가 무엇이었는지를 되짚고 있습니다.

이런 질문과 길드에 대한 관점은 사회적으로도 의미가 있지만 개인의 경제생활에 있어서도 생각해 볼 만한 지점이 있는 것 같습니다. 그런 점에서 이번 장의 첫 부분에 했던 질문, 우리가 왜 돈을 벌고 어떤 목적으로 경제 활동을 하는지에 대해 한 번쯤 곰곰이 생각해 보면 좋겠습니다.

4

일하는 상인,
돈 버는 교회

우리는 죽을 때 저세상으로 재산을 가지고 갈 수 없다는 사실을 잘 알고 있습니다. 어떤 스님은 이런 이야기를 하면서 무소유를 설파하기도 했지만, 누구는 더더욱 많은 재산을 모아 자식들에게 남겨 놓고 가야 한다고 생각하는 사람도 있죠. 중세 사람들은 어떤 생각을 가지고 있었을까요?

중세의 평민들은 크게 농부 · 수공업자 · 상인 정도로 나눌 수 있는데요, 사람이 먹지 않고는 살 수 없으니 농사를 짓는 일은 매우 중요한 의미가 있습니다. 신발이나 맥주를 만드는 것도 넓게 보면 마찬가지죠. 하지만 상인들은 이야기가 좀 달랐습니다. 이들은 무언가를 생산하는 사람들이 아니라, 생산된 물건을 유통해 더 많은 재물을 모으는 일을 하는 사람이었으니까요.

중세 서양 사회에서 상인들이 받았던 취급은 다소 흥미롭습니다. 그들의 역할이 사회에 필요한 것이었음에도 그들은 그 누구에게도 지위를 인정받지 못했을 뿐만 아니라 오히려 천시당하기까지 했습니다.

상인들의 처지에 관하여

우선 중세 초기에는 상업이 크게 위축된 상태인 데다가 상인들이 일을 할 만한 환경도 별로 좋지 않았다는 점을 알아야 합니다. 일단 도로 사정이 너무나 좋지 않았고 중간에 각종 폭력배들을 만날 가능성도 농후했습니다. 그러다 잘못하면 물건 다 털리고 목숨까지 빼앗기기 십상이었죠. 원래 로마 때부터 상인들은 배를 타고 강을 따라 포구로 다니면서 교역을 했지만, 이때도 강가에 인접한 지역의 영주들이 툭하면 배를 세우고 통행료를 내라고 하는 경우가 많았습니다. 내륙으로 다니는 상인들이 없지는 않았지만, 이들은 아주 위험한 상황과 마주칠 각오로 잔뜩 무장을 하고서 등짐장수처럼 돌아다니는 소수의 사람들이었습니다.

11세기가 지나고 유럽의 농업 생산력이 급증하면서부터는 상업도 활발히 일어나고 점차 큰 상인들도 나오기 시작합니다. 하지만 그 이전 중세 시대에서의 상인들은 거의 사기꾼과 다름없는 취급을 받아야만 했는데요, 앞에서 이야기했던 아리스토텔레스 경제 사상을 기억해야 합니다. 돈이라는 건 새끼를 칠 수 없는데, 상인이라는 자들은 물건을 사들인 값에서 이윤을 붙여 파는 것이므로 결국 거짓말을 하는 사기꾼이라는 게 그의 주요한 논리였죠. 이러한 주장이나 그에 상응하는 정서가 이후 중세 유럽을 지배하게 됩니다.

그래서 상인들은 공식적으로는 '나쁜 놈들'이고, 최소한으로 봐도 '의심스러운 놈들'이었고, 영혼이 파멸되어 영원히 '구원받지 못할 종자들'로 여겨졌습니다. 지금의 우리는 영혼이 구원받지 못한다고 하면 코웃음 치고 말지 모르겠지만, 당시엔 사정이 달랐습니다. 세속 권력과 영적 권력이 나뉘어 있었던 중세에서 사람들은 육신의 죽음을 그다지 심각하게 여기지 않았다고 합니다. 어차피 죽는 건 다 똑같으니까요.

정말 중요한 것은 영혼이 구원을 받을 수 있느냐 하는 점이었습니다. 이들이 믿었던 '구원'이라는 건 단순히 죽음 후에 '내세'에 이른다고 하는 것과는 좀 다릅니다. 기독교 교리에 따르면 언젠가 예수가 다시 이 땅에 내려올 때가 오는데, 구원받은 이들은 영혼만 천국에 가서 하나님과 즐기다가 그때가 되면 무덤 속에서 몸까지 다시 살아나 하나가 된다고 믿었습니다. 결국 그 몸은 썩은 시체나 백골이 아니라, 아무 흠 없는 완벽한 육신으로 살아납니다. 그 상태로 이 땅 위에서 '천년왕국'의 낙원으로 들어가게 된다는 교리였습니다. 바이킹 전사들이 칼을 쥐고 죽어야 '발할라'의 낙원으로 갈 수 있다고 믿었던 것처럼, 중세 유럽인들도 교회에서 인정하는 방식으로 잘 죽어서 잘 묻혀야만 그러한 낙원으로 갈 수 있다고 생각했습니다. 막연한 내세가 아니라 이 땅 위에 건설될 천년왕국에 대한 의식이 확고했기 때문에, 영혼의 구원은 더욱더 절실한 문제일 수 있습니다.[28]

중세 때 마녀사냥이라는 게 있었다는 사실은 다들 알고 있겠죠. 신을 섬긴다는 사람들이 어떻게 그런 끔찍한 짓을 저지를 수 있었을까 싶은데요, 중세를 연구한 학자들은 앞에서 설명한 독특한 종교관 때문이라고 보고 있습니다. 어차피 썩어 없어질 육신보다 영혼의 구원이 핵심이라고 생각했으니 그런 끔찍한 짓을 할 수 있었고, 고문을 당하는 사람도 육신의 고통이 문제가 아니라 영혼의 순수함을 입증하는 것이 더 중요한 문제였을 거라고 추측하는 것이죠. 중세 유럽은 현대인들의 상식으로는 이해하기 힘든 사회였음이 분명합니다.

---

28 이 '천년왕국'이란 중국 전통 시대의 '백련교'나 '미륵불 신앙'처럼 민중들의 저항 운동에 상상력을 제공하는 원천이 되기도 합니다. 노만 콘, 『천년왕국 운동사』, 한국신학연구소, 1993.

상인들의 두려움은 곧 교회의 돈벌이 수단

이런 상황으로 미루어 볼 때 중세 상인들이란 폭력과 칼에 익숙하고, 나름대로는 닳고 닳아 단단하고 강한 사람들이었을 가능성이 큽니다. 위험한 일을 하다 보니 육체적으로도 힘든데 여기에 나쁜 놈이라고 욕까지 먹고 있었으니 스스로 강해지지 않을 수 없었겠죠. 이런 사람에게 "당신 그렇게 살다가는 지옥 간다!"라고 해 봤자 먹히기는커녕 매나 맞지 않으면 다행이었겠죠.

하지만 그런 사람들도 나이 앞에선 장사가 없습니다. 젊고 몸 쌩쌩하고 칼 잘 휘두를 때는 괜찮았지만, 서서히 늙고 병들게 되면 그때는 '죽은 뒤에 나의 영혼은 어떻게 될까?' 하는 두려움이 생기지 않을 수 없습니다. 게다가 교회는 잊을 만하면 한 번씩 교황청 차원에서 이들을 대상으로 칙령을 내리는데, 큰 이윤을 남기는 상업은 용납될 수 없고, 그런 일을 하는 자들은 성사를 받을 수 없으며, 성찬식에도 참여할 수 없다는 내용이었으니 사실상 협박에 가까웠습니다.

특히 무거운 죄는 고리대였습니다. 고리대는 그야말로 돈 주고 돈 먹기니까 고리대금업자는 상인보다 더 나쁜 놈 취급을 받았습니다. 고리대금을 한 자들은 파문당할 뿐 아니라 교회 공동묘지에 묻힐 수 없다는 이야기까지 나옵니다. 당시 기독교인들에게 파문이라는 건 천년왕국으로 들어갈 기회를 완전히 박탈한다는 뜻이기도 하니 대단한 엄벌이라고 할 수 있었죠. 시간이 지나면서 상업이 점점 번성하고 상인들의 활동이 많아졌지만, 상인들을 향한 사회의 태도가 이렇다 보니 상인들은 스스로 느끼기에도 그렇고, 상업을 둘러싼 영리 활동에서도 뭔가 께름칙하고 찜찜한 분위기가 늘 존재했습니다.

자 여기서부터 중요한데요, 상황이 그렇다 보니 그렇게 빡빡하고, 잘난 체하고, 누가 뭐래도 신경 쓰지 않은 채 열심히 돈 벌고, 칼 휘두르면서 살았던 장사꾼들이 죽기 전에 재산을 몽땅 기부하는 경우가 왕왕 발생하는 겁니다. "내가 그동안 술도 먹고, 사람도 죽이고, 돈 버느라 나쁜 짓도 많이 하며 살았는데 이대로 죽으면 지옥 갈 게 틀림없다. 그러니 나의 재산을 다 기부하겠다." 뭐 이런 건데, 그럼 그 돈을 어디다 기부할까요? 당연히 교회입니다. 교회에서는 말하죠. "재물은 나쁜 것이니 다 나한테 내놔라. 우리가 가난한 자들을 돕고 다른 성스러운 용도로 쓰겠다. 이로써 너희의 영혼이 구원받을 수 있으리라."

이때 특히 큰돈을 모은 상인일수록 죽을 때 영혼을 구원받기 위해 재산을 모조리 기부하는 경우가 많았다고 합니다. 상인들의 유서를 연구해 보면 12~13세기뿐 아니라 르네상스 시대였던 16세기 정도까지도 많은 상인이 거의 전 재산을 교회에 기부했다는 기록이 많이 있습니다.

사정이 그렇다 보니, 유럽에서 상업이 발달하면 할수록 그 결과로 교회가 돈을 축적하는 기현상이 벌어집니다. 교회와 교단 조직의 재물이 풍부해지면서 각종 타락과 부패가 벌어졌음은 물론이고, 그에 대한 비난도 끊이지 않습니다. 중세 기독교의 한 파였던 카타리파는 영지주의gnosticism의 영향을 받아 물질적 타락을 비판하여 독자적인 공동체를 만들었으나, 12세기 이후 이단으로 몰려 프랑스 필리프 2세와 교황청이 주도한 십자군의 공격을 받아 몰살당하기도 합니다. 한때 프랑스 왕의 등쌀로 교황청이 로마에서 프랑스 아비뇽으로 옮기는 일도 있었는데, 이때 아비뇽은 온갖 귀한 물품들이 모여드는 사치의 도시가 되기도 했습니다. 이후 성 프란체스코의 청빈주의부터 16세기에 있었던 종교개혁까지, 가톨릭교회의 물적 타락은 지속적인 논란의 씨앗이 됩니다.

참고로 이때 굉장히 재미있는 장치가 하나 생겨나는데요, 말씀드렸던 것처럼 기부를 한 상인들이나 부자들은 이제 천국에 갈 테니 죽는 순간까지 안심이지만, 기부를 안 하고 죽은 부자들도 있었겠죠. 이때는 자식들이 불안합니다. 저승길 준비가 제대로 안 된 상태에서 죽은 우리 부모님의 영혼은 어떻게 될 것인지 고민이었지요. 그렇다면 이를 해소할 '장치'가 필요했겠죠? 꼭 가톨릭이 아니더라도 대부분의 종교에서 이런 고민을 해소하기 위한 장치를 두고 있습니다. 이를테면 불교에는 천도재가 있고요.

가톨릭에서는 죽음을 제대로 준비하지 못한 상인과 그 가족을 위한 일종의 해결책으로 연옥[29]이란 개념이 생겼습니다. 이를테면 기부하지 않은 상인이 지옥으로 떨어져 버린다고 하면 그건 끝난 게임입니다. 기부해 봐야 소용이 없겠죠. 기부를 하지 않아도 천국에 간다고 하면 자손들은 다행스러운 일이겠지만 그러면 기부를 할 이유가 없습니다. 그러니 천국도 지옥도 아닌 애매한 상태를 만들어 놓은 겁니다. 너희 자손들이 얼마나 공을 들이고 기도를 하느냐에 따라 조상의 영혼이 천국에 갈 수도 있고 지옥에 갈 수도 있다고 하면 당연히 기부액이 늘어날 테니까요. 물론 이것 때문에 가톨릭교회에서 연옥을 만들었다면 지나친 이야기가 되겠습니다만, 연옥이 생겨난 개념과 중세 상인들의 영리 활동이 관계가 없다고 할 수는 없겠습니다.

---

29 연옥purgatory이란 천국에서 영원한 복락을 누릴 만큼 선행을 하거나 기부를 한 것도 아니고, 그렇다고 지옥에서 영원히 불에 탈 만큼 악행을 저지른 것도 아닌 애매한 영혼들이 갖은 고초를 당하면서 '정화'하는 곳으로 상상되었습니다. 1274년 가톨릭교회는 공식적으로 이 연옥의 개념을 인정했을 뿐만 아니라 그 성격과 내용, 여기에서 고초를 당하는 시간을 단축하는 방법까지 발표합니다. '좋은 덕을 많이 쌓으면 연옥에서 빨리 나갈 수 있다'는 것이 요점입니다. 이 '덕'의 항목에 교회에 하는 기부도 포함된 것은 당연한 일입니다. 자크 르고프, 『연옥의 탄생』 최애리 역, 문학과 지성사, 2000.

5

상업의 발전과
부르주아의 탄생

부르주아 탄생 배경

20세기 중반까지만 해도 유럽 중세사에서 권위 있는 인물을 꼽을 때 앙리 피렌Henri Pirenne이라는 이름이 빠지지 않았습니다. 이 사람은 "로마 제국이 망하면서 서유럽에 있던 상업이 몽땅 없어졌다." 이런 주장을 한 적이 있는데요, 로마 제국 시대에 유럽의 육상 교역로가 형성되었고, 그게 지중해 무역의 일부로 존재했었죠. 하지만 서로마 제국과 동로마 제국으로 나뉜 다음, 이슬람 세력이 지중해 남쪽인 아프리카 북부 지역까지 먹으면서 지중해 무역이 끊어졌고, 북쪽은 도끼를 휘두르는 무시무시한 바이킹족이 강을 거슬러 오면서 휩쓰는 바람에 항구도 파괴되어 버렸다는 겁니다. 이로 인해 로마 시대 주요 교역로에 위치한 강가나 바닷가 항구 등지가 폐허가 되어 버렸고, 9세기까지 서유럽 무역은 거의 바닥으로 처박혔다가 11세기가 되어서야 살아났다는 것입니다. 이렇게 새로 살아난 무역은 그 이전 로마 때부터 내려온 무역과는 중심 세력이나 제도가 판이하다는 주장입니다. 이 주장은 시간이 지나면서 많은 비판을 받았고, 오늘날에 와서는 이 학설이 완전히 받아들여지지는 않습니다. 그럼에도 제 개인적인 의견은 피렌의 『중세 유럽의 도시Medieval Cities』는 꼭 한번 읽어 보면 좋겠습니다. 피렌의 주장이 전부 사실이 아니라 하더라도 당시 유럽 교역로가 어떤 흐름을 띠는지 수상 무역과 지상 무역이 어떻게 연결되어 있는지 등 중세 역사에서 살펴야 할 무역에 관한 정보를 꿰뚫어 본 혜안이 잘 담겨 있습니다.

서로마 제국이 멸망한 이후 상업이나 교역이 몽땅 사라졌다고는 할 수 없지만 큰 타격을 받은 건 틀림없습니다. 카를 대제의 프랑크 왕국도 교역이 활발히 벌어졌다고 말하긴 힘들고요. 여기서 또 하나 문제가 있는데 이때만 해도 농업 생산력이 굉장히 낮았다는 겁니다. 암흑시대라고 불리는 이 시절에 대한 문헌이 많지는 않지만 당시 일어난 사건을 시간 순서대로 정리한 연대기Chronicle가 있습니다. 주로 수도승들이 그때 무슨 일이 있었는지를 남겨 놓은 기록인데요, 이걸 보면 흉년과 기근과 관련한 이야기가 굉장히 많이 나옵니다. 매년 그랬던 건 아니었겠지만, 우리나라의 보릿고개에 해당하는 기간이 되면 반쯤 해골이 된 사람들이 유럽 도처에 나타나 먹을 걸 구하기도 했고, 정 먹을 게 없으면 자기 살을 뜯어 먹기도 했다는 이야기가 나올 정도입니다.[30] 이때 소독이나 제대로 했겠습니까. 나중엔 이 살이 썩어 들어갔다고도 하죠. 유럽 중세 농촌사 연구자였던 조르주 뒤비의 책에도 같은 이야기

---

30 이를 'autophagy'라고 하더군요. 음식의 역사를 다룬 책을 보다가 이 듣도 보도 못한 단어가 나와 문맥과 그리스어 어원을 맞추어 보니 '제 살 깎아먹기'라는 뜻이라서 등골이 오싹했던 기억이 선연합니다. 나중에 영한사전을 보니까 '자식(自食)'이라고 표현되어 있는 것을 알게 되었습니다.

가 나옵니다. 11세기 이전 유럽은 농업 생산력이 워낙 낮아 굶주린 사람들이 허청거리며 유럽 전역을 떠도는 광경을 쉽게 볼 수 있다는 구절이 있습니다.[31]

농업 생산력이 이렇게 낮은 상태에서 제대로 된 상업 활동이 있었을 리 없겠지요. 먹고살기도 힘들어 죽겠는데 말이죠.

이런 상황이 계속되다가 11~12세기 무렵 유럽 농업 생산력에 큰 변화가 이는 계기가 발생합니다. 요즘엔 화학 비료나 퇴비를 워낙 많이 주니까 봄에 심어서 가을에 수확하고, 이듬해 봄에 또 작물을 심지만 이때만 해도 바로 이어서 작물을 기를 수가 없었습니다. 기후가 맞지 않거나 다모작을 할 기술력이 없기도 했지만 무엇보다 땅에 있는 영양분이 뽑혀 나갔기 때문인데요, 여기에 작물을 심으려면 그 땅을 일 년 정도 묵혀 땅이 지력을 회복할 수 있는 시간을 줘야 했습니다. 결국 농사를 지을 수 있는 땅이 있다면 구역을 반으로 나눈 다음 번갈아 가며 농사를 지어야 했는데요, 이걸 이포 농법이라고 합니다. 하지만 이런 재배법은 생산력이 높을 수 없겠죠.

그러다 중세에 이르러 땅을 세 부분으로 나누는 삼포 농법이 널리 퍼지게 되었는데요, 귀리와 밀을 재배하기 시작한 것이 결정적 계기였습니다. 귀리와 밀은 가을에 씨를 뿌려 늦봄에 수확하는데, 이 작물들을 키우기 시작하면서 땅을 세 부분으로 나누는 방식이 등장합니다. 3분의 1은 유휴지로 두고, 3분의 1은 초여름이나 늦봄에 심어 늦가을에 수확하는 작물을 기르고, 나머지 3분의 1은 귀리나 밀을 심어 겨울 동안

---

31 George Duby, The Age of Cathedrals: Art and Society, 980-1420, University of Chicago Press, 1983.

농사를 짓는 겁니다. 지력을 회복할 시간을 충분히 주면서도 땅의 3분의 2에 해당하는 만큼 농사를 지을 수 있으니 농업 생산력이 폭발적으로 늘어났지요. 이렇게 겨울에도 먹을 수 있는 작물을 재배하게 되면서 육류에만 의존할 수밖에 없었던 식생활 문화와 편향되어 있던 주식 문제를 해결할 수 있었습니다. 그전에는 겨울을 나기 위해 가축을 대량으로 도축해 저장해야 했지만, 이제는 작물로 대신할 수 있으니 무리하게 도축할 필요가 없어져 농경 문화도 바뀌었습니다.

농업 생산력이 늘어나면서 상인들도 서서히 모여들기 시작합니다. 이전처럼 여기저기를 떠돌던 상인들뿐만 아니라 지역에 자리를 잡고 장사를 하던 상인들까지 집결해 물건을 사고파는 장소가 생겨난 것입니다. 그런데 중세라는 시기는 치안이 별로 좋지 않았습니다. 값나가는 물건을 잔뜩 실은 상인은 각종 폭력 집단의 먹잇감이 되기 십상이죠.

상인들이 안심하고 장사를 하려면 최대한 안전한 곳에 모일 수밖에 없었는데요. 이때 치안이 제일 좋은 곳이 어디였을까요? 아무래도 영주들이 사는 성 근처겠지요. 영주들이 머무르는 성채는 기본적으로 군사 요새입니다. 늘 병사들이 있고 지하실에는 말 안 듣는 자들을 가두는 감옥도 있으니 치안은 완벽에 가까웠다고 할 수 있습니다. 어느 간 큰 인간이 그런 곳에서 남의 물건을 빼앗겠습니까? 그래서 많은 장사꾼들이 영주가 살던 성의 벽 옆에 기대 움막을 짓기도 하고, 장을 열기도 했습니다.

이러한 군사 요새를 부르는 게르만어가 'burh', 'burg' 등이었습니다. 그래서 이 상인들을 독일어로 뷔르거bürger, 프랑스어로 부르주아지bourgeoisie, 잘 쓰이지는 않지만 영어로 버지스burgess라고 부르기 시작했습니다.[32] 즉 오늘날의 의미로 도시의 주민들을 뜻하는 '시민'의 어원입니다. 부르주아라고 하면 자본가나 생산 수단을 소유하고 있는 사람 혹은 부자를 뜻하지만 본래 뜻은 '성벽에 빌붙어 사는 자' 정도였던 셈입니다.

이런 과정을 거쳐 많은 물자가 생산되고, 거래되기 시작하면서 그 규모도 점점 커져 갑니다. 갑갑한 숲에 둘러싸인 장원에서 농사나 지어 먹고살고, 전쟁이나 성당 짓는 것 외에 마땅한 비즈니스가 없던 중세 사회에서 이런 현상이 벌어지니 얼마나 신기했겠어요. 그렇게 11세기부터 12세기를 거치며 유럽 전역에 도시라는 형태가 생겨났고, 자연스럽게 돈과 자본이 모여들었습니다. 그러자 여기에 눈독 들이는 권력자들도 나타났죠. 처음엔 영주들이 부르주아들로부터 자릿세를 받는 식이었습니다. 독일의 경제학자였던 베르너 좀바르트Werner Sombart는 중세 시대에 부가 축적된 이유로, 교회가 기부로 받은 재산도 있었지만 영주들이 도시와 시장으로부터 받은 자릿세도 중요한 원천이 됐다고 분석하기도 했습니다.

부르주아 탄생의 의미

장원 같은 곳에서는 영주와 평민이 봉건 관계에 놓여 있었지만, 도시

---

32 영국의 예를 말씀드리죠. 바이킹 침공 이후, 서식스의 알프레드 대왕은 '버burh'를 주요한 전략으로 삼습니다. 서식스 전역의 높은 언덕 등에 요새를 만들어 바이킹들이 침략할 경우 주민들이 가축과 재산을 가지고 그 안으로 숨도록 하는 것입니다. 알프레드 대왕은 다섯 걸음당 네 명씩 배치하는 식으로 방위대를 구성하였습니다. 이것이 바이킹 침입에서 앵글로색슨 왕국이 반격을 가할 수 있었던 결정적이고 혁신적인 군사 전술이었습니다.

에 모인 상인들은 영주를 모시는 것도 아니었고 어떤 종속 관계가 있었던 것도 아니어서 비교적 자유로웠고, 상인들끼리도 서로 평등하고 동등한 관계를 형성했습니다. 또 원래 살던 곳에서 도망쳐 도시에 합류한 사람들도 있었는데요, 당시 관습법에 따르면 이유야 어떻든 도시에 정착해 일정한 날수를 채우면 시민으로 인정을 받기도 했습니다. 이와 관련해 "도시의 공기는 자유를 만든다."라는 말이 나오기도 했지요. 이런 자유민들과 더불어 유럽 곳곳을 다니는 순례자들이 모이면서 도시는 자유롭고 북적북적한 분위기가 형성되었죠.

그러다 보니 어느 순간 권력자들이 점점 더 욕심을 품게 되었습니다. "이 도시는 나의 영지이니 매년 받는 자릿세 정도로는 만족할 수 없다. 완전히 내 영토로 만들어 버리겠다."라며 군대를 이끌고 쳐들어온 것인데요. 부르주아들도 여기에 호락호락 당하지 않고 무기를 들고 맞서 싸우면서 자신들만의 공동체를 만듭니다. 12~13세기에 이탈리아에 많이 생겨난 이런 자치 도시를 코무네라고 불렀습니다. 우리가 알고 있는 코뮌commune의 어원이죠. 코뮌을 지배하는 개념은 여럿이 있는데 그중 하나가 '평등한 공동체'를 지향하는 것입니다. 계급을 중시하던 봉건 체제하의 유럽에 새로운 사회 조직이 생겼습니다. 이 도시들을 지역 군주가 노릴 때도 있었고, 왕이나 황제나 교황이 넘볼 때도 있었습니다. 자치 도시들은 전쟁을 마다하지 않으면서 이를 물리쳤고, 이기고 나서 왕이나 군주에게 "우리 도시는 자치 도시이니 함부로 와서 세금을 뜯거나 마음대로 횡포를 부리지 못한다." 같은 내용이 담긴 문서를 제시해 약조를 받아 내기도 했습니다.

특히 주목할 만한 지역이 발트해 연안의 덴마크 도시들과 함부르크를 비롯한 독일 북부 도시들이었는데요, 이들은 서로 교역하는 공동체인 한자동맹Hanseatic League을 만들기도 했습니다. 또 알프스 산맥 남쪽에 있는 베네치아나 로마 북쪽에 위치한 피렌체 같은 이탈리아 도시들도 있었습니다. 다만 모든 지역에서 도시들이 동맹을 맺은 것은 아닙니다. 이탈리아 북부 롬바르디아 지방처럼 지역 내 도시들 간에 반목과 경쟁이 극심한 곳도 있었으니까요. 이렇게 북해에서 플랑드르(지금의 네덜란드, 벨기에 지역) 그리고 이탈리아 북부 지역에 여러 자치 도시들이 중세 유럽의 중요한 사회 조직 형태로 나타났습니다.

여기서 강조하고 싶은 것이 있습니다. 이탈리아 북부 도시들도 그렇고 유럽의 북쪽 한자동맹에 들어간 도시도 그렇지만, 각 도시가 하나의 체제로 통합된 것이 아니라 각각 독자적인 형태를 유지하면서 도시 간 네트워크를 형성하고 있었다는 점입니다. 이에 대해서는 앞에서 이야기했던 앙리 피렌의 책에 잘 설명되어 있는데요, 이 도시에 있는 상인들은 요즘으로 치면 도매업과 소매업으로 먹고살았다고 할 수 있습니다. 원거리 무역과 근방 지역의 상거래 형태가 따로따로 나타난 형태였는데, 대략 과정은 이렇습니다. 함부르크에 있는 상인들은 벨기에의 겐트 같은 곳으로 멀리멀리 물건을 가지고 가서 팝니다. 이건 원거리 무역 형태죠. 한편, 겐트의 상인들은 좋은 옷감을 함부르크 상인들한테서 떼어다 근방에 있는 플랑드르 지방의 농민들이나 작은 시장을 돌아다니며 팔았는데요, 이건 근방 지역의 상거래 형태라고 할 수 있습니다. 여기서 중요한 규칙은 플랑드르 지방을 돌아다니면서 파는 건 겐트 상인들만 할 수 있었다는 것입니다. 그러니까 함부르크에서 온 상인들이 원거리 무역으로 겐트 상인들에게 물건을 팔았으면 곧장 다른 데로 가야지, 괜히 플랑드르를 돌아다니면서 장사를 하는 것은 용납되지 않았습니다.

결과적으로 중세 유럽 도시 네트워크는 각각의 포스트에 해당하는 상인들이 자기들 주변을 철저히 독점해서 터전으로 삼았다고 볼 수 있습니다. 유럽 전체를 놓고 보면 도시 속성 자체가 어느 정도 따로 놀았던 건데, 리옹이라는 도시를 예로 들면 프랑스라는 국가에 속해 있다는 지정학적 특성보다는 한 도시로서 지닌 개별적인 정체성이 더 강했다고 할 수 있습니다. 이렇게 해서 나타난 유럽 중세 도시는 평등한 공동체 형성, 새로운 교역 형식 도출 등 인류 문명사에 커다란 변혁을 일으킬 중요한 씨앗이 되었습니다.

부르주아라는 이름 역시 그 이후로 이런저런 일을 거치면서 악명이 높아졌고, 그렇게 지금까지 쭉 내려왔지만, 중세기 때 성벽에 붙어 시장을 만들던 때로 거슬러 올라가면 어원 이상의 중요한 의미가 있습니다. 부르주아는 자신들을 간섭하고 괴롭히는 영주와 군주와 왕에 맞서 함께 무기를 들었고, 싸워서 이겼습니다. 독립을 쟁취했고, 자치 도시를 만들었죠. 그렇게 도시를 만들었다고 끝나는 문제가 아닙니다. 이제는 어떻게 다스려야 할까요? 그전까지 중세 사회를 보면 일반적으로 적용되는 규칙이 있습니다. 장원은 영주의 사법 통치 아래 있었고, 종교와 관련된 사제나 주교는 성직 조직의 관할 아래 있었습니다. 즉 중세 사람들 대부분은 삶의 방식이 정해져 있었다는 이야기인데요, 부르주아들은 상황이 좀 다르죠. 성벽에 붙어서 시장을 운영하다가 규모가 커지자 공동체를 만들었고, 장원이나 수도회와는 전혀 다른 질서 아래에서 움직였습니다. '자치'라는 새로운 개념이 더해진 것이죠. 그들은 이 자치 도시를 어떻게 다스려야 할지 모든 것을 스스로 결정해야 했습니다.

따지고 보면 굉장히 복잡한 문제입니다. 이를테면 도로는 어떻게 낼지, 어떻게 관리할지, 상하수도 문제는 어떻게 할지, 그걸 만들 자원은 누가 낼 것이며, 누가 어떻게 걸을지 같은 것들을 일일이 정해야 했습니다. 게다가 이 사람들도 다 가톨릭 신자입니다. 밖에서 적이 쳐들어오면 군대를 만들고 스스로 무기를 들어야 하지만, 주일이 되면 성당에 나가 예배를 드려야 했습니다. 다시 말해 부르주아들의 자치 도시는 살아 나가기 위한 물질적 생활은 물론이고 종교적 · 정치적 · 사회적 · 문화적인 규칙을 스스로 만들어야만 하는 희한한 상황이었습니다.

처음엔 상하수도나 군대 조직 같은 구체적이고 실용적인 문제에서 시작했겠지만, 시간이 지나면서 자기들의 방식으로 풀고자 하는 영역이 늘어났습니다. 상인법lex mercatoria이라는 새로운 법적 전통을 만들었고, 로렌초 데메디치Lorenzo di Piero de' Medici라는 걸출한 인물이 등장해 피렌체를 르네상스 문화의 중심지로 이끌었고, 왕과 연합해 귀족들을 물리치기도 했습니다. 또 세금이나 관세 같은 것에서 나오는 불평등을 없애고 모든 지역을 통일한 통합 시장이라는 새로운 종류의 경제 제도가 생겨나도록 하는 데에도 큰 몫을 담당합니다.

그리스 출신의 프랑스 철학자 코르넬리우스 카스토리아디스Cornelius Castoriadis는[33] 서양 역사에서 자율autonomie, 즉 스스로가 정한 법률로 스스로를 다스리는 이상적인 자치가 나타난 적이 유럽 역사상 두 번 있는데, 처음은 고대 그리스 아테네였고 다음은 중세 말의 이탈리아 북부였다고 이야기했습니다. 이들은 중세 사회가 가지고 있던 고정된 관습이나 구습을 단절하고 새로운 질서를 만들 잠재력을 지니고 있었습니다.

---

[33] 카스토리아디스의 저서는 국내에 거의 소개가 되지 않았습니다만, 대단히 중요한 사상가라고 생각합니다. 눈 밝은 분들의 번역을 기대합니다. 입문서로 Cornelius Castoriadis, Castoriadis Reader, David Curtis ed. Willey-Blackwell, 1997.

이는 자본주의라는 것이 이전의 세상을 송두리째 갈아 엎고 완전히 새로운 세상을 만들어 나가는 혁신의 동력과 연결됩니다. 또한 세상의 그 어떤 규칙이나 규범도 넘어서서 모두 '자본 회계의 합리성'으로 재편되고 재배치되는 엄청난 권력과도 연결됩니다. 카스토리아디스가 강조하듯, '해방'이라는 이상과 '지배'라는 본능이 모두 잠재되어 있었던 셈입니다.

PART 3

자본주의 이전의 화폐

1

들어가기
전에

이제 화폐의 기원과 발전에 대해 이야기할 차례입니다. 화폐만큼 근대
혹은 현대 자본주의의 핵심적인 기둥을 이루는 제도도 없지만, 그 영향
력에 비해 연구도 이해도 제대로 되어 있지 않습니다. 심지어 터무니없
는 억측이 마치 과학에 기반한 학설인 것처럼 횡행하기도 합니다. 그리
고 다시 화폐는 자본이나 자본주의 등의 개념과 마구 혼동되어 쓰이고
있기도 합니다. 그래서 화폐는 근대 및 현대 사회 사람들의 일거수일투
족을 지배하는 최고의 권력자가 되었고, 모두가 매일같이 젖 먹던 힘까
지 짜내어 경배를 드리는 신이 되었지만, 그 본성이 무엇인지, 그 다양
한 속성들이 어떻게 서로 연결되어 있는지, 그래서 이 절대적인 존재를
어떻게 어르고 달래고 활용해야 하는지 등은 여전히 베일에 가려져 있
습니다.

  화폐 개념에 대한 오해와 미신과 미혹은 결코 우연히 벌어진 일이 아
닙니다. 화폐는 분명히 사람들이 만들어 낸 사회 제도이며, 그것도 몇
천 년의 발전 과정에서 무수히 많은 형태 변화를 이루며 끊임없이 진화

해 온 존재입니다. 또한 진화 과정에서 지배domination라는 권력을 획득한 사회적 기본 단위이기도 합니다.

이 자명한 사실을 한사코 외면하고 은폐하려는 세력이 있습니다. 그들은 누구이며 또 그 이유는 무엇일까요? 저도 알고 싶습니다. 하지만 이 세력의 정체를 알아내기는 쉽지 않습니다. 다만, 그들이 행하는 방법만큼은 확실히 알고 있습니다. 화폐가 발생 기원과 진화 과정을 거친 역사적·사회적 산물이라는 것을 부정하고, 마치 인간의 이성에 부합하기 위해 나타난 초월적이며 자연적인 존재인 것처럼 포장한다는 것이죠. 그래서 원시 시장 형태부터 월스트리트로 대유되는 현대 시장까지 겉모습만 바뀌었을 뿐 본질적으로는 똑같은 화폐가 세상을 지배해 온 것처럼 기만하고 있는 것입니다. 이것이 문제가 되는 이유는 아주 간단합니다. 이런 식의 해석이 가능해지면 화폐란 하나의 '자연 질서'가 되고 인간이 함부로 이해하고 분석하면 안 되는 그 '무엇', 즉 '절대적 존재이자 가치'가 되고 말기 때문입니다.

여기서 인간 사회의 제도에 대해 깊은 분석을 했던 메리 더글러스Mary Douglas가 한 말을 인용해 보겠습니다.

"여러 사회적 관계들 가운데에서도 결정적인 핵심이 되는 관계들의 집합이 존재한다. 이 결정적 관계들의 집합은 사회가 고안해 낸 장치로 보여서는 안 되며, 그런 의미에서 이러한 관계들은 마치 물리적 세계나 초자연적 세계 또는 영원성에서 그 형식적 구조를 찾을 수 있는 것인 양 사람들이 여길 수 있도록 해 줄 모종의 비유가 있어야만 한다." [34]

---

[34] Mary Douglas, How Institutions Think, Syracuse University Press, 1986. p.48.

지금 대학의 경제학 교과서뿐만 아니라 유발 하라리Yuval Harari의 『호모 사피엔스』 같은 책에서도 끊임없이 반복되고 있는 화폐의 기원과 본성에 대한 잘못된 이야기야말로 이 인류학자의 말씀에 해당되는 최고의 예라고 저는 생각합니다. 화폐는 '물물교환의 불편함을 해소하기 위해 교환의 매개 수단으로 선택된 상품'에 불과하며, 그 이후 인간 이성의 발전을 통해 상품화폐-불환지폐-신용수단 등으로 점차 '고차적'으로 발전해 왔다는 식의 이야기입니다. 앞으로 차차 살펴 보겠지만, 이는 이론적으로도 역사적으로도 도저히 성립할 수 없는 역설입니다. 하지만 이 때문에 자본주의 핵심 기둥인 화폐라는 '제도'는 초자연적인 동시에 초월적인 것으로 신비화되며, 여기에 대해 의문을 품거나 문제를 제기하면 무식하고 비합리적인 인간이라는 딱지를 얻게 됩니다.

따라서 저는 역사적·사회적 제도로서 화폐 문제에 접근하는 방식을 취하려고 합니다. 그러기 위해서는 화폐라는 것의 역사적 기원은 무엇인지, 그것이 진화해 온 과정에서 얼마나 많은 형태의 변화를 이루었는지를 최대한 경험적·귀납적으로 살펴보아야 합니다. 또한 자본주의 이전의 화폐가 자본주의 이후의 화폐와 얼마나 다른 존재였는지를 음미해 보아야 합니다. 이러한 과정을 거치지 않고서 자본주의를 이해하는 것은 결단코 불가능합니다.

화폐의 다양한 종류와 역할

결국 자본주의를 제대로 알기 위해선 화폐라는 게 얼마나 복잡하고 다종다양한지, 그게 진화하고 발전해 온 역사는 또 어떤지 깊게 들여다볼 필요가 있습니다. 우선, 화폐를 말할 때 떠올릴 수 있는 개념부터 간략하게나마 짚고 넘어가겠습니다.

화폐money와 통화currency와 주화coin는 어떤 차이가 있을까요? 셋 다 같은 거라고 생각하는 분들도 있을 테고, 조금씩 다르겠거니 생각은 하지만 구체적으로 어떻게 다른지 정확히 알지 못하는 분들도 있을 것 같습니다.

우선 통화가 무엇인지부터 알아봅시다. 통화란 실제로 유통되고 사람들 사이에서 손을 바꾸면서 쭉 쓰이고 있는 화폐를 뜻합니다. 그런데 통화가 아닌 화폐도 있습니다. 적어도 1971년 이전까지 영국 화폐 파운드가 그랬습니다. 실제로 제2차 세계대전까지 파운드는 유통된 적이 없고, 계산화폐로만 존재했습니다. 개념상으로는 존재하지만, 만들어지지도 않았고 유통 또한 되지 않았으니 통화가 아니었던 거죠. 실제로 1파운드와 비슷한 가치로 유통된 통화는 기니guinea 금화 한 닢 혹은 크라운crown 은화 네 닢이었습니다. 특히 방금 말한 크라운 은화처럼 시중에 잘 유통되지는 않고 주로 저축 수단으로만 쓰이는 화폐도 있었습니다. 또 부절tally stick이라는 것도 있었는데 이것은 정부에 세금을 낼 때나, 특정 상점에서 외상 거래를 할 때 등 특수한 목적에 쓰이는 화폐였습니다. 이런 화폐들은 계산의 기능을 하고, 저축 수단의 기능을 하고, 지불 수단의 기능을 하는 만큼 분명히 화폐라고 할 수 있지만 일반적으로 널리 유통되지 않기 때문에 통화라고 말하기는 힘듭니다. 다만 부절의 경우에는 실제 통화로 널리 유통된 적이 있었습니다.

이번엔 주화를 알아보겠습니다. 쉽게 설명하자면 예전에 많이 쓰던 동그랗게 생긴 동전을 생각하면 됩니다. 좀 애매하기는 하지만, 중앙은행이 발행한 지폐도 사실상 여기에 넣는 것이 맞는다고 저는 생각합니다. 그렇다고 주화가 곧 화폐를 의미하는 건 아닙니다.

여러분 주머니 속에 현금이 얼마나 있나요? 대부분 그렇게 많이 가지고 있지는 않지요. 현대 사회에 이르러 지폐는 갈수록 중요성이 줄어들고 있습니다. 하지만 조금만 시간을 돌려서 몇십 년 전만 해도 은행이 다른 은행에 돈을 빌려줄 때 거대한 현금 수송 차량이 등장하고, 무장 경비 차량이 뒤따랐습니다. 1970~1980년대 초에는 업무 시간이 끝나면 그날 은행에 들어온 돈을 다 모아서 금액을 맞추곤 했습니다. 이때만 해도 화폐는 종이든 동전이든 물리적인 형태, 즉 주화로 유통되는 게 지배적이었습니다.

1990년대 들어오면서는 크게 달라졌지요. 스웨덴 같은 곳에선 아예 동전 없는 경제 시스템을 만들겠다고 선언했고, 몇몇 나라에서는 신분증 안에 카드 기능을 넣자는 논의를 하고 있습니다. 이러다 엄지손가락을 QR코드로 사용하는 세상이 올지도 모르겠습니다만, 말하고 싶은 것은 화폐가 주화의 형태로 유통되는 건 특수한 경우이고, 주화가 아닌 다른 형태로 유통되는 예는 얼마든지 있다는 것입니다.

어쩌면 카드나 QR코드나 모두 그 기초는 주화이며 여기에서 파생된 것에 불과하다고 생각하실 수도 있겠습니다. 최근 발생한 다른 형태들은 모두 우리가 동전이나 지폐를 많이 쓰다 보니 파생되었고, 비록 지금은 우리가 주화를 잘 쓰지 않아도 역사적으로는 주화가 가장 오래되고, 가장 핵심적인 화폐라는 점은 변치 않은 사실 아니냐고 반문할 수도 있습니다.

아쉽게도 이 말은 틀렸습니다. 주화의 역사보다 주화 이외의 형태인 '신용' 화폐가 유통된 역사가 훨씬 더 길기 때문입니다. 주화가 인류 역사에 출현한 가장 오래된 예는 기원전 600년경 이상으로 올라가지 않습니다. 현재의 튀르키예 땅에 있던 리디아라는 왕국에서 발생해 그리스와 페르시아로 넘어간 것이 지금까지 알려진 최초의 주화입니다. 그 때를 전후하여 인도와 중국에서도 주화를 만들었죠. 우리가 통화·주화·화폐라는 용어를 생각 없이 섞어 쓰고 있지만 엄밀하게 따지면 이렇게 개념이 다 다릅니다.

화폐에는 크게 네 가지 기능이 있다고 보는 것이 일반적입니다. 교환의 매개 수단, 지불 수단, 가치의 계산 수단, 가치의 저장 수단인데요, 예전의 대다수 학자들은 이 각각의 기능들이 화폐라고 하는 하나의 동일한 존재에서 나온 네 개의 속성이라고 이해했습니다. 하지만 역사학·인류학·고고학 등 여러 학문 분야에서 지속적으로 연구한 결과 '완성체'로서의 화폐가 몇천 년 전부터 존재했던 것이 아니라, 오늘날 그 각각의 기능이라고 부르는 것들이 본래는 다 독자적인 기원을 가진 '다른 성격'의 화폐였다는 쪽으로 결론이 흘러갑니다. 그런 다른 성격을 띠고 있던 화폐들이 근대에 와서 만화영화의 로봇처럼 '합체'를 하면서 오늘날의 화폐가 생겨났다는 것입니다. 지금은 미토콘드리아가 세포 내에서 에너지를 담당하는 하나의 기관으로 인식되어 있습니다만, 15억 년쯤 전에는 그 자체로 독자적인 세포였다고 합니다. 그러다가 다른 종류의 세포들과 계속 접촉하는 과정에서 함께 공생symbiosis하는 쪽을 선택하면서 오늘날처럼 세포의 일부가 되었다고 하는데 마치 화폐의 탄생 가설과 비슷하죠. 자본주의 이전에 서로 전혀 다른 용도와 전혀 다른 맥락을 가지고 작동하던 몇 가지의 '전 화폐proto-money'들이 근대의 시장 경제 팽창이라는 맥락 속에서 공생 관계를 맺으며 오늘날의 화폐로 발전하게 되었다고 말할 수 있겠습니다.

칼 폴라니와 같은 경제사가는 그래서 이 각각의 '전 화폐'들은 모두 역사적 기원도 다르고, 전혀 다른 제도로부터 나왔으며, 사회학적 상황도 다르게 쓰였던 것들이라고 말합니다. 또 그 각각이 독자적인 '의미론적 체계semantic system'라고 주장하기도 합니다.[35]

교환이라는 행위, 지불이라는 행위, 계산이라는 행위, 저축이라는 행위는 모두 자본주의 이전의 사회에서는 전혀 다른 맥락과 의미를 가진 별개의 행위들이었고, 그 '전 화폐'들은 그 각각의 기능을 위해 작동하는 장치들이었다는 것입니다.

오늘날 우리가 사용하는 화폐의 다양한 기능 중에 블록체인 같은 기술을 이용해 한두 가지의 기능만 대체할 수 있는 새로운 종류의 암호화폐를 만드는 것은 얼마든지 가능하고 굉장히 의미 있는 작업이 될 수 있습니다. 다만, 이걸 가능하게 하려면 먼저 화폐의 역사적 기원과 기능 그리고 사회학적 상황에 대해 제대로 알아야 합니다. 그래야만 좀 더 구체적이고 현실적인 아이디어를 낼 수 있으니까요. 화폐라는 걸 뭉뚱그려 생각하거나, 화폐에 대한 이해와 역사적인 경로에 대해서 제대로 알지 못하면 상상력은 제한될 수밖에 없습니다.

20세기 화폐 무질서의 시기

우리가 지금 쓰는 화폐 또한 흠결 없는 '완전체'가 아닙니다. 이미 20세기에도 몇 번의 무질서 상태가 있었습니다.

1. 제1차 세계 대전이 끝난 직후 금본위제가 무너진 틈에 독일에서 나타난 하이퍼인플레이션

---

[35] Karl Polanyi, Semantics of Money-Uses, Explorations, University of Toronto, 1957.

2. 1920년대 말 금본위제로 복귀하는 과정에서 강제된 디플레이션이 벌어졌고 그 일이 결국 1930년대 대공황으로 이어진 사건

3. 1970년대 초 브레턴우즈 체제 붕괴와 유가 인상으로 야기된 전 세계적인 스태그플레이션

그리고 2023년을 지나면서 다시 전 세계적인 인플레이션 조짐이 스멀거리고 있습니다. 이것이 또다시 화폐의 무질서를 낳을지는 두고 보아야 하겠지만, 지금 세계 경제는 유동성이 넘쳐나고 부채의 양이 엄청나게 늘어난 전대미문의 '고부채 경제high-leveraged economy'임은 분명합니다.

이렇게 지난 100년 남짓의 기간에도 무수한 사건이 있었고, 화폐 제도는 그사이에도 눈부신 진화와 변화를 보여 주었습니다. 금본위제 전성기였던 19세기 말이나 20세기 초만 하더라도 사람들은 돈을 곧 주화로 인식하곤 했습니다. 이런 시대에는 부채를 진다는 게 쉽지 않았고, 은행도 대출량에 대해 원칙적으로 금 준비금을 똑같이 유지해야 한다는 준칙에 묶여 있었기 때문에 대출량을 마구 늘릴 수는 없었습니다. 그랬다가 외환 시장에서 해당 화폐의 가치가 떨어지게 될 경우 지폐를 들고 은행으로 달려와서 법으로 정해진 비율의 금으로 태환을 요구하는 이들이 줄을 서면 이를 해결할 방법이 없었기 때문입니다.

21세기에 들어오면서 금이든 은이든 태환 시스템은 사라졌고. 지금의 화폐는 완전히 국가 명령에 의한 불환 화폐fiat money입니다. 그래서 중앙은행을 위시한 은행 시스템이 화폐를 창조하는 데에 있어서 원칙적으로 아무런 제약 조건이 없습니다. 예전에는 은행이 보유하고 있는 금의 양이 곧 신용이었지만, 이제는 국가에서 얼마든지 화폐를 찍어 낼 수 있으니 무한한 신용을 창출할 수 있게 되었습니다. 오늘날에는 은행

들끼리 혹은 대출자에게 돈을 빌려주면서 화폐를 창출할 때 그저 '엔터키를 친다keystroke'고 표현합니다. 이 표현은 과장이 아니라 에누리 없는 사실입니다. 이제는 정말로 은행에서 엔터키를 한 번 치면 화폐가 생겨나거든요. 그러니 21세기의 우리는 20세기 초의 인류와는 전혀 다른 화폐 환경에 살고 있는 셈입니다.

이게 과연 간단한 변화일까요? 아니면 그저 기술적인 방법의 변화일 뿐, 19세기 말이나 21세기나 똑같은 화폐와 똑같은 통화 체제가 작동하고 있는 것일까요? 하이먼 민스키Hyman Minsky 같은 이는 그렇게 보지 않았습니다. 화폐의 신용 창조가 완전히 은행의 재량에 맡겨진 현대 자본주의에서는 걸핏하면 과도한 유동성이 발현되는 경향을 띠기 때문에, 과열boom-파열bust이라는 독특한 경기 순환과 불안정성을 운명처럼 맞게 된다고 분석하였습니다. 실제로 21세기 들어와 우리가 겪은 몇 번의 금융 위기는 민스키의 혜안이 얼마나 뛰어난지 여실히 보여 주었습니다.

이런 여러 이유로 우리는 현재 화폐 시스템의 성격을 관찰하고, 화폐가 그동안 어떻게 변해 왔고, 또 앞으로 어떻게 변해 나갈지 지켜볼 필요가 있습니다. 그러기 위해서는 중세와 근대 초기 유럽의 복잡한 통화 시스템과 화폐 제도가 어땠는지를 알아야 합니다.

여러 '전 화폐'의 기능들이 합쳐지는 것이 근대 자본주의에서만 벌어졌던 것은 아닙니다. 한때 로마 시절에는 주화라는 형태 안에서 계산화폐와 지불화폐가 결합된 적이 있었고, 아우레우스 같은 금화는 부의 저장 수단으로 각광받았던 때도 있었습니다. 화폐의 여러 가지 기능이 주화에 집약된 적이 있었다는 이야기죠. 물론 얼마 지나지 않아 로마 제국 시스템이 무너지면서 이러한 여러 기능은 다시 분리되고, 화폐는 혼란 상태에 빠집니다. 그 혼란 상태는 무려 천 년 정도 이어지는데요, 이런 이야기들 속에서 현재와 다른 점은 무엇인지, 어떤 과정을 통해 현재의 화폐 시스템이 자리 잡았는지 차근차근 듣다 보면 우리가 놓치고 있는 무언가를 보게 될 수도 있을 거라고 생각합니다. 그런 거창한 목적을 떠나 화폐와 함께 살아온 인류의 발전 과정은 일단 재미있고, 신기합니다. 어떻게 보면 이번 파트는 돈에 관한 딥 히스토리라고 해도 무방하겠습니다.

자, 그럼 이제 아득한 옛날부터 근대 자본주의가 나타나기 전까지 인류가 지니고 살았던 '전 화폐들', 즉 화폐 이전의 화폐들에 대한 이야기를 시작하겠습니다.

2

화폐에
대한 오해

화폐는 정말 물물교환에서 생겼을까?

우리는 언제부터 그렇게 돈, 돈, 돈, 돈 했을까요? 분명 돈이 없었던 세상도 있었는데 말이죠. 중세 영국에서 와트 타일러Wat Tyler와 함께 농민 반란을 일으켰던 존 볼John Ball이라는 성직자가 있었는데, 아주 유명한 말을 남겼죠.

"아담이 밭을 갈고 하와가 베를 짤 때 귀족이 어디 있었단 말이냐!"

생각해 보면 돈도 마찬가지 아닐까요? 태초에는 돈이 따로 있지 않았고, 앞에서 이야기했던 것처럼 화폐가 없던 시절에도 사람들은 선물과 재분배와 교역 등 다양한 방식으로 필요한 물건들을 그럭저럭 잘 조달해 왔으니까요.

돈은 어디에서 생겨났을까요? 이 질문은 누군가에게는 단순한 호기심일 수도 있겠지만, 경제사에서는 굉장히 중요한 화두입니다. 왜냐하면 모든 경제 이론은 크게 두 가지로 분류할 수 있기 때문입니다. 하나는 시장에서 화폐가 나왔다고 설명하는 이론이고, 또 하나는 화폐에서 시장이 나왔다고 설명하는 이론입니다. 하나의 현상을 놓고 완전히 반대되는 두 가지 가설이 존재하는 것이죠. 필연적으로 이 두 이론은 경제 분석에 있어서나, 경제 정책에 있어서나 늘 대립할 수밖에 없습니다. 그 해답을 구하려면 결국 "화폐가 어떻게 나왔는가?" 하는 의문에서 출발할 수밖에 없습니다.

우선 경제학 교과서에서 가르치는 통속화된 내용을 좀 살펴보겠습니다. 태초에 인간들은 혼자 살면서 필요한 물건을 직접 구했습니다. 필요한 게 있으면 스스로 몸을 움직이고, 스스로 일해서 조달했죠. 그러나 인간은 이성을 가지고, 자기 이익을 계산할 수 있는 존재인 만큼 어느 순간 중요한 사실을 깨닫습니다. "나 혼자 북 치고 장구 칠 게 아니라, 내가 자신 있는 것만 많이 만든 다음, 다른 걸 잘 만드는 사람이 남긴 잉여물과 맞교환하면 되겠다." 이런 과정을 거쳐 자연스럽게 물물교환이 생기고, 너도나도 물물교환을 하다 보니 그 규모가 커지고, 상대가 많아지면서 시장이 만들어집니다. 시장이 생기면서 더 많은 물건들이 더 다양하게 교환됩니다.

그런데 시장이란 것이 물물교환으로만 조직되면 문제가 생깁니다. 이걸 윌리엄 스탠리 제번스William Stanley Jevons 같은 이는 '욕망의 이중적 일치의 어려움difficulty of double coincidence of desire'이라고 불렀는데요, 쉽게 말하자면 맞바꾸고자 하는 두 사람의 욕망이 일치해야만 물물교환이 가능한데 이게 쉽지가 않다는 겁니다. 예를 들어 화살을 가진 어떤 사람이 쌀을 가지고 싶어 하고, 쌀을 가진 어떤 사람도 화살을 갖고 싶어 한다면 더할 나위 없이 해피엔딩입니다. 서로 맞바꾸면 될 테니까요. 이게 양쪽이 가진 욕망이 이중적으로 일치하는 경우죠. 그런데 쌀을 가지고 있는 사람이 화살이 아니라 고기를 원한다면 교환은 일어나지 않습니다. 쌀을 가진 사람이 화살을 원하는데 화살을 가진 사람은 고기를 원한다고 할 때, 고기를 가지고 있는 사람이 마침 쌀을 원한다면 삼각 물물교환이 가능하겠지만 이렇게 세 사람이 같이 만날 행운이 얼마나 되겠습니까? 결국 많은 사람과 많은 물품을 서로 교환해야 하는 상황이 되면 욕망의 이중적 일치가 어려워져 물물교환의 한계가 나타난다는 겁니다. 이런 문제를 극복하기 위해 만들어진 것이 바로 화폐라는게 이 설명의 핵심입니다. 따지고 보면 화폐 역시 물물교환의 대상이되는 상품 중 하나에 불과합니다. 별로 특별할 것이 없다는 이야기죠. 다만 이걸 교환의 매개 수단으로 사용하면 욕망의 이중적 일치가 가능합니다. 즉 시장의 물물교환에 참여하는 모든 사람들이 금을 매개로 서로 물건을 맞바꾸자고 약속하면서 시장의 물물교환은 폭발적으로 발전할 수 있게 되었습니다.

이렇게 물물교환 수단으로 화폐가 등장하면서 역사는 큰 변화를 맞이합니다. 존 로크John Locke의 설명에 의하면 화폐는 부를 저장하는 수단으로서 기능하는 특징을 띠게 됩니다. 로크는 사적 소유권의 정당성을 노동에서 찾았습니다. 몸을 이용한 노동을 자연과 섞어 넣어 취득한 것만이 사적 소유에서 정당성을 갖게 됩니다. 그렇다면 노동하지 않는 부자들은 재산을 내놓아야 할까요? 아니라고 합니다. 노동 생산물은 '썩기 쉬우므로perishable' 이를 썩지 않는 금화 · 은화 등의 귀금속으로 교환하여 저장하면 된다는 것이죠. 그렇다면 굳이 본인의 노동을 섞어서 만든 대상이 아니라고 해도, 교환을 통해 취득한 재산, 특히 화폐 형태의 재산 또한 정당화될 수 있게 됩니다. 그리고 화폐를 화폐와 맞바꾸며 생겨난 대규모의 사적 소유 또한 정당화됩니다. 그리하여 사적 소유가 본격적으로 발생하게 됐고, 이 사적 소유를 지키기 위해 경찰 제도가 나오고, 이러한 치안 기구로서의 국가가 태어나고 등등 하는 식으로 흐름이 이어집니다. 그러니 화폐가 등장했다는 것은 존 로크 이후의 자유주의 사상에서 엄청난 중요성을 띠게 됩니다.

이런 로크식의 화폐 발생론을 정교하면서도 고전적으로 설명한 이는 19세기 오스트리아의 경제학자였던 카를 멩거Carl Menger였습니다.[36] 처음 사람들은 교환의 매개 수단으로 약속된 어떤 상품을 가지고 다녔는데, 카를 멩거는 이걸 직접적 교환 가능성Absatzfähigkeit이라고 표현했습니다. 예컨대 쌀이나 밀 등 주식이 되는 곡물은 모든 사람이 먹으니 화폐 기능을 할 수 있지만 담배 같은 단순 기호품이라면 어떨까요? 담배와 거리가 먼 저 같은 사람에게는 불필요한 물건이므로 전혀 화폐 가치가 없습니다. 이처럼 절대다수에게 보편적으로 받아들여질 수 없는 물건은 화폐로 쓰일 수 없습니다. 그래서 처음엔 보편적 교환 가능성이 있는 쌀이나 황소 같은 것이 화폐로 쓰였습니다.

하지만 쌀이나 황소는 부피도 크고, 무게도 많이 나갑니다. 게다가 쌀은 언젠가 상하고 황소는 언젠가 죽게 마련입니다. 살아 있는 황소는 잘라서 나눌 수도 없죠. 이런 문제를 해결하기 위해 새롭게 등장한 화폐가 금과 은 같은 귀금속이었습니다. 부피도 크지 않고 시간이 지나도 변질되지 않으며 잘라서 나누는 것도 가능합니다.

시간이 지나면서 사람들은 금과 은도 불편하다고 느낍니다. 쌀이나 황소에 비하면 가지고 다니기 수월할지 모르지만 무거운 건 마찬가지고 도난의 위험도 크죠. 그래서 등장한 것이 금과 은을 녹여 넣어서 만

---

[36] Carl von Menger, On the Origin of Money, Economic Journal 2(6), 1892.

든 정화specie, 즉 금화나 은화 같은 것이 등장했고, 여기서 더 발전해 지폐가 등장했고, 나중에 지폐도 귀찮아지니까 수표가 나와 큰 금액을 대신할 수 있게 되었죠. 그러다 어느 순간 "내가 지폐를 가지고 있소. 나중에 이걸 넘겨주겠소."라고 약속하는 어음이 만들어지고, 신용이 나오고, 신용이 발달하면서 주식이나 채권 같은 유가 증권으로까지 이어지게 됩니다.

결국 화폐는,

> 처음 물물교환으로 시작 → 물물교환 상품 화폐(쌀이나 황소) → 귀금속 화폐 →
> 귀금속을 함유하는 정화(은화나 금화) → 지폐 → 어음이나 수표 → 유가 증권 →
> 각종 금융 상품으로 발전

이런 과정을 거쳐 오늘날에 이르렀습니다. 다소 간략하게 정리한 측면이 있지만 화폐의 기원과 발생을 한눈에 이해할 수 있습니다.

문제는 이런 서술이 그저 잘 꾸며진 '신화'에 불과하다는 것입니다. 이러한 생각은 정확히 몇천 년 동안인지 몇백 년 동안인지 알 수 없지만 서양인들이 아주 오랫동안 사실이라고 믿고 있었던 허구에 불과합니다. 이런 이야기가 문헌상으로 처음 등장한 것은 아리스토텔레스의 『니코마코스 윤리학』일 것입니다. 사람들이 처음 물물교환을 했고, 이걸 활성화하기 위해 화폐가 나오고, 시간이 지나자 화폐를 벌기 위한 교환이 나왔고, 그 결과로 고리대까지 나왔다는 아주 원초적인 설명입니다. 사실 아리스토텔레스의 책을 보면 화폐의 기원과 관련해 전혀 다른 이야기도 있습니다. 화폐numisma가 상품의 교환에서 나온 게 아니라 사람들의 약속, 즉 법nomos에서 나왔다는 설명입니다. 하지만 서양의 사상가들이 이 주장은 쏙 빼 버린 채 앞의 주장만 계속 답습하면서 문제가 발생한 것입니다. 지동설을 주장했던 코페르니쿠스Copernicus는 화폐에 대한 저작도 상당히 많이 남겼는데요, 그 역시도 아리스토텔레스의 주장을 그대로 따른 사례가 있습니다. 이런 생각이 완전히 정식화되어 경제 이론의 반석과 같은 위치를 얻게 된 계기는 18세기 영국의 철학자 데이비드 흄David Hume과 또 한 사람의 유명한 경제학자 애덤 스미스 때문이었습니다.

사실 이들의 주장에는 맥락이 있습니다. 둘 다 스코틀랜드에서 일어났던 계몽주의 운동과 관련이 있는 사람들인데요, 이 두 사람 이전에는 영국이건 프랑스건 할 것 없이 유럽의 거의 모든 나라들이 국가의 '부'라는 것은 국가가 얼마나 많은 귀금속을 축적하고 있느냐에 달려 있다고 생각했습니다. 그래서 약탈이든 무역이든 상관없이 어떻게 해서든 금과 은을 더 벌어들이는 것이 경제 발전을 위한 주요한 전략이었습니다. 이러한 생각을 '중상주의'[37]라고 하는데요, 흄과 스미스는 중상주의 사상을 배척했습니다. 그들은 진정한 부는 금도 은도 아니고 오로지 인간의 노동 생산력에 있다고 생각했고, 화폐의 본성에 대한 성찰을 거쳐 '중상주의'의 귀금속 숭배를 비판하고자 했습니다. 다시 말해 진짜 부는 생산을 통해 만들거나 획득할 수 있는 물건에 있고, 이 물건들만이 교환의 대상이 될 수 있다고 보았습니다. 즉 금과 은의 형태를 띤 화폐라는 건 그저 교환하는 물건을 대표하는 것에 불과할 뿐, 알고 보면 별

---

[37] 중상주의와 관련해서는 PART 5. 「근대국가의 형성」 편에서 구체적으로 다룹니다.

거 아니라는 주장을 펼쳤습니다. 이를 뒷받침하기 위해 아리스토텔레스부터 내려오던 화폐의 근원에 대한 생각을 좇으면서 논리적으로 정교하게 만들었던 것이죠.

이들의 생각은 19세기의 고전파 경제학 이래로 표준적인 정설로 자리 잡고, 카를 멩거 등의 여러 학자들이 이 이론을 또 그대로 따르면서 최근까지 이어져 왔습니다. 오늘날의 경제학 교과서에도 거의 비슷한 내용이 그대로 담겨 있는 경우가 많습니다.

잘못된 주장의 잘못된 근거

지금부터는 이 주장이 왜 말이 안 되는지, 무슨 문제가 있는지 설명해 보도록 하겠습니다. 크게 두 가지 관점을 염두에 두고 접근해 봅시다. 우선 경험적인 부분입니다. 실제로 그렇게 '물물교환 – 시장 – 화폐' 하는 식으로 발전이 이루어진 사례가 있었는가 하는 것입니다. 두 번째는 논리적으로 그런 것이 성립할 수 있는 것인지, 거기에 과연 논리적 결함이 있는 것은 아닌지 하는 관점에서의 성찰입니다.

우선 이런 식의 발전이 실제로 벌어진 사례가 있을까요? 물론 진화 과정을 완벽하게 재현하는 것은 불가능하고, 인간의 생물학적인 진화 과정에서도 수많은 '빠진 고리들missing links'이 존재합니다. 하지만 문제는 '빠진 고리' 정도가 아니라 해당 주장을 증명할 어떠한 사례도 발견되지 않았다는 겁니다. 역사적·인류학적으로 사례라고 할 만한 게 워낙 없다 보니까 경제학 교과서 등에서는 하나의 대표적인 예시를 계속 단골로 등장시킵니다. 일명 '전쟁 포로들의 예'입니다.

제2차 세계대전 당시 독일군에게 포로로 잡힌 미군들이 있었습니다.

간혀 지내려니 갑갑했겠지요. 그러다 보니 자연스럽게 남는 물건으로 물물교환을 했다는 겁니다. 처음엔 내가 가진 소시지와 다른 포로가 가진 볼펜을 바꾸는 식이었는데 나중에는 이게 귀찮으니까 담배를 화폐 대용으로 썼다고 합니다. 교환 가치 비교 기준이 필요했는데, 담배는 많은 포로들이 피우고 있으므로 자연스럽게 매개 역할을 하게 된 것이죠. 결국 '물물교환에서 화폐로'는 자연스러운 현상이라는 주장입니다.

그런데 이걸로 화폐의 기원을 설명하는 건 심각한 문제를 안고 있습니다. 화폐 발생 이전의 사람들과 미국 포로들 사이에는 결정적 차이가 있기 때문입니다. 후자의 경우 포로수용소에 들어가기 전부터 이미 상품과 가격이라는 개념을 머릿속에 가지고 있는 상태였습니다. 물론 사람마다 완전히 똑같지는 않겠지만 담배 한 갑이라고 하면 대략 4,500원이라는 숫자를 생각하지 5만 원, 7만 원을 생각하는 사람은 없습니다. 볼펜이나 휴지 등등에 대해서도 마찬가지로 대략 비슷한 가격 개념을 가지고 있습니다. 그래서 볼펜 한 자루와 담배 한 보루를 교환하는 터무니없는 일은 발생하지 않습니다. 요컨대, '계산화폐'의 개념이 이미 존재하고 그에 근거한 여러 상품들의 '등가 관계' 개념 역시 이미 존재한다는 전제가 있을 때에만 담배가 '교환의 매개 수단' 역할을 할 수 있다는 말입니다.

물물교환은 상황이 전혀 다릅니다. 처음 만난 두 사람은 각자가 가지고 있는 물건과 상대방의 물건에 대한 욕구가 있을 뿐, 어떤 교환 비율을 성립시켜야 하는지에 대해 명확한 개념이 없습니다. 앞에서 우리가 보았던 '침묵 교역'의 경우처럼 조심스럽게 '흥정'을 행하기도 합니다. 하지만 그때의 교환 비율은 어디까지나 그때의 경우에 한정되는 우연한 일치일 뿐, 그 교환 비율이 다른 상대, 다른 공간에서도 똑같이 적용되리라는 보장은 없습니다.

따라서 명확한 가격 체계의 개념이 있는 현대인들이 담배를 화폐로 대용한 예를, 이러한 개념이 없는 원시 시대 사람들에게 적용하여 화폐 발생을 설명하는 것은 지나칩니다. 게다가 물물교환과 시장에서의 교환은 전혀 다른 성격의 문제입니다. 물물교환은 둘 사이에 벌어지는 양자 간 bilateral 관계이고, 시장에서의 교환은 무수한 이들이 동시에 참여하는 다자간multilateral 교환입니다. 7~8명 혹은 70~80명이 동시다발적으로 관계를 맺는 것이 시장이며, 이 점에서 물물교환과 명확히 구별됩니다.

여기서 다시 문제가 발생합니다. 다자간 관계를 바탕으로 하는 시장이 성립하려면 '일관된 교환 비율 체계' 개념을 시장 참가자들이 공유하고 있어야만 합니다. 양자 간의 물물교환이야 그때그때 들쭉날쭉한 비율일지라도 당사자들이 만족하고 바꾸어 가면 그만이지만, 불특정 다수가 불특정 교환을 벌이는 시장은 모두가 합의하는 계산 단위가 있어야 합니다. 이런 관점에서 보면 논리적 순서는 (계산)화폐에서 시장이 나오는 것이 맞지 시장에서 화폐가 나오는 건 아니라는 결론이 나옵니다.

역사적·인류학적 관점에서 보았을 때도 물물교환 사례는 도처에 존재합니다. 하지만 여기에서 시장이 발생했다는 사례는 제가 알기로는 없습니다. 뿐만 아니라 (계산)화폐와 등가 체계가 먼저 존재하지 않는 상황에서 자생적으로 수많은 사람들이 모여들어 저절로 가격 체계를 정해 시장을 만들었다는 사례도 없는 것으로 알고 있습니다. 이러한 시장과 화폐 이전의 '물물교환'이라는 것은 이 책의 앞부분에서 얘기했던 '선물·원정·관리 무역'이나, '말없는 교역' 등과 같은 복잡한 사회적 맥락 속에서 벌어지는 일이지 애덤 스미스가 상정한 것과 같은 것은 아니었습니다.[38] 오히려 알려져 있는 사례들은 반대 상황을 이야기하고 있습니다. 국가나 신전이나 촌장 등이 일정한 계산 단위와 등가 체계를 확립한 후, 이를 일종의 인프라로 삼아서 시장이 발생했던 것이 그런 예들입니다. 그렇다면 카를 멩거가 꿈꾼 것과 같이 '수많은 사람들이 몰려들어 흥정을 통해 가격 체계를 산출하고 시장을 형성한다'는 것은 아예 불가능한 것일까요? 네, 불가능하다고 볼 수밖에 없습니다.

  삼자 간의 교환을 생각해 보겠습니다. 예를 들어 A는 생선, B는 떡, C는 치킨을 가지고 있다고 가정하겠습니다. A가 생선 한 마리를 주고 B의 떡 5개와 교환했습니다. 그리고 C도 치킨 한 마리를 주고 B의 떡 5개를 가지고 왔습니다. 그러면 A의 생선과 C의 치킨은 어떻게 교환해야 할까요? B를 매개로 했던 교환을 보면 당연히 물고기 한 마리와 치킨 한 마리를 맞바꿔야 하고, 그래야 일관된 가격 체계가 나옵니다. 문제는 A와 C가 생선과 치킨을 교환할 때도 역시 한 마리씩으로 흥정하는 것에 동의할까요? 이 거래가 우리가 예상했던 가격 체계로 귀결될 거라는 보장이 있나요? 그렇지 않죠. A와 B, B와 C가 나눈 교환 비율이 A와 C의 교환에도 같은 영향을 줄 거라는 보장은 그 어디에도 없습니

---

38 여러 인류학자들이 그러한 '물물교환 경제' 같은 것은 지금까지 전 지구 어디에서도 보고된 바가 없다고 말하고 있습니다. "순수하고 단순한 물물교환 경제의 예는 한 번도 묘사된 바가 없으며, 거기에서 화폐가 출현했다는 보고는 더욱 찾아볼 수 없다. (중략) 우리 손에 있는 모든 민속지ethnography로 볼 때 그런 것은 결코 존재한 적이 없음을 알 수 있다." Caroline Humphrey, Barter and Economic Disintegration, Man, New Series, 20(1), 1985. 그렇게 시장 교환과 닮아 있는 '물물교환'이란 오히려 화폐 경제가 나타난 뒤에 그 임시적 대용물로 나타났다고 인류학자 데이비드 그레이버David Graeber는 주장합니다. "우리가 알고 있는 대부분의 경우에서 '물물교환'은, 화폐의 사용에는 익숙하지만 이런저런 이유로 화폐가 충분하지 못한 상황에 있는 사람들 사이에서 벌어진다." 간명한 설명으로는 다음의 글이 길잡이가 됩니다. Ilana E. Strauss, The Myth of the Barter Economy, The Atlantic February 26, 2016.

다.

다시 강조하지만, A부터 Z까지 다 같이 참여하는 다자적 시장이 만들어지려면 내가 가진 물건이 어느 정도의 가치를 가지고 있는지에 대한 일관된 가격 체계가 먼저 존재해야 하고 이를 성립시킬 수 있는 계산 단위도 있어야 합니다. 하지만 말씀드렸다시피 양자 간에 물물교환 사례가 무수히 쌓인다고 해도 다자간에 합의되는 가격 체계가 생기지는 않습니다. 우리나라에 '엿장수 마음대로'라는 말이 있죠. 이 말이 양자 교환의 불규칙성을 잘 나타내고 있습니다.

그렇다면 "가격 체계라는 것은 애초에 어디에서 나온 것인가?" 하는 의문이 생길 수밖에 없습니다. 이 의문이 이전부터 오랫동안 경제학자들을 괴롭힌 문제였습니다. 멩거를 비롯해 시장을 신봉하는 경제학자들은 시장 밖에 무언가를 상정하는 것을 거부하고 그 일관된 가격 체계가 시장에서 자생적으로 생길 수 있다는 걸 증명하기 위해 노력을 기울였습니다. 그중 유명한 이가 로잔학파의 창시자인 레옹 발라Marie Esprit Léon Walras입니다.

그가 이 문제를 풀기 위해 상정한 개념은 '경매자'였습니다. 시장의 한가운데 서서 사방 도처에서 벌어지고 있는 양자 간 물물교환의 비율을 처음부터 끝까지 칠판에 쓰는 방식이었죠. 흥정을 통해 새로운 비율이 나타날 때마다 지우고 다시 쓰는 식으로 시장에 참여하는 모든 교환자들이 현재의 교환 비율을 중계방송하는 존재를 상정한다는 이야기입니다. 이렇게 하면 물고기를 가지고 있었던 A와 치킨을 가지고 있던 C가 각각 B가 가지고 있던 떡 5개와 바꾼 경험이 있다는 게 공시되니 각 거래를 상황별로 쉽게 정리할 수 있습니다. 이런 식으로 경매자가 양자 간 교환 비율을 일률적으로 공시하다 보면 어느 순간 모든 참가자들이 공유하는 일관된 가격 체계가 만들어질 거라는 주장이고, 이게 나중에 그 유명한 '일반균형이론'의 기초가 됩니다.

참으로 아름답고 논리정연한 설명이지만, 문제가 있습니다. 현실성이 없다는 거죠. 경매자라니요? 중계방송이라니요? 그런 건 주식 시장에나 있는 것이지, 기원전 5천 년 전에 칠판과 백묵과 스피커가 있었다고요?

발라는 온건한 사회주의자였고, 그래서 암묵적으로 국가가 경매자 역할을 할 가능성이 있다고 생각했는지도 모르겠습니다. 실제로 발라의 맥을 이은 빌프레도 파레토Vilfredo Pareto 등의 신고전파 경제학자들은 시장의 작동을 설명하면서 중앙계획경제와 사실상 동일한 효과를 낸다는 생각을 광범위하게 공유하였습니다.[39]

백 번 양보해서 그런 경매자가 있다고 합시다. 그러면 발라의 생각대로 일관된 가격 체계가 나올까요? 저는 예를 들기 위해 A · B · C 세 명만 등장시켰으니 이때는 큰 문제가 안 될 겁니다. 경매자가 써야 할 교환 비율은 단 3개니까요. 여기서 상품이 1,000개로 늘어나면 어떻게 될까요? 칠판에 선 경매자가 써야 할 상품의 교환 비율 숫자는 천문학적 숫자로 늘어납니다. 경매자가 빛의 속도로 팔을 놀리고, 모든 시장 참여자들이 빛의 속도로 눈을 굴려도 성립할 수 없는 가정입니다. 그런데 기원전 5천 년 전의 인류가 그런 능력을, 그것도 도처에서 가지고 이러한 시장을 만들어 냈다고요?

결국 앞에서 말씀드린 화폐의 기원과 발전은 역사적 · 고고학적 · 경

---

39 이에 대해서는 조나단 보크만, 『신자유주의의 좌파적 기원: 냉전시대 경제학 교류의 숨겨진 역사』, 홍기빈 역, 글항아리, 2015. 1장을 보세요.

제사적 사실과 거리가 먼, 그저 믿고 싶은 신화 같은 이야기입니다. 신화를 영어로 Myth라고 하는데요, 이건 '근거 없는 믿음'으로도 번역할 수 있습니다. 양자 간의 물물교환에서 다자간의 시장이 발생했으며 여기에서 화폐가 나왔다는 주장, 이는 그야말로 잘 꾸며진 신화Myth라고 하지 않을 수 없습니다.

3

일관된
가격 체계의 등장

그렇다면 이제 문제의 답으로 들어가 보겠습니다. 앞서 계속 이야기했
듯 화폐의 기원에 있어 설명해야 할 가장 어려운 난문은 바로 "'가격
표', 즉 성원들 모두가 공유하는 '일관된 등가 혹은 가격 체계'라는 게
어떻게 생기게 되었는가?" 하는 것입니다. 이 문제를 해결해야 비로소
여러 사람들이 보편적으로 참여할 수 있는 시장이 성립할 수 있으니까
요. 그렇다면 이 '여러 사물들의 일관된 등가 체계'는 시장 바깥에 기원
이 있다는 말이 되는데요, 물건을 교환하려고 흥정을 벌이는 사람들도
아닌데 대체 무슨 관계, 무슨 상황에서 사람들이 이런 '등가 체계'를 만
들어 내었던 것일까요?

케임브리지 대학에서 화폐학numismatics 교수로 근무했던 필립 그리어
슨Philip Grierson은 정년 퇴임 하던 시점인 1977년에 자신의 강연을 『화폐
의 기원』이라는 제목의 짧은 책자로 출간합니다.[40] 그리어슨은 이 책에

---

[40] Philip Grierson, The Origins of Money, Athlone Press, 1977.

서 일관된 가격 체계의 실제 기원이 무엇인가에 대해 자신이 일생 동안 연구하고 고민했던 내용을 이야기합니다. 결론은 조금 엉뚱한 것이었는데요, '인명금人命金, wergeld'이라는, 현대인들로서는 잘 들어보지 못한 개념이 그 기원이라는 겁니다. 이 '인명금'이라는 번역어는 예전에 쓰던 표현으로 지금은 거의 사어가 되었습니다. 이 말은 '사람[人] 목숨[命]에 해당하는 돈[金]'이라는 뜻인데 사람이 죽었을 때 보상하기 위한 지급 수단 정도로 이해할 수 있습니다. 그렇다고 해서 금金이 돈[金]을 의미하는 것은 아닙니다. 화폐 발생 이전이었으니까요. 따라서 이를 '인명금'이라고 하는 것은 잘못된 번역이라고 할 수 있습니다. 조금 더 와닿을 수 있는 우리말로 표현하자면 '핏값Blood Money' 정도가 아닐까 하는 생각이 들기도 합니다만 이 또한 해당 개념을 완벽하게 설명하지는 못합니다. 개념 자체가 우리 현대인들에게는 낯설 수밖에 없는 것이니까요. 여기서 잠시 과거로 가 상황을 살펴보겠습니다.

고대 사회에도 윤리 법칙이 존재합니다. 어느 문명에서나 나타나는 원초적인 법률 같은 건데요, 이른바 '눈에는 눈, 이에는 이'입니다. 예를 들면 "네가 내 팔을 잘랐어? 그럼 나도 네 팔 한번 잘라 보자!", "네가 내 아들을 죽였어? 그럼 나도 네 아들을 죽이겠다." 이런 식입니다. 원초적인 복수가 복수를 낳고, 그 복수는 또 대를 이어 내려갑니다. 만약 어떤 공동체에 오랜 원한 관계에 놓인 두 집안이 있어서 만나기만 하면 서로 으르렁대고 죽이지 못해 안달한다면 어떻게 될까요? 이들이 벌이는 싸움 때문에 새우 등이 터져 마을 자체가 박살이 날 수도 있지 않겠습니까. 바로 윌리엄 셰익스피어William Shakespeare의 「로미오와 줄리엣」 상황처럼 말이죠.

이탈리아 북부의 베로나라는 도시에는 몬터규가와 캐풀렛가라는 두

유력 가문들이 있었는데, 이 둘이 불구대천의 원수지간이었죠. 이들은 서로 죽이고, 복수로 죽이고, 그 복수로 또 죽이는 악순환 상태였습니다. 두 가문의 싸움을 참다못한 베로나 영주 에스칼루스가 드디어 폭발합니다. "너희 두 집안이 벌이는 싸움 때문에 도시가 다 박살 나게 생겼다. 앞으로 한 번만 더 이 도시에서 싸움을 벌이면 모조리 사형에 처하겠다!" 이렇게 선언한 바로 다음 날 로미오는 친구의 복수를 위해 어쩔 수 없이 줄리엣의 사촌을 죽여 버리고, 결국 만토바로 추방당합니다.

이런 게 바로 원초적인 복수전이 계속 이어질 때 공동체가 무너져 버릴 위험입니다. 이걸 막으려면 어떻게 해야 했을까요? 이미 벌어진 피해는 어쩔 수 없으니, '복수의 악순환'을 깨뜨리려면 그 피해를 물질로 보상하도록 해야 합니다. 그래서 고대 사회에서는 공동체를 지키기 위해 마을의 장로들이 모여 서로 복수할 것이 아니라 양 다섯 마리, 소 한 마리로 보상하라는 식으로 일종의 마을 법률 같은 것을 만들었습니다. 이때 지급하는 것이 바로 인명금wergeld입니다. wergeld의 어원을 보면 wer는 고대 인도·유럽 어원으로 볼 때 남자 사람이라는 뜻을, geld는 돈을 뜻합니다.[41] 즉 남자 사람을 상하게 한 보상금이라는 뜻이라고 볼 수 있습니다.

여기서 우리는 팔 하나의 가치가 소 몇 마리의 가치에 해당할지 정할 방법 따위는 원칙적으로 없다는 사실을 알아 두어야 합니다. 형이상학의 대가인 아리스토텔레스도 『니코마코스 윤리학』에서 이게 사실 말도

---

[41] 'geld(돈)'는 'guilt(죄)'와 동일한 어원을 갖는다는 점에 주목하십시오.

안 되는 일이라고 분명히 못 박았습니다. 따지고 보면 팔을 못 쓰게 됐는데 소 다섯 마리 받는다고 무슨 소용이 있겠습니까. 아리스토텔레스가 볼 때, 이러한 등가 관계를 억지로 만들어 내는 기원은 순전히 '크레이아chreia', 즉 사람들의 '필요'라고 했습니다. 원칙적으로는 아무런 근거도 없고 말도 안 되는 자의적인 결정이지만, 관계자들이 합의를 보아야 할 필요 때문에 명확한 기준 없이 설정한 비율에 불과하다는 이야기입니다.[42] 여기에 객관적이고 절대적인 등가 기준이 있을 리 없습니다. 동네 할아버지들의 목적은 단 하나, 마을의 평화였습니다. 그러니 그저 마을 관습에 맞춰 목록을 만들어 당한 쪽이 복수에 나서지 않을 만큼, 또 불만의 목소리가 나오지 않을 만큼 물품을 채워 주는 정도였던 것입니다. 이 인명금 관습은 이후로도 오랫동안 아니 최근까지도 곳곳에서 발견됩니다. 클린트 이스트우드 감독의 불후의 명작《용서받지 못한 자Unforgiven》를 보면 서부 개척 시대에 적용된 '인명금'의 거친 예를 볼 수 있습니다. 미국 서부 개척지 마을에서 어느 카우보이가 성매매 여성의 얼굴에 칼질을 하여 다시 일하기 힘들게 망쳐 놓았습니다. 나타난 보안관은 카우보이에게 말 두 마리로 갚으라고 명령합니다. 이는 오로지 성매매 업소 포주의 손해만을 염두에 둔 비율이므로, 동료 성매매 여성들의 거센 항의에 부닥칩니다. 그때 보안관은 소리를 지릅니다. "그만

---

42 잘 알려진 대로 칼 마르크스는 아리스토텔레스의 이러한 대답을 이해하지 못하고 그가 "상품과 상품의 등가 관계를 만들어 내는 원리를 찾는 데에 실패했다."라고 폄하합니다. 그 이유는 고대 아테네가 노예제에 근거하고 있어서 노동 시장에서의 '추상노동' 개념을 얻을 수가 없었던 시대적 한계 때문이라고 말하고 있습니다. 이 글에서 제가 개진한 설명으로 보면, 마르크스가 아리스토텔레스를 향해 한 비판은 전혀 납득할 수 없는 것입니다. 카스토리아디스의 다음 글도 참조하십시오. Castoriadis, Cornelius, From Marx to Aristotle, from Aristotle to Us, Social Research: An International Quarterly 45, 1978.

하면 피를 볼 만큼 봤잖아? 더 무슨 싸움을 하려고? 입들 닥치고 돌아가!"

물론 이렇게 엉망으로 보상 체계를 짰다가는 공동체의 평화가 보장될 리가 없습니다. 그래서 성매매 여성들도 1천 달러의 현상금을 내걸고 클린트 이스트우드 일행을 끌어들여 사적 복수를 행합니다. 따라서 이 보상 체계는 공동체 구성원의 생각과 가치 판단에 따라 규칙이 쌓이고 정교함을 더하면서 사람을 죽였을 경우, 팔을 못 쓰게 했을 경우, 내 노예를 상하게 했을 경우, 내 아내를 죽였을 경우, 저쪽 집안 아들이 내 아들을 죽였을 경우, 저쪽 집안 노예가 내 아들을 죽였을 경우 등등 각종 경우의 수와 각각 다른 보상 체계로 발전할 수밖에 없었습니다.

실제로 고대 수메르의 우르남무 법전이나 바빌로니아의 함무라비 법전 등의 내용에는 '남의 노예를 상하게 한 자는 뭐로 갚는다', '남의 신체 어디를 상하게 한 자는 뭐로 갚는다' 이런 내용들이 주요하게 등장합니다. 이 개념은 전 세계 고대 문명에서 보편적으로 나타났는데요, 멀리 갈 것도 없이 우리나라 고조선의 팔조법금도 그렇죠. 현재는 3개 조항만 알려져 있는데 '사람을 죽인 자는 사형에 처한다', '사람을 상해한 자는 곡물로 배상한다', '다른 사람의 물건을 훔치면 노비로 삼되 속죄하려면 50만 전을 내야 한다'입니다. 재미있는 사실은 문화권마다 "뭣이 중한디?"가 다 달랐기 때문에 지금 우리 기준으로는 도무지 납득할 수 없는 가격 체계도 나타납니다. 고대 러시아의 시스템을 보면 손가락을 잘랐을 경우와 수염을 다 뽑았을 경우, 수염 쪽이 훨씬 많은 걸 배상해야 했습니다. 수염을 뽑았다는 건 그 사람의 체면을 뭉개 버렸다는 뜻이기 때문이라고 하죠.

시간이 지나면서 이 법은 더욱 복잡해지고 항목도 많아지는데요, 상당히 나중에 나타나는 예로는 게르만족의 일파인 프랑크족이 세운 프랑크 왕국의 클로비스 1세가 만든 살리카 법전Lex Salica이 있습니다. 프랑크족 안에서도 주도적인 분파였던 살리족이 가지고 있던 법들을 정리해서 낸 것입니다. 여기에는 인체는 물론 여러 종류의 소유물, 특히 남의 가축을 훔치거나 상하게 했을 때 어떻게 할 것인지 하는 내용까지 세세하게 기록되어 있습니다.

결국 일관된 가치 체계라는 것은 '시장의 논리나 교환의 논리와 전혀 무관한 싸움 때문에 공동체가 무너지는 걸 어떻게 막을 것인가', '피해자의 입을 어떻게 막을 것인가' 하는 문제를 해결하기 위한 논리에서 시작되었다는 것이, 일생을 고대 화폐와 화폐 발생 기원을 놓고 씨름했던 필립 그리어슨의 결론입니다.

4

계산화폐의
개념

앞에서도 언급했지만 화폐에는 네 가지 기능이 있습니다. 교환의 매개 수단, 지불 수단, 가치의 계산 수단, 가치의 저장 수단. 이렇게 기능이 나뉘어 있는 이유는 무엇인지 생각해 본 적 없나요? 지금은 우리가 가지고 있는 돈으로 이 네 가지 기능을 다 할 수 있으니 이 구별이 큰 의미가 없을 뿐 아니라, 각각의 기능이 무슨 차이인지 정확히 아는 사람도 많지 않습니다. 이를테면 우리가 편의점에서 1,000원을 주고 과자를 한 봉지를 샀다면 이건 지불인가요, 계산인가요? 애매하죠. 엎치나 메치나 그게 그거 아니냐고 생각할 수도 있겠고요. 이 이야기는 잠시 접고, 우선 인류의 역사에서 지불 수단과 계산 수단이 어떻게 다르게 나타났는지 그 차이는 무엇인지 알아보기 위해 고대 이집트와 수메르, 바빌로니아로 가 보겠습니다.

계산화폐 발생의 기원에 대해 알아보려면 앞에서 다뤘던 재분배와 신전 경제에서부터 출발해야 합니다. 신전 경제에서 시작했던 일명 조세 체제는 시간이 지나면서 훨씬 더 큰 규모의 제국 경제로 발전했습니다. 여기서도 국민으로부터 조세를 걷었는데요, 아직 주화가 등장하기 이전이었으니 조세는 다양한 종류의 현물이었습니다. 어디에서는 곡식을 걷었을 것이고, 또 어디에서는 그 지역 특산물을 걷었을 겁니다. 그러다 보면 무엇을 얼마나 걷었는지 기록으로 남겨야 했을 테지요. 즉 회계의 시작입니다. 이 회계 과정에서 문자가 발생했다는 이야기도 했었죠.

처음에는 단순했을 테지만 조세 과정이나 단계가 복잡해지면서 회계를 담당하는 사람들은 조세를 제대로 걷으려면 일정한 가치 체계를 형성해 계산을 해야 한다는 필요성을 느낍니다. 예를 들어 마포구 성산동 주민들은 성산 맥주를 일 년에 10통씩 세금으로 냅니다. 옆 동네 서교동 주민들은 세금으로 옷감을 냅니다. 그렇다면 이때 옷감을 얼마나 내야 하나요? 맥주와 옷감은 전혀 다른 성질의 물건이기 때문에 직접 비교는 불가능합니다. 하지만 적어도 성산동 주민이 맥주 10통을 세금으로 내기 위해 고생한 만큼은 내야 하지 않을까요?

이런 논리에 입각해 바빌로니아 제국에서는 각 지방에서 들어오는 다양한 현물을 일률적으로 회계할 수 있는 계산 기준을 만들었고, 여기서 계산화폐가 만들어집니다.

바빌로니아 제국의 함무라비 법전을 보면 계산화폐로 은과 보리를 사용했다는 기록이 있습니다. 주로 평민들이 바치는 주산물과 생필품, 곡식이나 옷감 같은 것들의 등가 관계를 계산하기 위한 단위는 보리였고, 귀족들이나 지체가 높은 사람들이 바치는 특산물이나 고급 사치품의 회계 기준은 은이었습니다. 가령 어느 귀족이 비단 1필을 바쳤다면 이건 은 0.2세켈에 해당하고, 가락지 1개는 은 0.1세켈에 해당한다는 식의 등가 관계를 정해 놓은 겁니다. 이런 계산에 따라 어떤 귀족이 매년 1셰켈의 세금을 내야 한다고 할 때 비단 4필과 가락지 2개를 바치면 되는 셈이죠. 같은 맥락으로 생필품을 가진 사람은 보리로 계산했고요. 그러면 여기서 은과 보리는 어떤 관계냐 하는 궁금증이 있을 수 있습니다. 아주 중요한 원칙이 있었는데요, 은은 셰켈이라는 단위를 쓰고 보리는 구르라는 단위를 썼는데, 1구르는 지금으로 치면 한 됫박 정도로 보면 되겠습니다. 함무라비 법전의 원칙은 1셰켈의 은은 1구르의 보리와 같았습니다. 은과 보리의 등가 관계를 만들어 일률적인 조세 체계를 만들었던 것이죠.

이 '1셰켈 = 1구르' 공식은 무려 몇천 년 가까이 유지됩니다. 이게 처음 몇 년은 몰라도 살다 보면 보리가 흉년이 들 때도 있을 테고, 은 채굴량이 줄어들 때도 있을 텐데 이 비율이 계속 유지되는 게 어떻게 가능했을까요? 해법은 구르 됫박의 크기를 조정하는 방식이었습니다. 보리가 귀해지면 됫박의 크기를 줄이는 식이었지요. 어찌 보면 눈 가리고 아웅 하는 셈이지만 단위 숫자를 조정하다가 벌어질지도 모르는 회계 및 등가 체계의 일대 혼란을 생각하면 가장 나은 선택지가 아니었을까 싶기도 합니다. 이런 방식으로 똑같은 등가 체계를 오랜 시간 유지할 수 있었다고 합니다.

이집트도 상황은 크게 다르지 않았습니다. 이집트에서는 92그램 정도의 밀의 무게를 기본으로 '데벤deben'이라는 단위를 계산 단위로 사용하였습니다. 참고로 1데벤의 12분의 1에 해당하는 샤트shat라는 단위도 있었습니다. 이는 무게 단위로서 여러 재화의 가치를 표현하는 계산수단이었을 뿐, 무슨 금화나 은화 따위로 주조되어 유통된 것이 아니었습니다.

물론 이때도 개인들 간의 거래가 없었던 것은 아니었고, 그때 화폐가 사용되기도 했습니다. 다만 그 화폐가 작동하는 기본적인 방식이 좀 달랐습니다. 일례로 이집트 귀족이 어떤 목수에게 침대를 만들어 달라고 했습니다. 그러면 대가를 주어야겠지요. 귀족과 목수 사이에서 이루어지는 거래는 동등한 등가 관계의 시장교환이라기보다 아랫사람에게 명령하고, 그 명령을 잘 수행하면 보상하는 차원이었습니다.

다만 보상 방식이 좀 독특합니다. 침대 하나가 이집트에서 사용된 은 55만큼의 가치가 있다면, 그만큼 은을 주는 게 아니라 은 55에 해당하는 가지가지 물건을 꾸러미로 구성해서 주는 식이었습니다. 닭 다섯 마리, 양 두 마리, 의자 세 개, 악기 하나 이것저것 그러모아서 침대를 만든 목수에게 주었다고 하는데요, 이런 게 바로 계산화폐의 개념입니다. 이렇게 초기의 화폐란 계산화폐의 개념만 있었고, 그 이후 약 천 년 정도가 지난 다음 계산화폐의 기능과 지불화폐의 기능을 동시에 지닌 주화라는 물건이 등장합니다.

5

임노동과 용병 제도로부터
주화가 발생하다

화폐의 본질과 주화의 형태

이제 우리에게 익숙한 화폐의 형태, 주화의 기원과 진화에 대해 알아보도록 하겠습니다. 이 내용은 추후에 이야기할 신용과 은행의 기원과 진화와도 이어집니다. 주화와 지폐 이야기를 할 때 우리가 주목할 지점은 '머니 프로퍼Money Proper', 즉 화폐의 본질이 무엇이냐 하는 것입니다. 역사적으로도 화폐의 본질에 대해서는 수많은 논쟁이 있었으나 쉽게 결론을 내지 못했습니다.

이를테면 증권이나 채권 같은 건 화폐라고 말하기도 애매하고, 아니라고 말하기도 애매하죠. 우리 집 집문서 또한 마찬가지여서 분명 돈이되는 것이기는 한데 돈 그 자체는 아닙니다. 그 자체로서 고유한 화폐라고 한다면 사람들은 보통 지폐를 포함한 주화를 이야기합니다. 예전에는 금화나 은화 같은 것을 생각했을 테고요. 그러니까 머니 프로퍼, "돈 그 자체가 무엇인가?"라고 질문하면, '현금' 즉 동그랗고 단단한 물건인 주화를 떠올리는 경우가 너무나 많습니다.

일찍이 이 생각에 비판을 가했던 사람 중 한 명이 바로 경제학자인 존 메이너드 케인스John Maynard Keynes였습니다. 경제학을 공부하는 사람이 아니라도 한 번쯤은 들어봤을 이름이죠. 케인스는 젊었을 적 화폐의 기원과 본성에 대한 연구에 몰두했습니다. 그는 아무리 들여다봐도 화폐의 본질이 주화로 대유되는 통화 기능은 아니라고 판단했고, 이걸 증명하기 위해 화폐의 기원을 찾아다녔습니다. 케인스가 천착했던 건 메소포타미아 시대의 화폐 발생 과정이었는데 이걸 파헤치기 위해 무려 7년 동안을 미친 듯이 매달렸다고 합니다. 스스로를 '바빌로니안 매드니스Babylonian Madness'라고 표현하기도 했는데요, 바빌론 역사에 집착해 반쯤 미친 상태였다는 겁니다.

여기에서 케인스가 왜 이렇게 집착했는지 생각해 보겠습니다. '화폐'라는 단일의 어떤 초월적인 존재가 역사적으로 쭉 존재해 왔다고 생각하면 쉽게 답이 나올 수가 없습니다. 역사적으로 존재했던 화폐는 끝없이 진화하면서 모두 다른 생물체로 변해 갑니다. 21세기에 쓰이는 화폐는 다른 시대의 화폐들, 즉 18세기 화폐, 12세기 화폐, 기원 전후에 쓰인 화폐와 완전히 다릅니다. 각 시대의 화폐들은 명칭만 화폐일 뿐이지 사실상 다른 제도하에서 상이한 체계를 이루고 있는 별개의 '존재'입니다.

이해를 돕기 위해 예를 하나 들어보겠습니다. 아이들을 돌보는 것은 국가의 의무일까요, 아닐까요? 몇 세기 때의 국가를 대상으로 하는 질문이냐에 따라 답은 완전히 달라지겠죠. 15세기 조선 왕조에 대해 이야기하면서, 왕이 된 자가 백성들 육아 정책에는 신경 쓰지 않고 경복궁에서 술이나 마시고 있으면 어떡하냐고 따지는 것은 말이 안 됩니다. 하지만 현재에 와서 국민의 출산과 육아가 국가의 중요한 책임이라고 한다면 강력한 정치적 당위성을 갖습니다. 15세기에 존재했던 국가와 21세기의 국가는 둘 다 '국가'로 불리기는 하지만 다른 제도와 다른 이름을 가진 다른 체제이기 때문입니다. 화폐도 마찬가지입니다. 오히려 화폐는 더 심했죠. 이렇게 전혀 다른 종류의 제도들, 전혀 다른 기원을 가진 것들을 몽땅 머니Money, 화폐라는 이름으로 통칭하면서 생긴 오해가 많습니다.

이 오해를 벗겨 내려면 케인스가 그랬던 것처럼 처음으로 돌아가야 합니다. 역사적으로 기원이 뭐였고 그 기원이 어떻게 진화해서 어떤 모습으로 발생했는지 추적해야 합니다. 그래서 지금까지 화폐의 기원을 이야기하면서 시장과는 무관하게 배상이나 인명금(핏값)의 관계, 신전이나 중앙정부의 조세 징수 같은 이야기를 했고, 사실상 채권과 채무를 기록하는 게 기원전 천 년 이전의 화폐 모습이라는 설명을 했습니다.

이제 주화라는 형태가 어떻게 나타났는지 이야기할 차례입니다. 우선 초기 주화가 귀금속이었던 것은 맞습니다. 메소포타미아 지역에 있던 왕조들이나 이집트의 경우 기원전 1000년까지는 주화 사용 흔적을 찾아볼 수 없습니다. 물론 계산화폐를 통해 여러 가지 물건에 화폐 가치를 부여하고, 이걸 바탕으로 왕성한 교역을 펼치기는 했지만 이게 주화의 형태는 아니었습니다.

주화의 초기 형태로 오인할 수 있는 것들로 연장화폐Tool Money를 들 수 있습니다. 연장화폐란 농기구나 칼, 막대기 형태의 물건 등을 말하는데, 이것들이 물물교환에서 쓰였던 흔적은 분명히 나옵니다. 연장화폐의 재료가 되는 금속들은 주조하면서 크기를 자유자재로 조절할 수 있지요. 그래서 크기나 중량이 규격화된 형태의 연장이 물물교환에서 널리 활용되었습니다. 그렇다고 해서 이걸 주화라고 부르지는 않습니다. 주화의 가장 중요하고 본질적인 속성이 빠졌기 때문인데요, 이 연장화폐에는 가치가 고정되어 있지 않습니다. 금속을 일정한 크기와 일정한 중량으로 끊어 놓았다고 해서 주화가 되는 게 아닙니다. 여기에 달러니 크라운이니 하는 명칭이 있어야 하고, 계산화폐 체계와 일정한 연관을 맺어 그 액면가가 얼마인지가 분명히 명시되어야 합니다. 1기니 금화는 계산 화폐로 1파운드의 가치를 갖습니다. 그런데 연장화폐는 어떤 경우에는 아주 싼 비율로 교환되고, 또 어떤 경우에는 아주 비싼 비율로 교환되었습니다. 고정된 가치를 가지는 게 아니라 다른 상품들과 마찬가지로 물물교환의 상황에 따라서 오르락내리락했습니다. 그러니 연장화폐는 물물교환에서 단지 '인기 있던 물건'에 불과했다는 것이죠.

화폐 기능을 모두 수행하는 주화가 최초로 발생한 건 기원전 600년경입니다. 계산화폐가 등장한 것이 기원전 3000년 전후였으니 주화가 등장하기까지 굉장히 오래 걸린 셈이죠. 최초의 주화는 지금의 튀르키예 땅에 있는 리디아라는 나라에서 나왔는데요, 금과 은을 섞은 합금 엘렉트럼에 리디아 왕국의 상징인 사자 그림을 넣어 만들었다고 합니다. 일정한 양에 특별한 문양을 찍어 만들었기 때문에 정확하게 어느 정도 가치가 있는지 법으로 규정할 수 있었습니다. 다만 이 일렉트럼의 가치에 주목할 필요가 있습니다. 병사 10일 치의 급료에 해당했기 때문에, 일상적인 작은 교환의 수단으로 쓰일 수는 없었던 것으로 보입니다. 이렇게 리디아에서 주화라는 형태가 개발된 뒤 페르시아와 그리스 양쪽으로 퍼지게 되었는데, 페르시아에서는 금화와 은화를 모두 사용하였고, 그리스에서도 아테네 등 여러 도시에서 주화를 통용화폐로 쓰는 제도를 채택했습니다.

주화가 발생하게 된 두 가지 조건

주화가 이 시절의 에게해 지역에서 나타난 원인으로 학자들은 두 가지 조건을 이야기하는데요, 첫 번째는 대제국의 멸망입니다. 기원전 1200년 이전까지의 청동기 시대 세계를 보면 신전 경제 같은 큰 규모 차원에서 재분배를 행하는 대제국이 있었습니다. 이 대제국들이 자기들의 계산화폐에 근거해 세금을 걷었고, 그렇게 얻은 물품을 재분배하는 방식으로 경제가 돌아갔기 때문에 사람들 간 거래에 굳이 주화가 등장할 필요도 없었고, 주화를 사용할 만한 여건도 조성되어 있지 않았다는 것이죠. 그러다 청동기 문명이 쇠퇴하고 기원전 1000년 이후가 되면 메소포타미아 지역에서 강력한 패자라고 할 만한 제국이 사라집니다. 이때 해상교역을 활발히 했던 페니키아에서 귀금속을 많이 가지고 와서 교환의 매개 수단으로 쓰는 일이 많아졌다고 합니다.

다시 말해 재분배를 행하는 대제국들이 축소되면서 시장이 생겨날 여지가 많아졌고, 시장 교역을 위해선 소위 '현금 박치기'가 필요해졌습니다. 물품을 주고받을 때 현장에서 바로 결제를 끝내려면 계산 수단과 지불 수단이 결합되어 있어야 하니까요. 즉 에게해 지역의 지정학적 조건의 산물이 바로 주화였다는 설명입니다.

또 하나의 중요한 조건이 남았습니다. 바로 임노동에 의해서 발생했다는 설명인데요, 최초의 임노동 형태는 뭐였을까요? 땅 파는 것? 농사짓는 것? 글쎄요, 이집트에 가 보면 피라미드라는 어마어마한 건축물이 있습니다. 이게 이집트 초기인 기원전 2800년경에 세워졌다고 하는데요, 기중기나 크레인으로 지어도 힘들었을 텐데 변변한 기구는 물론이고 수레도 없었다고 합니다. 그래서 피라미드라는 물건은 거의 인간을 통째로 갈아 넣어 만든 건축물이라고 할 수 있습니다. 이때 인건

비를 정당히 지불하고 세웠다면 돈이 얼마나 들었을까요? 아마 감당할
수 없는 액수겠지요. 따라서 피라미드 같은 것은 노예 노동이나 부역으
로 만든 것이라고 보아야지, 임노동을 통해 만들었다고 보는 것은 타당
하지 않습니다. 그러니 주화 발생의 기원으로 '임노동'을 말한다고 해
도 이런 종류의 임노동을 말하는 것은 아닙니다. 기원전 6세기 정도 에
게해 지역에 나타난 대규모 임노동 형태는 용병, 즉 군대였습니다.

용병은 이 지역에서 나타난 새로운 전쟁 형태와 밀접한 관련이 있
는데요, 그전에 오리엔트 지역의 지상전은 전차 위주의 전쟁이었습니
다. 전차와 경장보병이 결합해 들판에서 맞부딪치는 방식이었죠. 그러
다 이즈음부터 경장보병보다 훨씬 강하게 무장한 중장보병이 등장하면
서 이들을 얼마나 보유하고 있느냐가 전쟁의 승패를 가를 정도로 중요
한 요소가 되었습니다. 용병을 사들이는 입장에선 이들이 자신의 신하
나 신민이 아니니 억지로 부역을 시킬 수도 굶길 수도 없었고, 오로지
임금을 주고 고용해야만 했는데 이것이 인류 역사에 등장한 최초의 임
노동 형태라는 주장도 있습니다. 페르시아에서 왕위 계승을 둘러싼 내
전 당시 그리스에서 1천 명이 넘는 용병들이 참전했었고, 이에 대해 크
세노폰이 남긴 『아나바시스Anabasis』 이야기는 너무나 유명합니다.

군주는 중장보병들을 용병으로 쓰면서 이들에게 임금을 주어야 했는
데, 이때 지불한 것이 바로 주화였습니다. 이 이유 외에도 이들에게 주
화는 반드시 필요했는데요. 전쟁을 하려면 일단 잘 먹어야겠죠. 그런데
원정을 가는 마당에 식량과 이런저런 물품들을 어디서 구하겠습니까.
본국에서 병참단이 군수품을 풍부하게 가지고 오면 모르겠지만 에게해
는 지역 특성상 군수품을 보급하기 어려웠습니다. 그러니 현지 조달을
할 수밖에 없었습니다. 조달 대상 지역이 이동 경로에 있어서 바로 지

나가는 곳이라면 슬쩍슬쩍 약탈할 수도 있었겠지만 상당 기간 그 지역에 주둔해야 한다면 이야기가 좀 달라지겠죠. 긴 기간 동안 일방적으로 빼앗기만 할 수는 없는 노릇이니까요. 이때 주화가 다시 등장합니다. 물건을 가져가는 대신 용병을 고용한 군주의 얼굴이 새겨져 있는 주화를 주는 것이었죠.

"오늘 당장 군사들이 먹을 것이 없으니, 네 소를 가져가겠다. 그 대신 나중에 세금 낼 때 이 주화를 내거라."

이런 식이었다고 이해하면 적당할 것 같습니다. 주화가 등장하기 이전인 기원전 1200~1300년의 고대 제국에선 세금을 내야 하는 시기가 딱 정해져 있었습니다. 그 시기에 물품들을 징발해서 다 모은 다음 추수가 끝난 뒤에 재분배하는 방식이었습니다. 하지만 전쟁 때라면 이런 방식은 적절치 않습니다. 당장 오늘 먹어야만 할 테니까요. 그래서 일단 먼저 필요한 물품을 징발하고, 주화를 줌으로써 그걸 나중에 정산할 수 있도록 한 셈입니다. 이렇게 용병들에게 급료로 지급한 주화가 재화와 교환되고, 그 주화가 다시 세금으로 환류하는 흐름이 본격적으로 나타났던 것은 알렉산더 대왕 시절이었습니다.

이야기를 정리하겠습니다. 주화의 몇 가지 포인트를 잘 기억해 두기 바랍니다. 우선 비슷한 듯하지만 연장화폐와는 다르다는 것, 계산화폐와 지불화폐의 기능을 겸하고 있다는 것, 주화가 나타난 것은 고대 제국이 쇠락한 지정학적 조건과 관계가 있다는 것, 또 하나는 기원전 5~6세기경에 용병이라는 임노동 형태와 관련이 있다는 것입니다.

6

고대 아테네를 통해 알아보는
주화에 관한 두 가지 흥미로운 사실

주화는 왜 황금으로 만들었을까?

이번에는 아테네로 가 보겠습니다. 기원전 6세기 이후 지중해 동쪽에서 생겨난 주화는 페르시아와 그리스 양쪽으로 퍼지면서 아테네뿐만 아니라 그리스의 여러 폴리스에서도 사용되었습니다. 물론 주화가 어떻게 쓰였는지, 발전 과정은 어떤 식으로 이어져 왔는지 등 많은 부분이 아직까지도 안개에 싸여 있습니다. 고고학적 한계도 있고 그리스 사람들이 글을 많이 남긴 것도 아닙니다. 다만 아주 흥미로운 두 가지 측면에 대해서 알고 넘어가면 좋겠습니다.

초기 주화의 등장 이후 주화의 발전과 성격에 있어서 중요한 첫 번째 질문은 왜 주화에다 금을 넣었냐는 것입니다. 우리가 흔히 귀금속이라고 이야기하는 금이나 은을 가지고 주화를 만들면 순도가 높아야 한다는 요구나 기대가 있습니다. 하지만 국가에서 발행하는 것이니 굳이 순도 높은 금과 은이 아니라 '조금 저렴한 무엇'이었어도 괜찮지 않았을까요? 왜 굳이 비싼 금속을 넣었을까요? 그리고 이건 어떤 의미가 있는 걸까요? 여기에는 아테네라는 도시에서 벌어진 일과 관계가 있습니다. 지금부터 말씀드릴 이야기는 레슬리 커크_{Leslie Kurke} 교수의 가설입니다.[43]

문자를 사용했는지도 애매했던 때라 확증하기 힘든 시절의 일이지만, 여기서 고고학자이자 고전학자인 커크 교수의 추론에 의지하는 것은 아주 중요한 의미가 있습니다. 고대 그리스 아테네는 여러 번의 정치 체제 변화를 겪었는데요, 사실 초기 아테네는 거대한 도시가 아니라 그저 바닷가에 인접한 작은 마을에 불과했습니다. 시간이 좀 지나면서 마을이 커지고, 도시로 발전하면서 귀족정으로 바뀌게 되지요. 대토지를 소유한 귀족이 말을 길렀고, 말은 곧 기병의 근간이니 전쟁에서 큰 힘을 발휘합니다. 넓은 토지와 좋은 무기와 말을 거느린 몇몇 귀족이 권력을 쥐게 되면서 대다수의 평민을 핍박하는 시대가 왔습니다.

이 시대에도 엘리트들끼리 선물을 하는 관행이 있었는데, 앞서 이야기한 고대의 사람들이 생필품을 조달하기 위해 하던 선물과는 다른 개념입니다. 귀족들이 주고받은 선물은 생필품이 아니라 금은보화 같은 귀금속이었습니다. 이때나 지금이나 생필품을 선물하면 생필품으로 돌아오고, 금은보화를 선물하면 금은보화로 돌아오는 개념은 비슷했습니다. 다만 이렇게 보물을 주고받는 휴먼 네트워크가 생필품을 주고받는 휴먼 네트워크와 크게 다른 점이 하나 있었는데, 그건 바로 귀족들의 네트워크가 평민들을 깔보고 무시하고 차별 짓는 방식이었다는 겁니다. 귀족들이 주고받은 보화 중 주요 품목인 황금은 평민들이 쉽사리 가질 수 없는 값비싼 재화였으니까요. 즉 황금은 곧 권력이었습니다.

---

43 Leslie Kurke, Coins, Bodies, Games, and Gold, Princeton University Press, 1999.

시간이 흘러 평민들이 들고일어나 귀족정이 무너지면서 아테네는 민주정으로 바뀌게 됩니다. 이 시점부터 국가가 찍어 낸 화폐를 받은 자는 그만큼의 물건을 내놓아야 한다는 제도를 본격적으로 도입하기 시작했는데요, 이때 쓰인 것이 주화입니다. 주화를 만들 때 황금을 섞은 이유는 귀족정 시절에 만들어진 차별적 네트워크를 철폐하고자 함이었습니다. 좀 거칠게 표현하자면 "귀족들 잘난 것 없다. 황금은 너희들만 주고받는 것이 아니다." 이런 의미를 부여한 것입니다. 황금이 포함된 주화는 곧 국가가 보낸 일종의 선물이고, 고귀한 자들과 똑같은 권력을 갖는 것과 다름없었던 것이죠.

저는 이 사실에 굉장히 중요한 의미가 있다고 생각합니다. 따지고 보면 모든 주화에는 거의 예외 없이 왕의 얼굴이 찍혀 있거나, 왕국을 상징하는 문양이 찍혀 있습니다. 공동체 전체의 권위와 신뢰를 상징하는 무언가가 반드시 새겨져 있는데요, 이로 인해 이 주화가 흔히 굴러다니는 물건이 아니라는 사실을 깨닫게 해 줍니다. 우리나라도 마찬가지죠. 지폐에 허접한 인물의 얼굴이 들어가지 않죠. 지폐 최소 단위부터 퇴계 이황 선생 아닙니까. 미국 달러에 쓰여 있는 "우리는 하나님을 믿는다.In God We Trust."라는 구절도 그렇습니다. 종교로까지 영역을 넓혀 좀 더 초월적인 무언가를 상징하고 있지요. 여기에는 어떤 특별한 의미, 그것을 통해 나타내고자 하는 권력 같은 것이 숨어 있는 게 아닐까요? 그래서 현재까지도 사람들 마음속에는 화폐가 단순한 지불 수단이 아닌 특별한 목적성을 지닌 존재로 인식되어 있는지도 모릅니다. 주화에 황금을 넣은 이유에 대한 커크 교수의 추론은 화폐라는 물건이 가진 이런 권위의 속성을 잘 보여 주는 증거가 아닐까 싶습니다.

아테네에 주화가 성행한 이유

두 번째 이야기도 민주주의와 관계가 있습니다. 이는 칼 폴라니가 아테네 민주주의와 화폐 사용의 관계에 대해 내놓은 추론입니다.[44]

아테네 귀족정이 무너지는 과정에서 참주정이 잠깐 등장합니다. 귀족들을 몰아내고 비합법적으로 정권을 장악해 절대 권력을 쥐게 된 사람들이 세운 정치 체제를 말하는데요, 귀족과 갈등을 겪던 평민들의 절대적인 지지를 얻기도 했습니다. 이들 중 피시스트라투스Pisístratus는 정권을 잡은 다음 평민들의 지지를 얻기 위해 토목 공사를 여러 번 진행합니다. 신전을 비롯한 다양한 건물을 새로 짓고, 무너진 건물도 보수하는 식이었죠.

그런데 아테네 신전을 짓는 것은 고대 이집트에서 피라미드를 짓는 것과는 양상이 완전히 달랐습니다. 우선 피라미드를 짓는 방식부터 살펴보겠습니다. 피라미드를 짓는 데 사용되었던 큰 돌은 500킬로미터 이상 떨어진 리비아에서 공수해 와야 했습니다. 이집트가 있는 나일강 근처에는 그런 돌이 없었거든요. 수레도 없던 시절에 돌을 리비아에서 가져오는 것 자체가 엄청난 일이었습니다. 이집트에서 리비아까지 길을 닦는 데만 30년이 걸렸다고 하니 피라미드를 짓는 기간이나 참가한 연인원을 생각해 보면 그 규모는 이루 말로 다 할 수 없을 정도입니다.

이렇게 대공사를 진행하려면 피라미드를 설계하고 건축하는 일 이상으로 중요한 것이 바로 병참학logistics입니다. 피라미드에 들어가는 물자는 어떻게 조달할지, 일꾼은 어떻게 징발할지, 또 어떻게 먹이고 어디

---

44 Karl Polanyi, The Livelihood of Man, Free Press, 1977.

서 재울지, 화장실은 어디에 만들지 등을 다루는 기술 학문입니다. 추측하는 바로는 이집트 신관 중 한 사람인 임호테프Imhotep가 바로 이러한 복잡한 문제를 모조리 풀어낸, 그야말로 신과 같은 지혜를 가진 인물이었다고 합니다. 비록 할리우드 영화《미이라》에서는 괴물로 나오지만, 사실은 역사상 최고의 건축가라고 해도 과언이 아닙니다. 피라미드의 건축을 이끈 이집트의 전설적인 신관으로 불리고 있지요.

과연 피시스트라투스도 임호테프와 같은 방식으로 신전을 지을 수 있었을까요? 건축을 하려면 가장 먼저 무엇이 필요한지 알아야 하고, 그러자면 계획을 세워야 합니다. 이때 중요한 것이 장부와 기록입니다. 필요 인력은 몇 명이고, 필요 물자는 무엇이고, 어떻게 계측할 것인지 등등이겠죠. 이런 방식으로 신전을 지으려면 고도로 발달한 관료제가 바탕이 되어야 합니다. 공무원도 많이 필요하고, 정부 기구의 위계도 엄격해야 합니다. 임호테프 같은 천재적인 인물이 있다고 해도, 거대한 관료 조직이 필요하고 절대적인 권력도 쥐어야 가능한 일입니다.

그런데 아테네는 서서히 민주주의 국가로 가고 있는 상황이었습니다. 심지어 아테네 민주주의가 완성됐을 때 공직자를 선출하는 방식은 제비뽑기였습니다. 이를테면 성산동에서 담배 가게를 운영하는 홍 아무개 씨가 어느 날 갑자기 제비에 뽑히면 의지와 상관없이 재무부 장관을 해야 했습니다. 단 하나 예외는 지금의 장군 직책이라고 할 수 있는 스트라테고스stratēgos뿐이었고요.

이런 민주적인 국가에서는 이집트가 피라미드를 짓듯 관료제 행정체계로 토목 공사를 할 수 없습니다. 그래서 활용한 것이 바로 주화였지요. 주화를 찍어 필요한 물자와 필요한 사람을 사들인 것입니다. 이때 사람을 고용하기 위해 이용한 장소가 아고라라는 곳입니다. 원래 아고라는 사람들이 모여서 이야기하고 놀던 광장 같은 곳이었습니다. 그러던 곳이 토목 공사를 위해 일종의 조달청처럼 바뀌었고, 정부는 현금을 찍어 토목 공사에 필요한 인력과 물품을 마련했습니다.

이런 상황을 면밀히 고찰했던 칼 폴라니는 아테네가 고대 이집트나 수메르처럼 거대한 행정기구를 두고 세금을 걷거나 재분배를 했으면 아테네의 민주주의는 성립할 수 없었을 것이라고 주장했습니다. 누구나 통치할 수 있고, 누구나 민주적으로 통제할 수 있는 국가라면 행정체계는 간소하고 간략해질 수밖에 없으며, 그런 상황에서 물자 조달 시스템은 시장과 화폐가 될 수밖에 없었을 거라는 이야기죠.[45]

결론적으로 주화와 시장이 발생한 건 그 이전이었겠지만, 인류 역사에서 주화와 시장이 가장 활발하게 발전한 곳은 그리스 아테네였고, 그것은 아테네 민주주의와 밀접히 연관되어 있었다는 게 칼 폴라니의 가설입니다. 이 또한 많은 역사학자들과 고고학자들이 따져 봐야 할 문제지만 주화와 국가의 관계란 측면에서 시사하는 바가 분명히 있다고 할 수 있겠습니다.

---

[45] Karl Polanyi, The Livelihood of Man, Academic Press: 1977. 171-175p

7

알렉산더가 지나간 자리,
주화가 넘쳐흐르다

알렉산더 대왕과 주화의 발전

알렉산더 대왕과 로마 시대는 보통 헬레니즘 시대라고 불리는 후기 고대 끝부분에 속하는데요, 서방 문명에서 주화는 물론이고 그것과 결부된 시장이라는 경제 형태가 본격적으로 활성화되는 시기인 만큼 경제사적으로 굉장히 큰 의미가 있습니다.

앞서 주화의 중요한 요소로 용병에 관한 이야기를 했습니다. 이게 사실 전쟁의 바뀐 양상과도 관계가 있는데, 이를테면 수나라는 고구려를 침공하기 전에 세금을 걷어 양쯔강까지 운하를 팠습니다. 이렇게 파 놓은 운하를 통해 바리바리 싸 들고 온 물자를 모아 전쟁을 치르는 방식이었습니다. 고구려와 전쟁을 하기 위해서는 식량 등 군수 물자와 생산기지, 수송할 수 있는 병참선 등을 구축해야 하는데 이를 해결하기 위해 생산력이 풍부한 양쯔강 지역까지 운하를 팠다는 것입니다. 물론 수나라가 운하를 건설한 목적이 전쟁만은 아니었고, 방대한 중국의 물류를 통합하고자 하는 의도도 있었지만, 이렇듯 전쟁사에서는 병력과 전술 이상으로 병참선을 어떻게 확보할 것인가가 중요한 문제로 등장합니다.

하지만 지중해 북쪽의 기원전 5~6세기 중장보병들은 보급에 의지하지 않고 '쿨'하게 캐시를 가지고 다니면서 뿌리는 방식을 취했고, 이것이 주화의 발전으로 이어지게 됩니다. 그러다 드디어 기원전 330년경 알렉산더라는 걸출한 인물이 나타납니다. 알렉산더는 에게해를 넘어 페르시아를 박살 내고 인도까지 넘어갑니다. 아마 그냥 뒀다면 고조선까지 왔을지도 모르겠습니다. 알렉산더가 젊었을 때 세운 꿈이 땅의 끝까지 정복하겠다는 것이었고, 실제로 인도를 넘어 계속 진군하려고 했습니다.

이때 그는 이 병참 문제를 어떻게 해결했을까요? 처음에야 떠날 때 가지고 온 황금이나 은이 있었겠지만, 어느 정도 진군해 바빌로니아 즈음까지 왔다면 가지고 온 물자는 다 떨어졌을 겁니다. 알렉산더가 동원한 병사들 역시 용병들이었으니 급료를 지급해야만 했습니다. 당시 알렉산더 군대는 오볼로스obolos라는 주화를 사용했는데요, 오볼로스는 우리가 생각하는 둥글고 납작한 형태의 주화가 아니라 투호할 때 사용하는 화살처럼 생겼습니다.[46] 막대기 형태 비슷한 것이었죠. 이 막대기 하나가 1오볼로스였고, 6개의 오볼로스는 1드라크마drachma의 가치와 같았습니다. 드라크마는 흔히 생각하는 형태의 은화였고요.

알렉산더 대왕은 전쟁을 치르면서 매일매일 군인들에게 드라크마를 지급했는데요, 서아시아에서 군사 활동이 정점일 때 하루에 지급한 주

---

46 이는 본래 그리스 도시국가에서 짐승을 잡아 제례를 드리고 고기를 나누어 먹을 때 그 고기를 꿰는 쇠막대를 뜻합니다. 이 쇠막대가 주화처럼 쓰였던 것이 오볼로스의 기원입니다.

화는 무려 12만 드라크마, 물경 500킬로그램 정도의 은이 들어갔다고 합니다. 이게 어쩌다 한 번이 아니라 원칙적으로 따지면 매일매일 은을 500킬로그램씩 뿌려 대야 했으니 어떤 일이 벌어졌을까요?

잠깐 다른 이야기지만 화폐 이론 역사에서 아주 획기적인 사건이 하나 있습니다. 1905년에 독일 경제학자인 프리드리히 크나프Friedrich Knapp 가 발표한 『국정화폐론』이라는 책이 있습니다.[47] 그전까지는 화폐 가치를 주화에 함유된 금과 은의 양으로 설명한 것이 '상품화폐론'의 입장이었지만, 크나프는 국정화폐 이론을 통해 주화의 가치는 귀금속 함유량 때문이 아니라 세금을 낼 수 있기 때문에 생겨난다는 주장을 펼칩니다. 세금을 내지 않는 사람은 없고 세금을 내려면 주화를 써야 하니 주화는 필연적으로 가치와 지불 기능이 생깁니다. 이 말은 곧 주화를 가지고 있으면 무엇이듯 살 수 있다는 뜻이 됩니다. 주화의 이런 특성으로 인해 시장이 발생한다는 설명이었죠.

알렉산더군의 진군 당시 상황이 딱 그랬습니다. 군인들은 은화를 마구 뿌려 댔고, 군대가 지나간 곳은 은화가 강물처럼 넘쳐흘렀다고 합니다. 이 주화 모두에 정량의 은이 들어 있었는지는 알 수 없습니다만, 이 은화를 주고 닭이든 소든 필요한 물건을 살 수 있었던 것은 분명합니다. 은화를 받은 사람들도 세금을 낼 때까지 이걸 손에 쥐고만 있지 않았습니다. 누구든 이 은화를 필요로 하는 만큼 이걸 통해 물건을 살 수 있는 경제 형태가 만들어졌죠. 돈으로 물건을 살 수 있는 경제 형태가 뭐겠습니까? 시장이죠. 결국 알렉산더 군대가 지나가면 시장 경제가 활

---

47 Friedrich Knapp, The State Theory of Money, Macmilan, 1924.

성화되는, 케인스 경제학 용어를 빌리면 어마어마한 승수 효과가 나타나게 되었습니다. 일종의 과거 시대에 있었던 케인스 경제 정책이라고나 할까요?

군사·주화 복합체의 로마 제국

그 이후 알렉산더 대왕이 모기에 물렸는지 말라리아에 걸렸는지 약을 잘못 마셨는지 알 수 없지만 갑자기 죽어 버렸고, 그가 죽은 후 암투와 전쟁 끝에 알렉산더의 부하 네 명이 대왕의 땅을 네 쪽으로 나눕니다. 이때부터 헬레니즘 세계에는 군사 출병 때 주화를 주는 관행이 하나의 정책으로 완전히 자리 잡았고, 이후 지중해 연안 나아가 중근동까지 정복하는 로마 제국 시대에 이르러 굳건히 확립됩니다.

역사가들은 이때를 군사 · 주화 복합체military-coinage complex 시대라고 부르기도 합니다. 이 표현이 등장한 것은 미국 아이젠하워Eisenhower 대통령이 퇴임하면서 한 말 때문입니다. 그는 "지금 미국이란 국가는, 늘어난 군사 예산을 등에 업고 어마어마한 무기를 생산해 큰돈을 버는 군산복합체military-industrial complex에 지배당하고 있다."라고 말해 물의를 빚은 적이 있었는데요, 이때 아이젠하워 대통령이 한 군산 복합체라는 말에 빗대 로마 제국 시대의 군사 행정 체제를 군사 · 주화 복합체라고 칭한 것입니다. 쉽게 말해 고대 역사가들은 알렉산더 이후의 국가는 군사 시스템 · 재정 시스템 · 주화 시스템이 하나로 연결되었다고 보았습니다. 큰 전쟁을 벌일 때마다 어마어마한 양의 귀금속을 조달해 주화로 만들어 뿌려 대며 이동했으니 틀린 말은 아니라고 할 수 있겠습니다.

이런 군사 · 주화 복합체를 본격적으로 구현한 나라가 바로 로마 제국입니다. 역사적으로 보면 기원전 1세기부터 기원후 3세기 정도까지의 일이라고 볼 수 있겠습니다. 앞서 아테네가 정교한 관료제를 가진 나라가 아니었기 때문에 재분배나 조세에 근거한 국가 행정을 펼치는 데 한계가 있었다는 이야기를 했었는데요, 로마도 비슷한 형국이었습니다. 로마는 이탈리아에서 생겨난 공화국에 뿌리를 둔 작은 도시국가였던 만큼 정교하고 규모가 큰 관료제로 발전한 나라는 아니었죠. 하지만 전쟁은 엄청나게 벌였고, 어마어마한 규모의 정복 전쟁을 행하면서 수많은 식민지를 만들었습니다. 그러기 위해 인적 · 물적 자원을 조달해야만 했고 그 방법은 주화를 주조하는 것이 유일했습니다. 로마 군대는 엄청난 양의 주화를 쥔 채 원정을 떠났고, 현지에 가서는 그 주화를 뿌려 대며 인적 · 물적 자원을 동원했습니다.

이렇게 뿌린 주화는 다시 세금으로 거둬들였는데요, 로마 제국의 식민지 단위를 속주provincia라고 부릅니다. 로마 제국은 속주에 총독을 보내 세금을 걷으라고 시켰는데 이 세금은 반드시 자신들이 발행한 주화만 받았습니다. 그러니 속주의 인민들은 로마 군대와 로마 행정관이 뿌려 대는 주화를 무조건 인정할 수밖에 없었습니다. 이렇게 뿌려 대는 주화를 다 받아도 세금을 감당하기엔 부족한 지경이었는데요, 이 당시 로마 조세 제도의 주요한 특징이 세금 징수 청부인tax-farmer을 두는 것이었습니다. 말씀드렸던 것처럼 로마는 행정 체제가 발달한 것도 아니고, 조직 자체도 그렇게 큰 편이 아니었습니다. 그러니 조세 행정처럼 손이 많이 가고 철저한 행정 조직을 필요로 하는 작업에 어려움을 겪었는데, 이런 상황에서 로마 제국이 선택한 방법이 하청을 주는 것이었습니다. 속주의 현지인 중에 누가 돈이 많은지, 어디로 가면 돈이 나오는지 등 여러 사정을 잘 아는 사람을 골라 "매년 이만큼 세금 걷어 와. 그 대신 더 걸은 건 네가 가져." 이런 시스템을 도입했던 겁니다.

아마 교회 다니는 분들은 익숙할 텐데, 성서에 보면 당시 이스라엘 사람들이 세리와 창녀를 미워했다는 구절이 나옵니다. 이스라엘 사람들이 보기에 세리는 로마인의 앞잡이가 되어 자신들을 핍박하고, 돈을 빼앗는 나쁜 놈들이었으니 미워할 수밖에 없었던 거죠. 악착같이 세금을 걷었기 때문에 속주들은 로마 군대가 뿌려 대는 주화만으로는 세금을 내기에 부족했고, 늘 불안에 떨어야만 했습니다. 로마 제국이 세금을 더 내라고 하면 낼 수밖에 없었으니까요.

이때 과거 동양의 여러 나라들이 중국과 조공무역을 하듯 속주에서는 로마에 무언가를 수출해야만 했습니다. 당시 로마 시민들의 삶을 기록한 문헌을 보면 어디서 온 꿀, 어디서 들여온 옷 등 각종 물건이 넘쳐나는 호화로운 도시 모습이 묘사되어 있는데요, 주화를 얻기 위해 속주가 각종 물품을 로마에 수출했기 때문입니다. 이로 인해 지중해 무역이 활성화되고 물자가 풍족해지면서 군사 작전도 계속되었으니, 군사·주화 복합체라는 말은 명실상부하다고 볼 수 있겠습니다.

세상에 모든 재미있는 것은 끝이 있게 마련이죠. 젖과 꿀이 넘쳐흐르던 로마 제국에도 내리막이 시작되었으니, 이 또한 주화에서 비롯됩니다. 지금까지 설명한 주화 시스템은 지중해 근방에서 해상 무역을 많이 하는 도시들에서는 문제없이 잘 작동했습니다. 그런데 야만족(어디까지나 로마인들의 관점입니다.)들이 모여 있는, 화폐를 쓰지 않는 오지 같은 곳에 로마 군대가 들어가면 이 시스템이 작동하지 않았습니다. 일단 주화를 안 받습니다. 가령 조선 말기 개마고원에 살고 있던 화전민에게 누가 20달러짜리 미국 지폐를 주면 받았을까요? 거기서 달러를 가지고 할 수 있는 게 뭐가 있겠습니까. 그러니 주화를 줘도 잘 받지 않았고,

따라서 물자를 동원하기도 쉽지 않았습니다. 게다가 주화를 계속 찍어 내려면 은이나 금을 현지에서 조달해야 하는데 이런 오지에서는 그마 저 쉬운 일이 아니었습니다.

여기서 로마 제국의 패착이 발생합니다. 지역적 특성과 상황이 변한 만큼 군사적 논리 또한 달라져야 했는데 기존에 했던 것과 비슷한 방식 을 취하면서 비극이 시작되지요. 이렇게 주화를 조달하기가 쉽지 않으 니 궁여지책으로 주화에 들어가는 귀금속의 함량을 줄이기 시작합니다.

당시 로마의 주요한 화폐는 크게 두 가지였는데, 금화인 아우레우스 Aureus와 은화인 데나리우스Denarius[48]였습니다. 이 두 화폐가 기본이었고 구리나 아연, 양철로 만든 화폐도 있었는데 소소한 품목을 구매하는 데 쓰였습니다. 여기서 제일 먼저 질이 나빠지기 시작한 화폐는 금화인 아 우레우스였습니다. 지중해 문명에서 금이라는 건 굉장히 신비로운 물 건이었습니다. 괜히 아테네 귀족들이 금을 주고받았던 게 아니죠. 이게 로마 제국에서도 마찬가지였는데요, 그러다 보니 아우레우스를 통화로 쓰기보다는 부의 저장 수단으로 활용하려고 듭니다. 아우레우스 주화 를 그대로 보관하기도 하지만, 이를 녹여서 금만 축적하는 일도 벌어졌 습니다. 가뜩이나 주조가 어려운데 있는 금화는 사라졌으니 금화가 씨 가 마릅니다. 게다가 새로 찍은 아우레우스는 금의 함량이 낮아 사람들 이 받지 않기 시작합니다. 이렇게 주화의 가치가 떨어지면서 이른바 인 플레이션 비슷한 현상이 벌어졌습니다.

이런 문제를 해결하기 위해 로마 황제인 콘스탄티누스Constantinus는 통

---

48 성서에 보면 데나리온이라는 화폐 단위가 여러 차례 나오는데 이 역시 데나리우스에서 온 것으로, 성서에 서 말하는 은화 1데나리온의 가치는 노동자의 일당 정도라고 보면 됩니다.

화 개혁을 단행하면서 솔리두스solidus라는 새로운 금화를 만들어 냅니다. 솔리두스는 군인들에게 급료로 지급하는 용도였는데, 이때는 지휘 체계가 상당히 무너진 상태라 군인들에게 '믿을 만한 금화'를 주지 않으면 황제 말도 잘 안 듣는 단계였습니다. 이 밖에도 데나리우스를 개혁하기도 하는 등 여러 노력을 기울였지만 한번 무너진 신뢰는 쉽사리 회복되지 않았습니다. 이제 사람들은 로마가 발행한 화폐보다 디나르dinar처럼 중동 지역에서 쓰이는 화폐를 더 선호하기 시작했습니다.

이제 점점 악순환이 발생합니다. 화폐 가치가 떨어졌으니 똑같은 주화를 내고도 동원할 수 있는 물자는 많지 않고, 하는 수 없이 더 많은 주화를 찍어야 했고, 하는 수 없이 귀금속 함량을 줄여야 했으니 가치는 더 떨어지고 말았습니다. 화폐 가치 하락은 화폐로 월급을 받던 군인들의 사기와 충성심 역시 떨어뜨렸습니다. 이처럼 로마 군사력이 약화되는 과정에는 주화 문제도 분명 한몫을 합니다.

나라가 이 정도로 무너졌으니 로마의 조세 수취 시스템도 사실상 무력화된 것이나 다름없었습니다. 기존에 사용했던 데나리우스는 그야말로 애물단지가 되었죠. 세금을 걷어 가는 로마 군대와 로마 행정 시스템은 박살이 나 버렸고, 은이라도 많이 들어갔으면 녹여서 쓸 텐데 그렇지도 않았으니 그야말로 무용지물이었습니다. 그래서 다들 이 은화를 그냥 버렸다고 하죠. 지금도 로마 변방 지역을 발굴하다 보면 로마 시대 말기에 주조한 데나리우스 은화가 무더기로 발견되는 경우가 종종 있고, 유럽 여행 갔을 때 골동품 가게 같은 곳에서 손쉽게 살 수 있는 게 또 이 데나리우스 화폐라고 합니다. 약간 과장해서 말하자면 주화로 흥한 나라, 주화로 망했다고 할 수도 있겠네요.

8

주화의
대혼란 시대

아우레우스를 아우레우스로 사용하지 못하게 된 사연

주화를 많이 사용하던 로마 제국이 쇠퇴하면서 시장 거래 역시 침체에 빠져 그야말로 암흑시대에 접어들었습니다. 로마 제국 멸망 후 새로운 경제 질서가 나타나지 않았던 5~7세기경의 화폐 경제는 뿌리가 뽑혔다고 해도 과언이 아닐 정도였습니다. 앙리 피렌 같은 역사학자는 이 시절을 두고 "완전히 자연 경제로 돌아갔다. 화폐 경제는 끝장났다."라고까지 이야기하기도 했죠.

정말 화폐 경제가 끝장났는지는 모르겠지만 이때 중요한 사건이 하나 생긴 것은 분명합니다. 계산화폐로서의 주화와 지불화폐로서의 주화가 분리되는 일이 벌어진 것입니다. 로마 시대에 쓰이던 금화인 아우레우스와 은화인 데나리우스는 둘 다 계산 단위이기도 하지만 중량과 관련이 있는 단위이기도 합니다. 주화 안에 약속한 만큼의 귀금속이 함유되어 있어서 일정한 양의 아우레우스를 계산대 위에 늘어놓으면 상품 대금을 지불하는 것도 가능했습니다. 그러니까 아우레우스라는 주화는 오늘날 우리가 쓰는 화폐처럼 계산화폐와 지불화폐 기능을 다 가지고 있었던 셈입니다.

그런데 로마 제국 말미에 귀금속 함유량이 떨어지는 주화를 만들면서 로마 멸망 이후엔 1아우레우스를 내더라도 1아우레우스로 인정하지 않는 기묘한 일이 벌어졌습니다. 가령 양 한 마리가 5아우레우스라고 가정하겠습니다. 이 가격 체계는 바뀌지 않았어요. 분명 가격은 예전처럼 5아우레우스인데 양을 사려고 금화 5개를 내도 양을 안 주는 겁니다. 주인은 이렇게 알쏭달쏭한 말을 퍼부었을 것입니다. "5아우레우스짜리 양을 사면서 어디 5아우레우스만 달랑 내려고? 돈을 더 내든지, 썩 꺼져!" 이게 무슨 말인가요?

사람들 머릿속에서 두 개념이 분리가 된 셈인데, 계산 단위로서의 아우레우스는 여전히 그대로 있습니다. 양이 5아우레우스라는 사실은 변하지 않았죠. 하지만 5아우레우스짜리 물건을 사려고 해도, 처음 주화를 만들 때 귀금속을 넣기로 한 양만큼 들어가지 않은 아우레우스는 더 이상 원래 가치를 인정받지 못하게 된 것입니다. 즉 지불 수단으로서 갖는 아우레우스의 현실적 가치가 계산 수단으로서 갖는 아우레우스의 가치와 괴리하는 일이 벌어진 것입니다. 정말 황당한 상황이 된 건데요, 5아우레우스로 5아우레우스짜리 물건을 못 사고, 이걸 사려면 사우디아라비아에서 쓰는 금화를 가져오든, 중동에서 발행한 주화를 내든 해서 계산화폐로 봤을 때 5아우레우스만큼의 가치를 채워야 합니다.

중세 초기 암흑시대에 벌어진 화폐 질서에 있어 가장 위험하고 본질적인 위기가 여기에 있습니다. 화폐 경제로 보자면 주화의 강점은 바로 계산화폐의 기능과 지불화폐의 기능을 통일시켜 놓았다는 데 있습니다. 그랬기 때문에 전쟁 때 군인들이 물건을 살 수도 있었고, 사람들이 세금을 낼 수도 있었습니다. 일종의 '출장 나온 국가 장부'이기도 하고, '동그랗게 빚어진 국가 주권'이라고도 할 수 있었던 신박한 물건이었습니다. 그런데 이제 이 두 기능이 다시 분리되기 시작한 겁니다. 이렇게 시작된 계산화폐(가치 단위)와 지불 수단 화폐(각종 주화)의 분리는 중세와 근대 초기까지 유럽의 통화 질서를 끔찍한 혼란 상태로 몰아넣었습니다.

이후 로마 시대 말기에 게르만족이 쳐들어오면서 더 골치 아픈 일이 벌어집니다. 게르만족은 하나의 민족이 아니라 게르만어파에 속하는 언어를 사용하는 여러 민족의 통칭입니다. 세부적으로 따지면 동고트족 · 서고트족 · 반달족 등등 여러 갈래 민족이 있었는데, 저마다 왕이 존재했고, 이 왕들이 너도나도 주화를 발행했습니다. 그러니 주화의 세계가 온통 뒤죽박죽이 되어 버렸을 뿐 아니라 영토도 계속 바뀌면서 공신력 있는 주화가 통용될 수 있는 상황이 아니었습니다. 세금을 걷는 수단으로서 주화를 발행한 것만 문제가 아닙니다. 세금을 걷기 위해 마련한 계산 수단 화폐 체계도 제각각이었습니다.

이후 카를 대제가 나타나 서유럽의 조세 체계가 어느 정도 다시 통합을 이루지만 어려움은 사라지지 않았습니다. 서로마 전체에 원래 있던 데나리우스나 솔리두스가 계산화폐로, 또 주화로 쓰이기도 하는 가운데 온갖 작은 왕들이 주조해 놓은 잡다한 주화들이 뒤섞이면서 뭐가 뭔지 알 수 없는 지경까지 처해집니다. 주화만이 아니었습니다. 권력자들과 영주들은 금이나 은을 잉곳ingot 형태도 아니고 컵이나 세공품 모습 그대로 가지고 다니면서 사용했고, 여관 같은 데에서 소액을 지불해야 하는 상황에서는 칼로 이 은을 조금씩 깎아 낸 '은 조각hacksilver'을 그대로 사용하기도 했으니 통화 질서는 그야말로 대혼란이었습니다.

이렇다 보니 제일 힘든 건 뭐니 뭐니 해도 세금을 징수하는 사람들이었습니다. 재건된 서로마 제국의 황제인 카를 대제 그리고 그와 붙어 있는 로마 교황청 역시 골머리를 앓았는데요, 이 집단이 세금을 걷어야 하는데 대체 세금을 무엇으로 받으면 좋을지 도무지 정할 수가 없었기 때문입니다. 세금에 상응하는 물건은 그야말로 다종다양해서 현물도 걷고 돈도 걷는데 일률적인 계산 단위가 없으니 일관성 있게 합리적으로 걷을 수가 없었습니다. 주화 없이 계산화폐를 활용해 현물을 세금 대신 거둬들이던 기원전 1200~1300년 전보다도 더 퇴보한 것이나 다름없는 상황이라고 해도 과언이 아니었죠. 게다가 세금을 5아우레우스씩 걷는데 누구는 초기에 만든 제대로 된 아우레우스를 내고, 또 누구는 금보다 이물질이 더 들어 있는 아우레우스를 내는 일도 왕왕 벌어졌습니다. 이건 안 받는다고 하면 "네, 알겠습니다." 할 사람이 누가 있겠습니까. "5아우레우스 맞잖아요!" 하면서 뻗대면 이걸 받을 수도 없고, 안 받을 수도 없는 그야말로 진퇴양난의 상태에 빠져들 수밖에 없었던 것이죠.

참고로 13세기 정도까지도 화폐에는 옐로머니 · 화이트머니 · 블랙머니 세 종류가 있었다고 합니다. 옐로머니는 금화, 화이트머니는 은화인데 블랙머니는 겉은 은화이면서도 벗기면 흙 같은 물질이 드러나는 엉터리 주화였습니다. 로마 제국 말미에 만든 주화가 13세기까지 돌아다녔을 정도니 5~7세기 사이에 주화로 인해 벌어졌던 문제가 얼마나 심각한 상황인지는 이루 말할 수가 없겠지요.

새로운 화폐 체계의 등장

이런 상태가 한동안 계속되다가 8세기 중반에 프랑크 왕국의 위대한 재상이었던, 소 피핀Pippin der Jüngere이라는 별칭으로 불린 인물이 화폐 개혁을 단행합니다. 여기엔 또 그 나름대로 중요한 이유가 있습니다. 서로마 지역의 혼란 상태를 틈타 비잔틴 제국에서 발행한 주화가 계속 침투해 들어오고 있었던 겁니다. 동로마 제국에서 발행한 주화를 세금으로 받을 수는 없으니 서로마 지역을 장악하고 서로마 제국을 재건하려던 프랑크 왕국은 어떻게든 이 문제를 해결해야만 했습니다.

피핀을 중심으로 만든 독자적인 화폐 체계는 데나리우스와 솔리두스를 기본으로 삼되, 금이 아니라 은의 가치를 고정하는 방식이었습니다. 그래서 솔리두스가 로마 시대에는 금화를 지칭하는 표현이었지만 신성 로마 제국과 프랑크 왕국 때는 은 중량을 일컫는 단위가 되었습니다.

대략적인 체계는 이렇습니다. 가장 기본적인 단위는 '솔리두스'입니다. 이에 해당하는 화폐 이름이 영어의 '실링'과 불어의 '수'입니다. 1솔리두스를 12쪽 낸 것은 '데나리우스'입니다. 영어로는 '페니', 불어로는 '드니에'입니다. 20솔리두스는 1리브라로 놓았습니다. 리브라는 영어로 가면 파운드, 프랑스로 가면 리브르가 됩니다. 이게 오늘날 우리가 알고 있는 1파운드 20실링 12페니 시스템이죠. 기원후 755년에 만들어진, 아니 그 몇백 년 전 고대 로마까지 거슬러 올라갈 수 있는 이 화폐 체계가 제2차 세계대전 때까지 유럽 대륙을 지배한 여러 계산화폐 시스템의 모태였습니다. 무려 2000년 가까이 그 시스템을 거의 그대로 유지해 온 셈이니, 대단하다면 대단하다고 할 수 있겠습니다.

그러면 피핀이나 그 뒤를 이은 카를 대제가 리브라도 주조하고, 솔리두스도 주조하고, 데나리우스도 주조했을까요? 그러지는 않았습니다. 주조한 화폐, 즉 주화는 가장 작은 단위인 데나리우스뿐이었고, 솔리두

프랑크 왕국	영어	불어
데나리우스Denarius	페니Penny	드니에Denier
솔리두스solidus	실링Shilling	수Sou
리브라Libra	파운드Pound	리브르Livre

국가	단위
프랑크 왕국	12데나리우스 = 1솔리두스, 20 솔리두스 = 1리브라
영국	12페니 = 1실링, 20실링 = 1파운드
프랑스	12드니에 = 1수, 20수=1리브르

스와 리브라는 순수하게 계산 단위로만 존재했습니다. 당시 프랑크 왕
국은 솔리두스나 리브라 정도 가치를 지닌 주화를 주조할 만큼의 은이
없었습니다. 그래서 데나리우스만 주조해서 뿌린 다음 "12데나리우스
를 가져오면 1솔리두스의 세금을 낸 것으로 인정해 주겠다. 240데나리
우스를 가져오면 1리브라의 세금을 낸 것으로 인정해 주겠다." 이런 식
으로 시스템을 운영했습니다. 귀금속의 양이 부족한 상태에서 동로마
제국과는 구별되는 조세 시스템을 구축해야만 했고, 어쩌면 금과 은의
씨가 마른 상태에서 할 수 있는 최선의 선택이었습니다.

이 체계는 그대로 이어져 '파운드'라는 화폐도 그랬습니다. 파운드는
1945년까지 한 번도 주조된 적이 없습니다. 1945년 이후, 영국은 십이
진법이던 화폐 체계를 십진법 체계로 개편하면서 미국의 달러 체계와
비슷해졌지만, 이전에는 8세기에 카를 대제가 만들어 놓은 방식을 거
의 그대로 따랐습니다. 영국도 로마인들이 물러간 이후 앵글로 색슨의
침입으로 대혼란 상태였습니다만, 머시아Mercia 왕국의 왕으로서 얼추
앵글로 색슨 왕국들 거의 모두 위에 군림했던 왕 오파Offa가 방금 말씀
드린 프랑크 왕국의 계산화폐를 들여왔고, 이것이 영국에서 파운드 계

산화폐 체제의 기원이 됩니다. 사실 파운드는 무게 단위를 말하는 것이고, 화폐로서 1파운드라고 할 때의 정식 명칭은 파운드 스털링인데 이 단위는 은 1파운드 무게를 뜻합니다. 따라서 1파운드 스털링(화폐 단위)은 1파운드(무게 단위) 은 가치에 해당합니다.

하지만 1파운드 가치에 해당하는 주화는 여러 번 주조되었습니다. 한 예로 영국이 아프리카 서쪽에 있는 황금 해안Golden Coast과 기니 왕국을 발견(어디까지나 영국인들의 관점입니다.)한 걸 계기로 17세기에 찍어 낸 기니 금화가 있습니다. 이 금화의 가치가 1파운드 1실링, 즉 21실링이었습니다. 좀 이상하죠? 왜 하필이면 21실링이었을까요? 당시 말 한 마리 가격이 21실링이었다고 합니다. 21실링에 여러 마리를 거래하다 보면 계산이 복잡해지겠죠. 이런 경우를 대비해 계산을 간편하게 하기 위해 아예 한 단위인 화폐를 만들어 버린 것이죠. 즉 기니라는 화폐를 말 한 마리 가격과 연동한 겁니다. 이를 기념하기 위해 19세기 초에는 기니 레이스라는 것도 열었다고 합니다. 일종의 경마 대회인데요, 1등을 한 사람은 2,000기니를 받았습니다. 이 또한 말 2,000마리를 살 수 있는 상징적인 숫자죠. 소버린이라는 금화도 있습니다. 영국 왕이 직접 찍어 낸 금화였는데, 군주나 국왕이라는 뜻의 영어 단어 소버린sovereign을 그대로 가져온 것입니다. 소버린 금화의 가치는 정확하게 1파운드였다고 합니다. 영국은 이외에도 은화인 크라운이나 플로린을 비롯해 다양한 주화들을 주조했습니다.

파운드는 세금을 걷을 때 혹은 상거래에서 쓰는 계산 단위로 사용했습니다. 이를테면 5파운드 5실링을 세금으로 내야 한다면 105실링을 내든, 10크라운과 2기니와 13실링을 내든 혹은 다른 물건으로 내든 상관없는 방식이었습니다. 그래서 영국 역사상 이런저런 주화는 많이 있었지만 파운드는 주조된 적이 없었고, 바로 이런 점 때문에 이탈리아 중앙은행장을 지냈던 루이지 에이나우디Luigi Einaudi는 파운드를 '상상 속에서만 존재하는 화폐Imaginary Money'라고 부르기도 했습니다.[49] 여러모로 복잡하죠? 하지만 이런 사정을 모르면 중세와 근대 초의 화폐 경제 관련 문헌을 이해하는 데에 심한 곤란을 겪게 됩니다. 게다가 이게 끝이 아닙니다. 우리를 더 골치 아프게 하는 일이 또 벌어집니다.

주화의 난립으로 인한 대혼란 상태

농담을 섞어서 이야기하자면, 지금부터 말씀드릴 중세와 근대 초기 유럽은 주화가 '주화입마'에 빠진 상태라고 할 수 있습니다. 피핀과 카를 대제가 만든 독특한 화폐 시스템은 유럽 전역으로 퍼져 나갔는데 영국처럼 그대로 받아들인 나라도 있는 반면, 계산화폐 시스템을 자기 입맛대로 조금씩 바꾸는 나라도 있었습니다. 그러다 보니 어느 순간부터 지역마다, 왕마다 사용하는 계산화폐 시스템의 비율이 미묘하게 달라졌습니다. 이게 결국은 '계산화폐 시스템을 정한 군주가 얼마나 넓은 땅을 차지하고 있고, 어느 정도의 힘을 발휘하고 있느냐' 하는 문제와 직결되었습니다. 지금까지 말한 계산화폐 시스템은 기본적으로 조세 시스템입니다. 군주별로 자기가 유리한 대로 조금씩 시스템을 바꾸면서 데나리우스 화폐를 12개 가져왔을 때 1실링으로 인정하는 나라가 있고, 13개를 가져왔을 때 1실링으로 인정하는 나라가 있었습니다.

---

49 L. Einaudi, The Theory of Imaginary Money from Charlemagne to the French Revolution, in F. C. Lane et. al. ed, Enterprise and Secular Change Allen and Unwin, 1953.

유럽에서 각자 저마다의 계산화폐 시스템을 사용하는 정치 단위는 한둘이 아니었습니다. 여러 작은 나라들이 각기 다른 시스템을 가지게 된 것인데, 여기서 끝이 아닙니다. 이 군주들은 저마다 원하는 대로 주화를 발행했는데요, 한창일 때는 유럽 전체에서 통용되는 지불화폐가 무려 1,000개에 달했다고 합니다. 마치 오늘날의 가상화폐와 비슷하지 않나요? 소위 메이저라 불리는 비트코인·이더리움·리플 같은 코인 외에도 질리카·트론·메타디움·왁스·스팀 등등 온갖 종류가 난립하고 있고, 심지어 여기에 돈을 쏟아붓는 사람도 뭐가 뭔지 모르는 경우가 대부분이잖아요. 가상화폐야 대부분 투자 개념으로 접근하니 몰라도 그만이지만, 중세나 근대 초기의 지불화폐는 실제 거래에 중요하게 쓰였으니 통용 가치가 얼마인지 모른다면 뒤죽박죽이 될 수밖에 없을 것입니다. 실제로도 중세 유럽 화폐 상황은 그야말로 아수라장이었습니다.

그래서 유럽에 있는 장사꾼들이 거래를 하려면 우선 가격이나 부채를 어느 나라의 계산화폐로 산정할 건지 합의해야 했습니다. 이를테면 영국 상인과 프랑스 상인이 계약을 맺으려면 영국의 '파운드·실링·페니' 시스템으로 계산할 것인지, 프랑스의 투르 지역에서 사용되는 '리브르 투르Livre Tournois' 시스템으로 할 것인지부터 먼저 정해야 했던 거죠. 그러다 어찌어찌해서 영국 시스템에 입각하여 3파운드 5실링 8펜스를 지불해야 할 가격으로 합의했다고 치겠습니다. 다음엔 3파운드 5실링 8펜스에 해당하는 금액을 어떤 나라에서 발행한 어떤 주화로 계산할지를 또 정해야 했습니다. 베네치아에서 발행한 두카트ducat 주화로 얼마, 오스트리아의 탈러thaler 은화로 얼마, 스페인에서 발행한 무슨 금화로 또 얼마…, 이런 식으로 금액을 맞춰야 했습니다. 이러다 서로 이 주화는 받겠네, 안 받겠네 하면서 실랑이가 벌어졌던 것은 물론이고, 그 외에도 발생한 문제가 한두 가지가 아니었습니다. 당시 기록을 보면 이렇게 구성한 일종의 주화 포트폴리오만 해도 그 목록이 어마어마했고요. 주화 이름이 쭉 나오기 시작하면 각각의 주화 가치가 얼마로 고정되어 있는지도 찾아봐야 했는데, 동일한 주화라 해도 계산화폐 시스템마다 가치가 다르게 되어 있으니 골머리를 앓습니다. 이렇게 계산화폐와 지불화폐가 완전히 분리된 상태가 중세와 근대 초기였습니다. 사실 이때의 혼란과 각 나라의 구체적인 화폐 시스템에 대해 설명하려면 정말 한도 끝도 없습니다. 영국의 중요한 주화 몇 개만 이야기해도 파딩·플로린·소버린 등등이 있고, 여기에 또 각각의 화폐가 나오게 된 그 나름의 이유가 있고, 중간에 가치가 계속 변하고, 그에 따른 또 다른 사건이 벌어지고 등등 이야기가 끝이 없습니다. 유럽의 다른 나라들까지 다루면 그것만으로 책 몇 권 분량은 될 겁니다.

그런 이야기는 생략하도록 하고, 이 혼란이 어떻게 수습되기 시작했는지에 대해서 간략하게 짚고 넘어가는 것으로 주화에 관한 내용을 마무리하겠습니다.

9

혼란을
수습하다

화폐 체계의 혼란을 수습하는 데 중요한 단초를 제공한 것은 영국의 튜더 왕조입니다. 튜더 왕조는 15세기 후반부터 17세기 초반까지 영국을 지배하던 왕조로, 절대 군주제의 최전성기를 이루며 영국이 대영제국으로 발전하는 데 탄탄한 토대를 마련했습니다. 이 왕조 왕들은 주화를 통합해야 한다는 필요성을 절실히 느꼈습니다.

여기서 그레셤의 법칙이라 불리는 "악화가 양화를 구축한다."라는 유명한 말이 나오게 되었습니다. 이때만 해도 시중에서 지불 수단으로 쓰이는 여러 주화는 귀금속이 많이 들어가 있는 것과 적게 들어가 있는 게 혼재했습니다. 사람들은 당연히 귀금속이 많이 함유된 주화는 숨겨 놓거나 녹여서 금만 따로 저장하고, 지불 수단으로는 귀금속이 별로 안 들어간 주화를 사용했지요.

토머스 그레셤Thomas Gresham이 바로 이 시대의 경제학자였습니다. 그레셤 같은 학자와 튜더 왕가는 나쁜 주화, 즉 악화를 주조했을 때 어떤 일이 벌어지는지 누구보다 잘 알고 있었습니다. 이를테면 영국은 해전과 무역 등으로 다른 나라를 상대로 대외 결제를 할 일이 많았는데요, 이 때 귀금속 보유량이 적으면 당연히 타격을 입을 수밖에 없었죠. 이 악순환을 막으려면 사람들이 세금을 낼 적에 악화를 내지 않도록 하는 것이 중요했습니다. 이를 위해 가장 중요한 것이 주화를 통합하는 일이었습니다. 주화 통합 작업이 성공적으로 이뤄지기 위해서는 주화를 주조할 때 그 안에 들어가는 귀금속 함유량을 계산화폐 시스템상으로 약속된 것과 최대한 일치시켜 사람들의 신뢰를 얻어야만 했습니다. 그래서 사실 기록상으로 보면 그레셤의 법칙은 "악화가 양화를 구축한다.Bad money drives out good money."보다는 "좋은 돈과 나쁜 돈은 같이 유통될 수가 없다.Good and bad coin cannot circulate together."에 좀 더 가깝다고 하죠.

이렇게 주화에 들어가는 귀금속의 비율을 일정하게 만들어 지불 시스템을 안정적으로 유지하는 한편, 합리적인 금과 은의 교환 비율을 정하기 위해서도 많은 노력을 기울였습니다. 영국이 금과 은을 함께 본위로 쓰는 복본위제를 시행하고 있는 만큼 이 비율을 제대로 정하지 않으면 계산화폐 시스템에서 문제가 발생할 수 있었기 때문입니다. 이런 과정을 통해 사람들 사이에서 서서히 16세기 이후 영국에서 주조된 소버린 같은 화폐는 믿을 만하다는 인식이 생겼습니다. 주화의 혼란이 파도치는 상태에서 일종의 닻 역할을 하고, 여러 상인들이 거점으로 삼는 주화들이 떠오르기 시작한 것이죠.

참고로 만유인력의 법칙을 발견한 사람으로 유명한 아이작 뉴턴Isaac Newton이 영국 조폐청 청장이라는 중책을 맡기도 했습니다만, 뉴턴이 금을 너무 높게 평가해서 금과 은의 비율을 망가뜨리는 실수를 합니다. 영국 왕실이 그를 등용한 것은 뛰어난 인재를 활용해 주화 가치를 어떻게든 안정적으로 유지하려고 했던 것입니다만, 사실상 실패로 돌아갔다고 봐야 합니다. 이 일을 통해 당시 영국 왕실의 긴박한 사정을 엿볼 수 있습니다. 그렇게 16세기 중상주의로 들어갈 무렵부터 무질서 상태가 서서히 자리를 잡았고요. 이후 신용을 바탕으로 거래가 이루어지는 시스템과 공적 은행 시스템이 발달하면서 각 나라들은 금융혁명의 필요성을 느끼게 되었고 서서히 자본주의적 화폐의 출현으로 나아가게 됩니다.

지금까지 주화의 발전 과정에 대해서 알아보았는데요, 전반적인 주화의 탄생과 발달 과정을 잘 기억해 두기 바랍니다. 정리를 위해 요약해 보겠습니다.

> 인명금 제도 등을 통한 보편적인 등가 체계의 형성 → 신전 경제에서 회계 필요성에 따른 계산화폐 출현 → 재분배 제국이 사라지고 시장 교역과 용병제 등의 발달에 따른 주화 발생 → 아테네 민주정하에서의 주화 발전 → 알렉산더 대왕 시절과 로마 제국 시대를 거치면서 지중해 세계에 주화와 시장이 더욱 발전 → 로마 제국의 멸망으로 주화와 시장이 쇠퇴 → 새로운 질서가 자리 잡히기 전까지 주화 생태계 대혼란 상태 → 16세기 영국의 튜더 왕조를 필두로 한 안정기

이 부분을 끝맺기 전에 꼭 강조하고 싶은 바가 있습니다. 자본주의의 '전목적적 화폐'가 나타나기 이전의 '전 화폐'들은 계산 수단 · 지불 수단 · 교환 수단 · 저장 수단 등 화폐의 네 가지 기능 중에서 일부 기능만을 수행하는 부분적인 화폐들이었다는 사실입니다. 또 그 각각의 기능과 성격은 자본주의 이전의 고대 및 중세 경제 체제라는 사회적 관계 안에 묻어 들어 있는, '내장형embedded' 화폐였다는 것입니다.

상인들은 자신들이 사용하던 환어음을 세금으로 낼 수 없었습니다.

파운드라는 주화 역시 어디에도 없었습니다. 각각의 화폐는 그것이 사용되는 구체적인 사회적 맥락과 관계의 일부였고, 그 맥락과 관계는 보다 더 큰 전체 경제 시스템 속에서 권력·종교·사회 제도 등의 일부를 구성하고 있었습니다. 오늘날 우리가 보는 바처럼 '온 세상을 지배하고 모든 개인의 일거수일투족을 규정하는 최고 권력'으로서의 화폐가 아니었다는 점입니다. 이런 여러 화폐들이 모여 자본주의적 화폐로 발전합니다.[50] 이 과정이야말로 근대·현대 자본주의를 이해하는 가장 중요한 열쇠라고 해도 과언이 아닙니다.

---

50 지금까지의 과정을 배경으로 생겨나고 진화해 온 여러 화폐가 자본주의적 화폐로 발전하는 과정은 PART4. 「신용과 은행」편에서 구체적으로 살펴보겠습니다.

BRIDGE

막스 베버를 통해
알아보는 자본주의

1

고대 자본주의와
근대 자본주의

고대와 중세에 이어 근대로 넘어가기 전에 두 시대를 잇는 일종의 다리 차원에서 고대 자본주의와 근대 자본주의의 차이와 특징, 근대 자본주의가 생겨나게 된 원인이나 배경 등에 대해 개괄적으로 파악하고 넘어가도록 하겠습니다. 여기서 나오는 몇 가지 개념들은 Part 5. 「근대국가의 형성」편에서 자세히 다루도록 하겠지만, 그 전에 이번 장을 통해 대략적으로 밑그림을 그린다고 생각하면 되겠습니다.

이번 장에서는 앞에서도 여러 차례 등장했던 사회학자인 막스 베버의 자본주의 정신과 프로테스탄트의 윤리를 중심으로 이야기를 전개해 볼까 합니다. 이 개념은 근대 자본주의 정신을 이해할 수 있는 아주 중요한 단초이기도 하고, 고대 자본주의와 근대 자본주의의 차이에 대해서 파악할 수 있는 소재이기도 합니다. 참고로 프로테스탄트란 16세기 로마 가톨릭에서 떨어져 나와 성립된 다양한 종교 단체 또는 그 분파를 통틀어 이르는 말로 개신교 정도로 이해하면 적당합니다.

1905년 베버가 쓴 너무나 유명한 『프로테스탄트 윤리와 자본주의 정신『The Protestant Ethic and the Spirit of Capitalism』이라는 책이 있습니다. 그런데 이 책만큼 내용이 잘못 알려져 있고, 많은 오해를 받는 저작도 드물 겁니다.[51] 사람들이 보통 알고 있는 바는 이렇습니다.

"마르크스주의자들이나 공산주의자들이 자본주의는 굉장히 나쁜 것이고, 자본주의로 인해 탐욕스러운 자본가들이 불쌍한 노동자들을 착취해서 불평등한 세계를 만든다고 비난을 퍼부었다. 그런 와중에 강력한 자본주의 수호자인 막스 베버가 등장해 마르크스주의자들이나 공산주의자들의 주장에 반대 논리를 펼치기 위해 쓴 책이 바로『프로테스탄트 윤리와 자본주의 정신』이다. 이 책의 내용을 요약하면, '자본주의는 개미처럼 열심히 일하지만 아주 금욕적이고 또 욕심도 없어 돈 쓸 데가 없는 개신교도들로부터 시작되었다. 이들을 통해 자본과 자본 축적이라는 개념이 생겨났다. 따라서 탐욕이나 착취와는 관련이 없다.'는 것이다"

자본주의는 자본가들의 탐욕이나 착취 같은 부도덕이 아니라, 아주 근면성실하고 근검절약할 뿐만 아니라 미래까지 내다볼 줄 아는 개신교도들이 만든 좋은 제도가 그 기초라는 것이죠. 지금은 어떤지 모르겠지만 예전에 고등학교에서 가르치던 방식입니다. 다시 말씀드리지만, 이것은 막스 베버라는 인물은 물론『프로테스탄트 윤리와 자본주의 정

---

[51] 이런 오해의 발단은 베버의 가까운 친구이자 경쟁자였던 경제사학자 베르너 좀바르트입니다. 그는 자본주의 '정신'의 기원이 유태인들의 '금전욕과 돈 계산'이라는 주장을 내세우는가 하면 나치의 이데올로그 역할을 하기도 했습니다. 때로는 베버의 생각을 자기식으로 곡해하여 '허수아비 때리기 오류'를 저지른 측면도 있습니다. 그 이후 베버의 이 저작은 숱한 오해에 휩싸이게 됩니다.

신』이라는 책을 완전히 잘못 알고 있는 겁니다.

베버는 자본주의를 미화하거나 도덕적으로 정당화하기 위한 주장을 폈던 것이 아닙니다. 또한 '가치자유Wertfrei'를 외쳤던 베버의 의도와 거리가 멀어도 한참 멉니다. 사회과학자는 이념적인 것과 아닌 것을 구별해 자본주의든 사회주의든 공산주의든 그 자체를 과학적으로 연구해야 한다는 것이 그의 입장입니다. 그런 과정을 통해 다양한 이론들이 어떻게 생겨났고 어떻게 발전했으며 또 지금의 삶과는 어떻게 연결 지을 수 있는지를 고민하는 것이 '사회과학'이 해야 할 일이라는 것이지요.

『프로테스탄트 윤리와 자본주의 정신』은 이러한 방법론을 전제로 근대 자본주의라는 역사상 전례가 없는 '독특한 태도'를 어떻게 이해할지 추론하기 위한 '이해사회학'에 관한 저작입니다. 막스 베버의 말을 제대로 알기 위해서는 첫 번째로 고대 자본주의와 근대 자본주의의 전반적인 흐름에 대한 배경 지식이 있어야 하고, 두 번째로 그가 던지는 질문을 이해해야 합니다. 베버의 질문 자체를 파악하려 하지 않으니 그가 하고 싶은 말이 무엇인지도 모른 채 그저 "베버는 자본주의를 옹호했다"는 식으로 오해하게 되는 것입니다.

고대 자본주의의 특징

당시의 배경을 설명하기 위해 저는 '돈독'이라는 단어에서 출발해 볼까 합니다. 과연 돈독이 오른 사람이 합리적일 수 있을까요? 아마 아닐 겁니다. 돈독이라는 말 자체가 제정신이 아니라는 뜻을 함의하고 있지요. "돈독이 올라 눈에 뵈는 게 없다."는 말은 그런 맥락에서 나온 것이기도 하고요. 돈독이 올랐다는 건 비합리성과 연결됩니다. 그런데 베버가 보기에 근대 자본주의의 특징은 돈독이 올랐음에도 불구하고 지극히 합리적인 방식으로 그 돈독을 충족하고 있으며, 이는 지금까지 없었던 새로운 관점이자 역사상 유례를 찾을 수 없는 태도라는 겁니다.

생각해 보면 좀 이상하죠. 돈독 추구와 합리성 지향이라는 이 양립할 수 없는 두 태도를 결합하는 것이 과연 가능한 일일까요? 그런데 근대 자본주의는 바로 이러한 불가능에 가까운 정신적 태도를 인간의 당연한 본성인 것처럼 전제하고 있지 않습니까?

일단 베버는 직관적인 자본주의의 정의, 즉 화폐의 형태로 계속 이윤을 얻어 스스로를 불려 나가는 화폐를 자본으로 보는 한편, 자본을 축적하는 활동이나 제도를 자본주의라고 정의하면서 자신의 논지를 펼쳐 나갑니다. 이런 관점에서 보면 자본주의가 근대에만 있었던 것도 또 서양에만 있었던 것도 아닙니다. 돈을 계속 불려 나가려는 사람들과 마음은 어디에나 있습니다. 사마천의 『사기』에 「화식열전貨殖列傳」이 있습니다. '돈[貨]'을 불려 나가는[殖]' 사람들에 대한 이야기입니다. 자본주의를 쉽게 말해 '한 푼이라도 더 버는 것'이라고 본다면, 이런 자본주의적 태도는 동서고금 어디에나 존재했다고 할 수 있습니다. 베버가 인용했던 네덜란드 상선 선장의 말도 들어 보시죠.

"한 푼이라도 더 벌 수 있다면, 내 배 돛이 다 타들어 가는 한이 있더라도 지옥까지 가겠다."

결연한 의지(?)가 돋보입니다만 이런 것은 자본주의의 특징이라고 할 수도 없고 합리적이라고 볼 수도 없습니다. 아무리 돈을 벌고 싶어도, 돛이 타들어 가더라도 지옥까지 가겠다는 사람을 제정신이라고 할 수는 없을 테니까요. 그야말로 '돈독'입니다. 동시대인들은 이들을 '특이한 사람'으로 여겼고 심지어 혐오하기도 했습니다.

실제 고대나 중세 자본주의의 전형적 형태를 보면 첫 번째는 고리대고, 두 번째는 원정 무역, 세 번째는 전쟁 투자였습니다. 고리대는 설명할 필요가 없을 듯싶으니 생략하기로 하고 원정 무역을 살펴보겠습니다. 당시의 원정 무역은 몹시 모험적인 활동이라고 할 수 있습니다. 이를테면 로마 시대에도 무역을 맡아보는 연합체가 법적으로 인정을 받았습니다. 특히 소키에타스société는 오늘날로 치면 '합작회사'의 원형이라고 볼 수 있습니다. 몇 사람이 돈을 합쳐 동업 형태로 운영했던 거죠. 하지만 이러한 원정 무역은 큰 수익과 동시에 큰 위험을 안고 있습니다. 배를 멀리 보내 물건을 싸게 사 와서 크게 한몫 당기면 대박이지만, 만일 실패하면 쫄딱 망하는 형태였습니다. 그러니 많은 부분을 운수運數에 맡겨야 했으며, 배들의 운수運輸 조직도 따로 있어 운영에 어려움을 겪기도 했습니다.

가장 비합리적인 행태는 전쟁 투자였습니다. 왕이 전쟁을 벌이려면 돈도 들고 여러 자원도 필요합니다. 이때 왕에게 돈을 빌려주는데요, 만약 왕이 전쟁에서 이기면 굉장한 수익이 발생하겠죠. 상대 나라로부터 꽤 넓은 영토를 빼앗을 수도 있을 테고, 전리품으로 가져온 금은보화도 왕궁에 가득 쌓일 겁니다. 덩달아 큰 이익을 얻을 수 있을 테지요. 그런데 전쟁이라는 것이 어디 이기기만 하겠습니까. 만일 지게 되면 완전히 파산하거나 여차하면 목숨도 위험해질 수 있습니다. 또 한편으로 심각한 문제가 있는데 만약 왕이 전쟁에서 이겨 놓고도 돈을 안 갚으면 그때는 어떻게 하겠습니까. 그냥 망하는 겁니다.

실제 있었던 일화를 하나 말씀드리자면 16세기 유럽에서 가장 강력한 군주는 카를 5세였습니다. 합스부르크 왕가 출신으로 신성 로마 제국 황제였던 카를 5세의 꿈은 유럽 통일이었습니다. 유럽을 땅 따 먹기 하느라 엄청난 전쟁을 해 댔고, 당연히 그만한 자금이 필요했죠. 그 자금을 댄 금융업자가 독일 남부 지방에 기반을 둔 푸거 가문이었습니다. 특히 이 집안의 안톤 푸거Anton Fugger라는 사람이 어마어마한 자금을 댔고, 실제로 카를 5세 시절에는 많은 돈을 벌었습니다. 16세기 유럽은 푸거가의 시대라고 볼 수 있을 정도였으니까요. 시간이 흐르면서 카를 5세가 죽고 다음으로 왕위에 오른 인물이 펠리페 2세였는데요, 이 왕은 1588년 잉글랜드와 대서양의 패권을 놓고서 무적함대라 불리는 스페인 해군을 보내 도버해협에 있는 칼레에서 일전을 벌였지만 패배하고 맙니다. 이런 식으로 유럽 패권을 놓고서 무리하게 전쟁을 일으켰던 펠리페 2세는 결국 지나친 군비를 감당하지 못하고 연거푸 지불 정지를 선언합니다. 요즘 말로 하면 모라토리엄, 전문 용어로는 '배째라 정신' 이었죠. 당연히 푸거 가문은 몹시 억울했을 겁니다. 그런데 어쩌겠어요. 고작 일개 가문에서 무시무시한 펠리페 2세의 배를 쨀 방법은 없었습니다. 이때를 기점으로 합스부르크가의 힘은 점점 내리막길을 걷고, 푸거 가문의 명운도 서서히 내리막으로 접어듭니다.[52]

이런 형태가 대표적인 고대와 중세 자본주의였습니다. 미래가 극히 불확실해서 합리적으로 예측할 수 없고 조직할 수도 없는 종류의 일들 이었습니다. 돈독이 오른 사람들이 흔히 노름판 같은 곳에서 '못 먹어도 고!'라고 외치는 것과 별반 다를 것이 없죠. 훗날 케인스가 투자가들 (혹은 투기꾼들, 케인스는 차이가 없다고 보았습니다.)의 전형적인 심리를 묘사한 용어로 유명한 '야수본색animal spirit'도 사실 이러한 '돈독'의 한

---

52 다음을 참조하세요. Richard Ehrenberg, Capital & Finance in the Age of the Renaissance: A Study of the Fuggers and Their Connections, Allen and Unwin, 1928.

형태입니다.[53]

근대 자본주의에서 발생한 합리성

시간이 지나 근대로 들어오면 이전과는 전혀 다른 자본주의 형태가 등
장합니다. 이른바 합리적 자본주의라고 불리는데요, 사실 요즘엔 '합
리적'이라는 말이 너무 남용되어 이성적인 것, 상식적인 것, 정의로운
것, 공리적인 것 등등 온갖 좋은 뜻을 다 포함하는 말이 되어 버렸지
만 정확한 뜻은 그렇게 단순하지 않습니다. 합리적이라는 건 영어로는
rational이고, 이 말의 어원은 라틴어로 '세다[計]'라는 뜻인 ratio에서
나왔습니다. 즉 '합리적'이라는 말의 가장 기본적인 뜻은 '계산적인'에
가깝습니다. 그러니 합리적이라는 건 계산할 수 있고 설명할 수 있고
예측할 수 있는 방식으로 진행되는 것을 의미합니다.

근대에 들어오면서 이러한 '계산적 합리성'으로 무장한 상인들과 금
융가들이 나타나기 시작하며, 이에 유례가 없는 성격의 '근대 자본주
의'가 출현하게 됩니다. 이들은 예전처럼 돈독이 올라서 어디 한 방 터
뜨릴 만한 것은 없는지 기웃거리거나 못 먹어도 고를 외치는 사람들이
아닙니다. 이 사람들은 철저하게 장부에 의존한 사고방식에 따라 행동
합니다. 이를테면 '복식부기' 같은 것을 생각해 보죠. 복식부기는 차변

---

53 케인스는 대부분의 경제학자들과 달리 투기꾼은 물론 투자가도 합리적인 존재로 보지 않았습니다. 심리학
에 조예가 깊었던 케인스는 이들을 '돈독love of money'이라는 비합리적 태도에 지배당하는 일종의 조울증
환자에 가깝다고 보았습니다. 이 '투자의 비합리성'이 그의 자본주의 분석과 비판 그리고 그가 말하는 '자유
주의적 사회주의liberal socialism'에 중요한 기초를 제공합니다. 그래서 이 용어를 '야수본색'이라고 옮기는
것은 너무 점잖은 번역이라고 생각합니다.

과 대변을 통해 내가 지금 얼마나 손해를 보고 있고, 얼마나 이익을 보고 있으며, 현재 내 자산의 크기가 어느 정도인지를 언제든 한눈에 파악할 수 있는 정교한 회계 방식입니다. 그전에 쓰던 것처럼 단순한 금전 출납부가 아니었어요. 괜찮은 사업 아이템이 있어도 무작정 '올인'하는 게 아니라 이 사업의 현재 가치는 얼마이고, 위험은 어느 정도이며, 앞으로 가져올 수 있는 수익은 어떠한지, 그 흐름은 계속 유지가 될 것인지 등을 자기들 나름의 정교한 계산식을 굴려 투자의 액수와 방식을 정하는 사람들이 등장한 것입니다.

초두에 말씀드린 것처럼 근대 자본가들 역시 돈독이 오른 건 틀림없습니다. 이 부분에 있어서는 근대 자본가가 고대 자본가나 중세 자본가와 다르지 않습니다. 다만 이들은 장부와 금리를 이용해 철저히 계산하고 또 계산해서 움직였습니다. 여기서 끝이 아닙니다. 이렇게 계산한 다음에 자신들이 예측한 대로 일이 굴러갈 수 있도록 엄청난 장치들을 마련합니다. 우선 노동자들을 철저히 교육하고 훈련했습니다. 또 원하는 대로 국가 정책을 좌지우지할 수 있게 정치에 개입합니다. 의회 제도와 국가 제도를 아예 몽땅 바꾸어 버립니다. 게다가 법 제도까지 뿌리부터 손봅니다. 사회 흐름이 어떤 결과를 낳을지 '합리적으로' 예측하기 위한 가장 중요한 장치는 바로 법입니다. 물론 이때의 법은 예측 가능성을 전제로 하는데요, 옛날에 판사 역할을 한 사람은 영주나 왕이었습니다. 이 지배자들이 어떤 사안에 대해 제멋대로 판단하고 기분에 따라 달리 결정하면 미래가 예측이 되겠습니까. 그렇다고 해서 관습법 customary law 에만 의존하게 되면 옴짝달싹 못 하게 될 뿐 아니라 크고 혁신적인 사업 역시 불가능해지겠죠. 근대 자본가들은 미래를 좀 더 정확하게 예측하는 동시에 자신들에게 큰 이윤을 가져다줄 아주 혁신적인 사업이 가능한 법 제도가 필요했습니다. 설령 그것이 다른 계층에서 보기에 아주 황당한 것이더라도 말이죠. 여기에서 근대적인 법체계가 나오게 됩니다.

결론적으로 이들은 생산 조직의 경영 방식, 금융 제도, 각종 상법, 국가 의회 제도와 행정, 사법과 법률, 노동자들에 대한 노동 기율 등 6개 항목을 모조리 합리적인 방식, 그러니까 예측하고 계산할 수 있는 방식으로 바꾸는 작업에 착수했고, 이렇게 해서 근대 자본주의가 출현했다는 것까지가 베버의 다른 저작인 『일반경제사』 결론에 해당하는 부분의 논지입니다. 이러한 베버의 논의를 전제로 해야 『프로테스탄트 윤리와 자본주의 정신』에 대해서도 이해할 수가 있습니다.

베버가 『프로테스탄트 윤리와 자본주의 정신』을 통해 던진 질문은 결국 "어떻게 합리적으로 돈독이 오른 사람들이 나타나게 되었는가?" 하는 것이었습니다. 자본주의라는 것은 기본적으로 돈독이고, 돈독이라는 것은 비합리적일 수밖에 없는데, 근대에 나타난 자본주의는 합리적인 방식으로 돈독을 충족하죠. 베버는 궁극적으로 이런 독특한 정신이 도대체 어떻게 나타나게 되었는지에 대한 답을 구하고 싶었던 것입니다. 그래서 베버는 얼핏 보면 모순적인 두 태도를 결합한 사례가 있었는지를 알아보고자 했습니다. 그걸 통해 근대 자본주의 정신의 특징을 제대로 이해할 수 있을 거라고 생각했기 때문입니다.

2

합리적 자본주의의 시작
칼뱅주의

자본주의의 '정신'과 합리성

앞서 『프로테스탄트 윤리와 자본주의 정신』을 통해 베버가 던진 질문을 이해했으니 이제 그 답을 구해 볼 차례입니다. 그 전에 이 책에서 말하는 '정신'에 대해서 설명을 조금 덧붙이겠습니다. 자본주의 정신에서 베버가 말하는 '정신Geist'은 우리가 생각하는 의미와는 조금 다릅니다. 의도하는 바를 살펴보면 '성령'에 가깝습니다. 교회에 다니는 분들은 '성령의 힘' 같은 말을 종종 들을 텐데요, '자본주의 정신'이라고 할 때의 정신이 바로 이 성령과 비슷한 의미입니다. 즉 19세기 말 독일 학계에서 쓰던 '정신'이란 말의 독특한 맥락을 염두에 두어야 '자본주의 정신'이라는 말의 의미를 이해할 수 있습니다.

조금 다른 이야기지만, 1880년대에 마르크스주의가 선풍적인 인기를 끌었죠. 마르크스주의에서는 자본주의를 생산력의 발전, 즉 산업혁명과 동의어로 사용했습니다. 자본주의는 생산력이 발전해서 대규모 공장이 생겨나고 산업 생산력이 불어나는 방식이라고 보았죠. 베버나 좀바르트 같은 독일 학자들 생각은 좀 달랐습니다. 자본주의의 핵심은 물질적이고 외형적인 생산력이 아니라 끊임없이 합리적으로 돈을 벌겠다고 하는 독특한 정신과 태도에 있다고 보았습니다. 19세기 이후의 독일 역사학파 경제학자들은 인간의 물질적 경제생활과 그 제도도 이러한 '정신'이 현실에 발현된 결과물이라고 보았습니다. 특히 독일과 같은 경우 독일 민족이 품어 온 '민족정신Volkgeist'을 제대로 파악하고 그것이 어떻게 발전해 왔으며, 어디로 갈 것인가를 중심에 놓을 때에만 경제 활동과 제도의 본질을 파악할 수 있다고 생각하는 경향이 있었습니다.[54]

베버에 의하면, 영국이나 미국에서 자본주의가 더 발전하고 경제가 더 성장할 수 있었던 이유는 자본주의 정신이 태동한 곳이고, 자본주의를 향한 정신이 더 깊숙이 박혀 있는 곳이기 때문입니다. 이를 긍정적으로 해석한다면 독일 같은 후발 자본주의 국가들이 빨리 경제를 발전시켜 강력해지기 위해서는 자본주의 정신을 잘 파악해서 그 정신에 합당한 제도를 펼쳐야 한다는 함의를 살필 수도 있지만, 부정적으로 해석한다면 근대 문명은 결국 이 '정신'의 '실질적 합리성'이 사라지고 '형식적 합리성'만 남아 버린 상태에서 암울한 운명으로 가게 될 것이라는 비관적인 생각이 나올 수도 있습니다. 결론이라고 하기는 애매합니다

---

[54] 독일 역사학파 경제학은 관념론적 태도와 추상적 경제 이론에 대해 과도하게 거부감을 표시하는 등 편향성을 띠고 있었을 뿐만 아니라, 베버와 좀바르트 이후로는 뚜렷한 구심점이 되는 학자가 나오지 않았고 일부 학자가 나치에 동조하기도 하는 등 문제성을 보여 제2차 세계대전 이후 경제 사상사에서는 아예 언급되지도 않는 일이 허다합니다. 하지만 여러 문제에도 불구하고, 이들의 연구는 경제사학뿐만 아니라 각종 경제 제도 및 정책 수립에 중대한 영향을 남겼습니다. 이런 내용들을 종합적으로 참고할 만한 문헌은 다음과 같습니다. Shionoya, Yuichi ed. The German Historical School: The Historical and Ethical Approach to Economics, Routledge, 2001.

만 정리를 해 보자면 베버가 말하는 '자본주의 정신'이란 '자본주의를 향한 어떤 영적인 태도' 정도로 이해하는 것이 맞겠습니다.

한 가지 더 알아 두어야 할 것은 합리성에 관한 것입니다. 베버가 말한 자본주의 합리성에 대해 제대로 파악하기 위해 한 가지 예를 들어보겠습니다. 어떤 회사에서 잔업 수당을 2배로 올렸다고 합시다. 여러분 같으면 이렇게 조건이 변화했을 때 일을 더 하겠어요? 또 이런 경우 어떻게 하는 것이 합리적일까요? 우리나라는 노동 시간이 늘어나는 경향을 보인다고 합니다. 일을 예전보다 더 많이 하더라도 추가 수당을 받으려는 사람이 훨씬 많다는 것이죠.

그런데 베버의 저작에는 흥미로운 이야기가 하나 있습니다. 그가 프라이부르크 대학 교수 취임 기념으로 행했던 연설을 보면, 독일 농업 자본가들이 폴란드 지역에 들어간 이야기가 나옵니다. 폴란드는 상대적으로 자본주의 발전이 늦었고, 이때만 해도 전통적인 관습이나 사고방식이 많이 남아 있었습니다. 그래서 그랬는지 자연 훼손이 덜했고, 땅이 비옥해 농장을 경영하기 좋은 조건이었죠. 독일 자본가들이 본격적인 경영을 위해 농장을 사들이고 폴란드 노동자들도 고용했습니다. 얼마 지나지 않아 노동자들의 노동 시간을 늘리기 위해 시간당 임금을 올렸습니다. 어떤 일이 벌어졌을까요? 우리나라처럼 한 푼이라도 더 벌자며 달려들어 일을 더 했을까요? 아닙니다. 오히려 정반대 상황이 펼쳐졌습니다. 더 적은 시간만 일해도 전과 똑같이 벌 수 있게 되니까 사람들이 "그 정도 벌면 됐지. 나머지 시간은 가족과 보내거나 잠이나 더 자자." 이런 반응을 보였다고 합니다.

동일한 방식을 취했는데 전혀 다른 결과가 나왔습니다. 그러면 어떤 게 합리적인가요? 이 관찰 결과에서 두 가지 합리성을 도출할 수 있습니다. 우선은 '가치 합리성Wertrationalität' 혹은 '실질 합리성materielle rationalität'입니다. 옛날 폴란드 노동자들은 '돈과 여가시간 중 어느 쪽이 중요한가?' 이런 질문에 답할 때, '가치'를 따지는 합리성에 입각하여 행동했다고 볼 수 있습니다. 그들 기준에서의 합리성이죠. 반면 오늘날의 우리들은 "가치는 무슨 얼어 죽을 가치?"라고 생각하면서, 혹은 "돈보다 더 중요한 가치가 어디 있어."라고 말하면서 이런 걸 따지는 건 '비합리적'이라고 생각합니다. 그 대신 '돈 벌기'라는 목적에 초점을 맞추고 그것을 달성하는 데에 무엇이 가장 합리적인가를 따집니다. 이는 '목적 합리성Zweckrationalität' 혹은 '형식 합리성formale rationalität'에 해당합니다. 전자는 '추구해야 할 가치가 무엇인가'에 착목하여 전개되는 합리성인 데에 반해 후자는 목적을 달성하기 위한 수단만을 따지는 합리성입니다. 따라서 폴란드 노동자도 우리들도 각자의 기준에서는 모두 합리적입니다. 다만 서로를 보며 '저 사람들은 왜 저러고 사나⋯.' 상대가 비합리적이라고 고개를 내젓겠죠.

베버가 본 자본주의의 합리성은 압도적으로 후자가 지배적이라는 것입니다. 무엇이 더 중요한 것인지에 대해서는 일체 묻지 않고 오로지 '더 많은 이윤'을 추구하는 방법과 수단의 합리성에만 집착하는 태도입니다. '돈독이 오른 상태에서의 합리성'이라는 모순적인 결합은 바로 이러한 종류의 합리성에서만 생겨날 수가 있다는 것입니다.

동서고금을 통틀어 이러한 합리성은 얼마나 독특하고 이해하기 쉽지 않은 것인가요. '묻지도 따지지도 않고' 오로지 돈을 더 버는 방법과 수단의 합리성에만 몰두하는 것이 과연 자연스러운 일일까요? 앞에서 우리가 본 중세의 상인들도 살아 있을 때에는 금전욕이 강했을지 몰라도 결국 죽음이 다가오면 "이게 다 무슨 소용인가. 영혼의 구원이 가장 중

요하다."라는 '가치 합리성'으로 되돌아오지 않았던가요? 그렇다면 '돈
독'의 합리성이 나오게 된 사연은 대체 무엇일까요?

합리적 자본주의의 시작

베버는 이 독특한 정신적 태도와 아주 닮은 사례를 종교개혁가 장 칼
뱅Jean Calvin의 칼뱅주의에서 찾습니다. 칼뱅은 장로교파의 시조라고 할
수 있는 사람인데요, 베버의 말에 따르면, 칼뱅주의의 독특한 구원관과
내세관은 앞에서 말한 근대 자본주의의 합리성과 '선별적 친화성elective
affinity'을 보인다고 합니다. 그러니까 칼뱅주의 교도들의 삶의 방식이 근
간이 되어 자본주의 정신이 생겼다고 단정 짓기보다는 자본주의 합리
성과 친화성이 있는 사고방식을 잘 이해하기 위해 초기 칼뱅주의자들
의 신앙을 살펴보자는 겁니다.

칼뱅주의를 알아보기 위해 우선 기독교 교리를 간단하게 설명하겠습
니다. 성경에 따르면 모든 인간은 아담과 하와가 에덴동산에서 죄를 짓
는 순간 원죄라는 것을 갖게 되었다고 말합니다. 그 대가를 치르기 위
해 인간은 죽으면 지옥에 가게 되어 있었지만, 이 운명으로부터 인류를
구원하기 위해 신의 아들이신 독생자 예수 그리스도께서 그 원죄를 대
신해 돌아가셨습니다. 이다음부터 분파마다 조금씩 주장하는 바가 달
라지는데요, 가톨릭교회에서는 이렇게 예수께서 인간의 죄를 대속하셨
으므로 교회 생활 열심히 하고 교회에서 행하는 의식을 잘 받고 가톨릭
교리를 잘 따르면 천국에 갈 수 있다고 합니다.

종교개혁으로 유명했던 마르틴 루터는 구원이란 외적으로 드러난 교
회 제도나 의식이 아니라 오직 인간 내면의 믿음으로부터 온다고 강조

했습니다. 가톨릭 교리대로 세례나 봉사나 고해성사를 통해 구원받는 게 아니라, 자신의 마음속에 '나는 하나님의 것이고, 예수님의 것이고, 예수님과 나는 하나'라는 분명한 자유와 믿음과 확신을 가질 때 비로소 구원이 온다는 주장입니다. 구원이 결국 외면세계가 아니라 내면세계에 있다는 굉장히 중요한 메시지를 던졌죠.

칼뱅의 교리는 가톨릭이나 루터와는 또 다릅니다. 인간은 워낙 타락했고 완전히 끝장났기 때문에 외면세계든 내면세계든 어떤 믿음이든 다 소용없다고 주장합니다. 누가 천국을 갈지 누가 지옥을 갈지는 이미 신께서 다 예정해 놓으셨고, 우리는 그걸 알 수도 없고, 구원을 바랄 수도 없는 비참한 상태라는 겁니다. 이러한 극단적 예정론이 칼뱅주의의 논리입니다. 하나님의 명부에 내 이름이 없으면 끝입니다. 명부를 미리 확인하거나 내 이름을 살짝 써 넣을 방법은 없을까요? 없습니다. 그렇다면 인간이 할 수 있는 건 뭘까요? 칼뱅은 이렇게 말합니다. "아무것도 없다." 이게 칼뱅주의의 냉엄한 교리입니다. 오로지 하나님의 책에 내 이름이 있기를 바라면서 죽을 때까지 미결수의 상태로 벌벌 떠는 것이 인생의 전부죠. 아찔할 정도로 비관적이고 허무하고 염세적입니다.

이런 교리 차이 때문인지 모르겠지만 칼뱅과 루터는 생활 태도도 백팔십도 달랐는데요, 우선 루터는 음악을 좋아했고 노래와 술을 즐겼습니다. 부인이 맥주 만드는 기술을 가지고 있었다고 하는데 밤마다 천국이었다고 하며, 심지어 "맥주를 먹으면 잠을 많이 자게 되고 따라서 죄도 덜 짓게 되므로 천국으로 가는 데에 도움이 된다."라는 희한한 주장을 했다는 '썰'도 있을 정도입니다.

그에 비해 칼뱅은 전혀 다른 캐릭터였습니다. 우선 만성 소화불량이었기 때문에 늘 인상을 쓰고 다녔다고 합니다. 일체의 춤과 노래를 싫어했고, 꼭 필요한 만큼의 찬송이 아니면 음악도 없었습니다. 그래서 칼뱅주의의 영향을 받은 교파 사람들은 근검절약은 기본이었고, 춤도 안 추고 음악도 즐기지 않고 좋은 옷도 입지 않았습니다. 엄격한 도덕, 신성시했다고도 할 수 있는 주일 엄수, 향락의 제한을 주창했던 영국 청교도들의 삶이 칼뱅주의의 영향을 받은 사람들의 생활 태도였습니다. 후에 청교도혁명이 일어나 크롬웰이 집권할 적에 영국의 모든 오페라 하우스 문을 닫아 버렸다고 하죠. "우리 모두 지옥으로 갈지 알 수 없는 마당에 무슨 음악이고, 술이냐!" 이런 이유로 말입니다.

그렇다면 칼뱅주의자들 입장에서 인생의 의미는 도대체 뭘까요? 우리는 미결수에 불과하고, 인생을 전혀 즐길 수 없고, 정해진 운명도 바꿀 수 없다면 세상을 살아갈 의미가 없지 않겠어요? 앞에서 말한 '가치 합리성'을 가지고 이러쿵저러쿵 떠들어 봤자 칼뱅주의자들의 귀에는 다 헛소리일 뿐입니다. 이 불안하고 초조한 인생에 그게 다 무슨 소용이겠습니까? 심지어 '구원'조차 기대할 수 없으니 사실상 포기와 절망만 남았을 뿐이지 어떤 '가치'를 추구할 수 없는 상황입니다.

따라서 남는 것은 '목적 합리성'뿐입니다. 그들에게 있어서 인생이 갖는 의미는, 신의 목적에 맞도록 철저히 '도구로서 행동하는 것' 단 하나였습니다. 다시 강조하지만 신의 도구처럼 산다고 해서 구원이 주어지는 건 아니니까, 이게 맞는지 아닌지를 따지는 것도 무의미합니다. 그건 이미 결정된 문제인 만큼 바꿀 수 있는 방법이 없으니까요. 단, 이렇게 신의 도구처럼 살아간다면 이 끝 모를 불안감만큼은 덜어 낼 수 있습니다. '나는 신의 도구'라는 주문을 되뇌면서요. 그래서 이들은 24시간 영적인 긴장 상태에 있을 뿐 아니라 24시간 신의 도구로서 살아간다는 태도를 취해야 했습니다.

그래서 칼뱅주의자들에게는 자신들이 매일매일 행하는 '직업'이 굉장히 중요한 의미를 갖습니다. 직업을 뜻하는 영어 중에 calling이란 단어가 있죠. 이 말은 천직天職으로도 번역됩니다. 우리가 어떤 사람을 지칭할 때 친한 사이가 아닌 경우 직업으로 부르는 경우가 많죠. 영어권에서도 마찬가지입니다. 대장장이가 영어로는 스미스smith인데, 흔히들 이름보다는 "스미스 아저씨!", 혹은 "어이 스미스!"라고 부르는 식이란 거죠.

칼뱅주의 관점에서 이렇게 누군가를 '직업calling'으로 '부르는calling' 행위는 새로운 종교적 의미를 갖습니다. 바로 '신의 소명召命'이라는 것, 다시 말해 내가 매일 하는 일이 곧 신의 부르심이라는 뜻입니다. 내가 스미스 일을 하는 것은 사람들이 나를 스미스라고 부르는 동시에 신께서 나에게 스미스라는 부르심을 주신 것이고, 그래서 신의 도구로 살아가야 하는 우리는 살아 있는 동안 스미스로서의 소임을 다해야만 합니다. 이는 단지 악착같이 일을 하는 걸 뜻하지 않습니다. 열심히 일하는 동시에 체계적으로 '목적 합리성'을 발휘해야 합니다. 신을 흉내 내 '합리적으로' 일 해야만 '신의 도구'를 자처할 수 있는 것이니까요.

청교도 칼뱅주의자들은 악착같이 합리적으로 돈을 벌었지만, 예전의 상인들처럼 '돈독'에만 지배되는 비합리적인 존재가 아니게 되었습니다. 술도 안 먹고, 여행도 안 다니고, 오페라도 안 보는데 돈이 있으면 뭐 하겠습니까. 내 재산의 크기는 오로지 내가 신의 도구로서 얼마나 신과 가까워졌는지, 영적인 긴장 상태를 얼마나 잘 유지하고 있는지를 파악하는 척도라는 의미만을 갖게 됩니다. 그래서 이들에게 돈은 아무것도 아닌 동시에 전부였습니다. 베버는 칼뱅주의자들의 이런 가치관이 합리성을 간직한 상태에서도 돈독이 오른 사람의 출현이 가능한 이

유라고 생각했습니다.

지금 제가 베버의 저작을 최대한 쉽게 이해할 수 있도록 얼개만을 가져다 설명했기 때문에 허술하게 느껴질 수도 있겠습니다만, 막상 책을 읽어 보면 전율이 느껴질 정도로 논리가 기가 막힙니다. 이런 자료도 근거로 쓸 수 있구나 싶게 온갖 문헌들을 다 가지고 와서 이 소름 끼치는 주장을 빈틈없이 논증하고 있습니다.

결국 베버가 『프로테스탄트 윤리와 자본주의 정신』에서 하는 말은 많은 사람이 오해하고 있던 것처럼 "근면한 개미가 만든 것이 자본주의고, 그리하여 자본주의 만만세!" 하는 식의 단순한 내용이 아닙니다. 굉장히 복잡할 뿐 아니라 영적인 차원까지 접근하고 있습니다. 물론 이를 비판하고 반론을 펼치는 경우도 많습니다. 그중 제일 중요한 반론을 가한 사람은 루이스 멈퍼드Lewis Mumford였습니다. 멈퍼드는 자본주의 노동 윤리의 기원은 6세기에 만들어진 베네딕트 수도회라고 보았습니다. 베네딕트 수도회 사람들이 영적인 단련을 위해 선택한 방법이 바로 노동이었습니다. 그들은 잠에서 깨어나면서부터 다시 잠자리에 드는 순간까지 한순간도 잡생각이 들지 않도록 하루를 30분 단위로 쪼개서 끊임없이 고된 노동으로 하루를 채워 갔다고 합니다. 멈퍼드는 베버의 논리로 따지면 그런 정신적 태도는 훨씬 더 전으로 거슬러 올라갈 수 있으니 프로테스탄트에 붙이는 것은 온당하지 않다고 주장하기도 했지요.

사실 멈퍼드의 주장도 일리가 있습니다. 다만 우리는 베버가 강조한 근대 자본주의가 가진 합리성의 특성에 주목해야 합니다. 그 기원이야 어찌되었든, 자본주의 합리성이라는 것이 과연 12,000년 동안 이어져 온 인류 문명의 역사에서 유일한 합리성인지, 아니면 근대 자본주의에서만 나타난 것인지 철저히 따져 보도록 만들고 있기 때문입니다.

PART 4

자본주의를 낳은
유럽 문명의 결정적 사건들

1

들어가기
전에

「상업의 발전과 부르주아의 탄생」편에서 등장했던 중세 도시가 자본주의의 기원이냐 아니냐 하는 것을 두고 한때 뜨거운 논쟁이 벌어졌습니다. 중세 도시가 세계 경제사에서 분명한 의미가 있는 것은 사실이지만, 그렇다고 해서 이 도시들이 중세 사회에서 자본주의 기능을 수행했다고 말하기는 힘듭니다. 우리는 장원과 길드라는 경제 조직이 영리 조직이 아니었다는 점을 기억해야 합니다. 길드의 목적은 더 많은 생산이 아니었습니다. 상인들도 당시의 정신적·문화적·제도적 한계로 인해 한없이 돈을 벌 수 있는 존재는 아니었고요. 따라서 중세 도시는 현재 우리가 생각하는 뉴욕이나 런던 같은 자본주의적인 도시라기보다 서양 중세 봉건제라는 시스템 안에서 상업과 수공업이 비교적 활발히 일어난 곳으로 보아야 한다는 게 경제사가들의 이야기입니다. 결론적으로 중세 도시가 자본주의의 기원이었다고 말하는 것은 무리가 있습니다. 생산이나 경제 활동의 목표가 무조건 돈, 무조건 이윤, 무조건 수입이라는 식의 이익 추구와 자산 증대라는 자본주의식 가치가 태어나기 위해서는 중세 도시와 근대 사회 사이에 아주 중대한 문명사적 전환이 필요했을 겁니다.

무한 팽창의 원리는 어디서 왔을까?

우주 팽창론에서 말하는 우주를 제외하면, 이 세상에서 무한히 팽창하는 게 있을까요? 사람의 키는 일정 정도가 되면 멈추죠. 몇백 년이 된 나무라도 어느 이상이 되면 더 자라지 않습니다. 이렇듯 세상 만물은 다 적정한 크기라는 게 있습니다. 이것은 꼭 사물에만 국한되는 것은 아닐 겁니다.

사람들의 신념이란 관점에서 근대 자본주의와 그에 기초하여 성립된 현대 산업문명을 보면 희귀한 예외를 발견할 수 있습니다. 황당하지만 무한한 성장이 가능하다는 초자연적인 전제에 기초하고 있습니다. 경제 성장은 어디까지 가야 멈추게 되나요? 어떤 경제학자도 이 질문에 대답하려 하지 않습니다. OECD나 세계은행과 같은 국제기구들은 "최소한 연 2퍼센트 이상의 경제 성장은 영원히 가능하다."라는 전제에 암묵적으로 동의하거나, 때로는 이를 명시적으로 밝히기도 합니다. 더욱 귀를 솔깃하게 하는 것은 이 전제가 영원한 '복리compound interest' 성장이라는 점입니다.

재테크에 관심이 있는 분들은 '복리의 마법'이라는 말을 아실 것입니다. 발생된 이자가 원금으로 쌓이는 복리 계산에서는 일정한 시간이 지나면 원금의 증가가 지수함수의 모습을 띠면서 초월적인 속도로 하늘로 치솟습니다. 경제 성장도 마찬가지입니다. 가난하고 GDP의 크기가 작은 나라가 매년 5퍼센트 성장한다고 했을 때 10년만 지나도 큰 변화를 보이고, 50년이 지나면 그 크기는 엄청나게 불어나며 시간이 갈수록 터무니없다고 느껴질 정도로 가파르게 기울기가 커지게 됩니다. 이런 일은 실제에서도 정말로 가능할까요?

20세기 최고의 경제학자라고 해도 무방한 존 메이너드 케인스는 '영원한 자산의 복리 증식'이라는 꿈이야말로 자본과 자본주의가 폭발적이고 물질적으로 성장할 수 있었던 배경인 동시에 지속 불가능성을 함께 담고 있는 명제라고 보았습니다.[55]

경제 성장 또한 마찬가지입니다. 월트 로스토Walt Rostow라는 경제학자가 경제 발전의 5단계를 이야기하면서, 일단 경제가 성장의 '이륙take-off' 단계를 거치고 나면 지수함수의 모습으로 급성장한다고 말하고 있습니다.

이러한 고속 성장은 언제까지 계속될까요? 앞에서 말한 자연의 섭리에 따르면 우주의 모든 것은 일정한 성장 뒤에는 정체와 정지가 오게 되어 있고, 따라서 로스토가 그린 곡선 또한 어느 정도 성장에 달하면 완만한 곡선이 되면서 성장의 정체를 보여야 마땅합니다. 하지만 어느 경제학자도 그러한 사실을 이야기하지 않습니다. 모두들 "최소한 몇 퍼센트의 경제 성장은 영원히 가능하다."라고 말하면서 이를 '지속 가능한 성장'이라는 이름으로까지 부릅니다.[56] 우주의 모든 것은 다 일정한 크기와 성장 종료가 있는데 현대 산업문명만큼은 무한 팽창이라는 원리로 조직되어 있습니다. 이것은 인류 역사에서 굉장히 독특한 형태라고 할 수 있습니다. 말씀드렸다시피 자본주의와 산업문명 이전에는 자

---

55 John Maynard Keynes, The Economic Possibilities for our Grandchildren. 1930년에 나온 이 에세이는 인터넷에서 구할 수 있습니다. http://www.econ.yale.edu/smith/econ116a/keynes1.pdf

56 이에 대해 더 많은 정보를 원하시는 분은 케이트 레이워스, 『도넛 경제학』, 홍기빈 역, 학고재, 2018. 7장을 참조하세요.

급자족하는 살림살이가 경제 조직의 기본 원리였으니까요.

그렇다면 이 무한 팽창이라는 현대 산업문명의 조직 원리는 어디서 생겨났을까요? 이 독특한 정신적·물질적 태도는 분명 르네상스를 전후한 시기의 유럽 문명에서 생겨났다고 볼 수밖에 없습니다. 다른 시대, 다른 문명에서는 정신적으로나 물질적으로나 무한히 팽창하겠다는 원리를 기본으로 삼은 예를 찾아보기 힘들기 때문입니다. 그래서 자본주의와 현대 산업문명의 근원을 이해하려면 15세기와 16세기의 서양 문명이 어땠는가를 살펴볼 필요가 있습니다.

자본주의를 둘러싼 19세기와 20세기의 다양한 분석들

수많은 학자들 사이에서도 현대 산업문명이 어떻게 나오게 되었는가에 대한 다양한 주장과 논쟁이 있었습니다. 이를테면 19세기에 나온 마르크스주의와 연결되는 유물사관에 의하면 유럽이 다른 나라들에 비해 생산력과 생산 관계가 더 앞서갔기 때문이라고 봤습니다. 15~16세기부터 유럽의 생산력이 많이 발전했고 이것 때문에 봉건제라는 낡은 사회적 관계를 다른 문명보다 빨리 극복할 수 있었다는 것인데요, 다시 말해 유럽인들이 기술 발전을 먼저 이루어 생산력을 발전시켰기 때문에 자본주의와 산업문명을 먼저 건설할 수 있었다는 주장입니다.

이건 순환론적인 오류를 범하고 있죠. 왜 부자냐고 물었더니, 집에 돈이 많아서 그렇다는 논리잖아요.[57]

---

[57] 사실 많은 상찬을 받은 재러드 다이아몬드Jared Diamond의 저서 『총, 균, 쇠』 또한 지리결정론이라는 비판을 받은 바 있습니다.

오늘날의 관점으로 보면 좀 거칠고 조야한 설명입니다. 게다가 경제사에 대한 자료가 늘어나고 축적될수록 분명해진 것이 하나 있는데, 유럽은 원래 잘살지 않았습니다. 중세나 고대로 갈수록 페르시아나 인도나 중국이 훨씬 물질적으로 풍요하고 생산력이 높았습니다. 앞에서 보았듯이 유럽은 11세기 이전까지는 농업 생산력이 너무 낮아서 제 살을 뜯어 먹는 사람이 있을 정도였으니까요. 유물사관의 설명대로라면 유럽이 아니라 생산력이 더 발달했던 중국이나 인도나 이란에서 자본주의가 발생했어야 마땅합니다.[58]

이후 19세기 후반에 유물사관의 대안적 설명으로 등장한 것이 앞서 자세히 다루었던 자본주의 정신에 관한 이야기입니다. 사실 베버나 좀바르트의 생각도 숱한 비판을 받았습니다. 베버나 좀바르트의 주장은 아무래도 유럽 사람들만 합리적이라는 소리로 들리거든요. 그들의 이야기를 다른 맥락에서 보면, "유럽 사람들이 합리적 자본주의 정신을 키울 동안, 중국이나 인도나 이란 같은 나라는 종교와 관습 혹은 카스트 같은 비합리적 제도로 인해 몇천 년을 정체 속에 허우적거렸다. 자본주의와 산업문명이 발전하도록 하려면 유럽의 합리성을 배워야 한다."라는 식의 유럽 우월주의로 읽힐 가능성도 다분합니다. 이 자본주의 정신론은 20세기 들어오고 나서는 인기를 잃습니다. 우선 유럽 밖의 사람들이 별로 안 좋아했습니다. 게다가 이 주장을 한 상당수 학자들이

---

58 Kenneth Pomeranz, The Great Divergence: Europe, China, and the Making of the Modern World Economy, Princeton University, 2021. 이 획기적인 저서는 근대 자본주의와 서양 우위론 기원이 왜 잘못된 것인지 아주 정교하고 사려 깊게 설명하고 있어 논지를 요약하기는 쉽지 않지만, 최소한 1750년 이전의 시점에서 유럽의 경제적 힘이 일본·중국·인도에 비해 강하지 못했고 경제·사회 체제 또한 압도적이지 못했던 점만큼은 분명히 밝히고 있습니다.

나치로 변하기도 했습니다. 그래서 나중에 미국학계에서 거의 퇴출당하다시피 하죠.[59]

그다음 20세기 후반에 나온 굵직한 설명이 있는데, 우파 버전이 하나 있고 좌파 버전이 하나 있습니다. 더글러스 노스Douglass Cecil North라는 경제학자가 주장한 우파 버전은 경제 성장의 핵심은 결국 사유제인데 이걸 서양 사람들이 가장 확고하게 발전시켰다는 겁니다. 경제 성장의 열쇠는 시장 경제에 있고, 시장 경제라는 게 성립하려면 분명한 사적 소유가 확립되어야 하는데 유럽 이외의 다른 문명에서는 그게 안 됐다는 거죠. 그래서 유럽, 특히 영국에서 경제 성장이 먼저 일어날 수 있었다는 이야기입니다. 이는 다른 곳도 근대화와 경제 성장을 이루려면 사적 소유 제도부터 확립해야 한다는 주장으로 귀결됩니다. 이것도 깊이 들어가 보면 많은 비판의 여지가 있습니다.

좌파 버전은 이매뉴얼 월러스틴Immanuel Wallerstein이라는 미국 사회학자가 주장한 세계 체제론입니다. 좀 크게 보면 군더 프랑크Gunder Frank의 종속이론과도 궤가 같은 관점인데요, 간명하게 말하자면 유럽에서 먼저 세계 시장을 만들었다는 주장입니다. 이 학자들은 1450년경부터 1640년경까지를 '장기 16세기'라고 말하는데, 이 긴 기간 동안 유럽은 북미·남미 대륙을 비롯한 세계 곳곳을 정복하고, 식민지를 만들어 그들을 착취했습니다. 이런 수탈을 통해 유럽을 살찌우는 동시에 세계 시장 체

---

59 우리나라의 경우, 이러한 "근대적 합리성을 배워야 한다."는 논리가 1960년대 이후 1980년대까지 특히 민주 세력·시민 사회·진보 진영 등에 큰 영향을 미쳤습니다. 그 매개가 되었던 것은 교토 대학교의 경제사학자 오쓰카 히사오大塚久雄의 저작들이었습니다. 히사오는 베버와 마르크스를 결합하여 근대의 '시민정신'이라는 것을 추출해 내었는데, 이것으로 일본 제국주의 및 파시즘을 극복하기 위한 방향을 모색하려고 했습니다. 그의 주장은 당시 우리나라 지식인들 사이에 큰 파장을 일으켰습니다.

제를 형성하면서 먼저 성장할 수 있었다는 것입니다. 요컨대, 자본주의는 태생부터 세계적인 것이었고, 서유럽이 앞서 나갈 수밖에 없었던 것은 주변부의 착취를 통한 결과였다는 것입니다.

자본주의의 근간을 이해하려면 문명사를 봐야 한다

지금까지 왜 유럽에서 자본주의가 발생할 수 있었는가에 대해 20세기에 나왔던 몇 가지 주장을 소개해 드렸습니다. 말씀드린 것들은 모두 따져 볼 지점이 있기도 하고 또 그 나름대로 일리가 있기도 하지만, 저는 좀 다른 관점에서 보고자 합니다. 제가 비록 지금 언급한 대학자들과 견줄 수 있는 사람은 되지 못하지만, 그들보다 후대에 태어난 덕분에 그들이 충분히 보지 못했던 21세기 자본주의의 현실을 좀 더 많이 목격했다는 이점이 있습니다.

자본주의와 산업문명의 등장은 단순히 지리적 특성에 그치는 것이 아니라 인류라는 생물 종 전체 진화 과정에서 거대한 방향 전환을 한 사건이라고 할 수 있습니다. 인류는 지금으로부터 12,000년 전에 본격적인 농경과 목축과 정착 생활을 시작하면서 삶의 방향이 크게 바뀌었고, 지금으로부터 약 200년 전에는 산업혁명이라는 대사건을 일으키면서 훨씬 더 근본적이고 깊은 차원에서 거대한 전환을 시작했습니다. 하지만 장밋빛으로 여겼던 산업혁명의 깃발에 어두운 그림자가 드리워진 것을 깨달은 것은 불과 얼마 되지 않았습니다. 그 전환이 가져올 결말이 무엇인지 알 수 없으나 그것이 곧 닥쳐오고 있다는 것은 분명히 자각하고 있는 시대에 살고 있습니다. 이런 전환은 한두 가지 요인이나 몇 가지 키워드로 설명할 수 있는 게 아니라고 생각합니다. 생태계가 파괴되고 불평등이 심화되고 실업이 일상화되고 세계 경제가 위기에 빠진 지금, 우리에게는 현대 자본주의와 산업문명이 어디로 가야 하는가에 대해 보다 근본적인 질문이 필요합니다.

이 질문에 답하기 위해서는 경제사를 바라볼 때 좀 더 넓고 큰 관점에서 우리 문명이 나갈 수 있는 새로운 방향을 제시해야 합니다. 저는 이걸 '사고의 전환'이라고 부르고자 하며, 이러한 전환을 이루기 위해서는 한두 가지 주장이나 이론에 매몰되지 않고 인류 문명 전체를 통괄하는 것은 물론 그 변화를 높은 곳에서 조감할 수 있어야 합니다.

그런 맥락을 이어 이번 파트에서는 르네상스 시대를 전후해 유럽이라는 지역에서 벌어졌던 큰 문명사적 전환에 대해 나열해 볼까 합니다. 언뜻 보면 경제와 상관이 없어 보이지만 자세히 살펴보면 유럽 경제사의 외연을 결정짓는 계기가 되었던 큰 사건들입니다.

이걸 제대로 들여다보기 위해서는 물질과 정신이라는 낡은 구별법을 버려야 하고, 서양이냐 동양이냐 하는 의미 없는 구별 역시 버려야 합니다. 이를테면 동양은 정신이고 서양은 물질이라거나, 동양은 여성적이고 서양은 남성적이라는 따위의 이야기들 말입니다. 이런 개념은 전혀 과학적이지도 않고 규정할 수도 없는 것일 뿐 아니라, 그런 말로 역사를 본다면 아무런 지혜도 얻을 수 없습니다. 정신적인 변화와 현실적인 변화도 마찬가지입니다. 이것은 서로 밀접하게 연관되어 언제나 함께 가기 때문입니다. 이런 것들을 염두에 두고, 지금부터 본격적으로 유럽의 문명사 중 결정적인 몇 가지 사건들에 대해 알아보도록 하겠습니다.

2

흑사병이
지나간 자리

흑사병, 유럽 전역을 덮치다

Ring around the rosies

A pocket full of posies

Ashes, ashes

We all fall down

혹시 이런 가사의 노래를 알고 있나요? 아마 음을 듣는다면 대부분 알지 않을까 생각합니다. 외국 꼬마들이 놀면서 자주 부르는 동요인 데요, 이 노래가 14세기 유럽을 덮쳤던 흑사병을 빗대고 있다는 사실을 아는 사람은 많지 않습니다. 이게 무슨 기록이 남아 있거나 누가 인증을 한 건 아닙니다만, 권위 있는 중세사 연구자인 노먼 칸토르Norman Cantor는 흑사병 강연을 할 적에 이 노래 이야기로 시작합니다.[60]

---

[60] Norma Cantor, In the Wake of Plague: The Black Death and the World It Made, Simon and Schuster, 2015.

Ring around the rosies - 장미꽃 주변을 돌아라

흑사병에 걸리면 보통 눈 주변에 붉은 반점이 부풀어 오른다고 합니다. 장미꽃 주변을 돌라는 말은 눈 주변에 난 흑사병의 반점을 뜻합니다.

A pocket full of posies - 들꽃을 한 주머니 가득 넣고 있다

흑사병에 걸린 사람은 온몸에서 악취가 나기 때문에 악취를 숨기기 위해 꽃을 잔뜩 품고 다녔다는 내용이고요.

Ashes, ashes - 재로 만든다

재로 만든다는 건 흑사병에 걸려 죽은 사람은 다 태운다는 의미인데요, 원래 기독교인들은 화장을 하지 않습니다. 몸을 온전하게 교회 묘지에 묻어야 나중에 천년왕국에 들어갈 수 있다고 믿었으니까요. 하지만 당시엔 워낙 급박한 상황이니 장례를 치르고, 사람을 묻고 할 겨를이 없었을 겁니다.

We all fall down - 우린 모두 쓰러진다

흑사병으로 인해 결국 모두 다 죽을 거라는 뜻입니다.

아이들이 천진난만하게 부르는 노래에 이런 무시무시한 뜻이 있다니, 소름이 확 끼치지 않나요? 대체 이때 무슨 일이 있었길래 이런 노래가 만들어졌고, 지금까지 내려오는 걸까요?

14세기 중반 유럽을 덮쳤던 흑사병은 '더 블랙 데스the Black Death'라는 이름으로 불리고 있습니다. 검은 죽음이란 뜻이죠. 중세 파트에서 말씀 드렸던 것처럼 유럽은 11세기 초 정도까지 농업 생산력이 매우 낮았다가 삼포 농법으로 농업 생산력이 증가하면서 상업과 도시가 성장했는데, 이때 인구가 확 늘어납니다. 이 인구 증가 속도는 농업 생산력의 발전 정도를 훨씬 상회했습니다. 13세기 즈음까지만 해도 사람들이 강에 있는 생물이란 생물은 다 잡아먹어 버려서 물고기 같은 건 구경조차 할 수 없을 정도였다고 합니다. 이렇게 인구는 과밀한데 의학 수준이나 도시 위생 처리 수준은 굉장히 낮았다고 해요. 그러니 병이 퍼질 만도 한 상황이기는 했습니다.

참고로 당시 유럽 의학 수준에 관한 이야기가 남아 있는데요, 흑사병이 유럽 전역을 뒤덮고 난 100년 정도 후인 15세기에 유럽을 방문했던 이슬람계 의사가 남긴 기록입니다. 정신질환자가 병원에 왔는데, 그 치료 방법이라는 게 머리 가죽의 일부를 칼로 도려낸 다음 노출된 두개골에 소금을 뿌리는 것이었습니다. 그 환자는 고통으로 쇼크사했다고 합니다. 바로 뒤에 다리를 다친 기사가 왔는데 의사가 도끼로 다리를 잘라 버리는 바람에 또 쇼크사했다고 하고요. 이런 식으로 그 자리에서 사람이 죽어 나가는 장면을 몇 번이나 봤다는 겁니다.[61]

흑사병이 중국·인도·페르시아 할 것 없이 많은 곳을 쓸고 지나갔던 것은 분명하고, 실제로 다른 곳에서도 많은 사람이 죽어 나갔습니다. 흑사병이 어디서부터 발생했는지에 대해서는 여러 설이 있는데, 처음으로 유럽으로 유입된 것은 베네치아 항구였습니다. 1347년에 발발했는데, 사람들은 배에 있던 쥐들을 통해 옮겨졌을 거라고 추측합니다. 그렇게 이탈리아 북부를 시작으로 전 유럽을 거쳐 바다 건너 영국, 그 위에 스웨덴을 지나 노르웨이 할 것 없이 다 퍼져 나갔습니다. 이때 유

---

61 Frances Stonor Saunders, The Devil's Broker: Seeking Gold, God, and Glory in Fourteenth Century Italy, Fourth Estate, 2004. 1장을 참조하세요.

럽 인구의 3분의 1이 죽어 나갔다고 하는데요, 사실 이 3분의 1이란 것은 일종의 추정입니다. 웬만하면 숫자를 낮게 잡고 과장하지 않으려고 하는 보수적 추정이 그렇고, 절반에 가까웠다고 말하는 사람도 있습니다. 평균적으로 3인 가족 중에 1명이 죽어 나갔다고 생각해 보세요. 이게 얼마나 끔찍하고 무시무시한 일이겠습니까. 흑사병이 유럽 사람들에게 남긴 심한 트라우마는 몇백 년이 지난 지금도 의식 속에 남아 있을 정도입니다. 'Ring around the rosies'라는 동요의 아름다운 멜로디 속에 끔찍한 진실이 숨어 있는 것처럼 말이죠.

흑사병이라는 게 엄청난 수의 생명을 앗아 간 사건이라는 건 틀림없는 사실인데, 이게 경제사와 무슨 상관이 있을까요? 저는 영국이 몇천 년간 유지하던 농경 사회 패턴을 이탈한 결정적 계기가 흑사병이었을 거라고 추론합니다.

흑사병이 남기고 간 것

기원전 5000년쯤에 도시의 초기 모습이 생기고, 기원전 3000년경부터 수메르 지역이나 이집트 같은 곳에서 국가와 제국 체제가 나타났습니다. 그때부터 17세기 정도까지 전통적인 농경 사회의 생활 패턴은 놀랄 만큼 거의 동일했습니다. 도시가 생성되는 모습, 전쟁이 발생하는 과정, 기타 등등의 반복되는 인간사나 정신세계는 거시적으로 보면 큰 변동이 없었다고 할 수 있습니다. 그러다 15세기 정도부터 갑자기 몇천 년 동안 있었던 패턴으로부터 벗어나 전혀 다른 모습을 보이기 시작했습니다. 전 지구를 휩쓰는 전염 행태가 나타났다는 것도 그렇지만, 1347년 이전과 이후의 패턴도 그렇습니다. 흑사병을 거치면서 중세라는 틀

안에서 존재하던 것들이 흔들리게 되고, 르네상스 시대인 15~16세기로 넘어가면 사실상 중세를 이루던 근간은 완전히 무너지게 됩니다. 이 시기를 '중세의 가을'이라고 부르는 역사학자도 있습니다.

인구의 3분의 1이 죽을 정도의 사건은 유럽 문명 전체에 큰 영향을 미치지 않을 수 없습니다. 우선 물질적으로 보면 인구가 너무 많이 줄어 땅을 경작할 사람이 없어져 버렸습니다. 봉건 사회라는 건 농노들이 땅에 결박된 사회라고 할 수 있습니다. 대부분 자기가 태어나 농사지어야 할 땅에서 평생 농사짓고 사는 운명이지 오늘날처럼 이사나 이주가 자유롭지 않았다는 겁니다. 그런데 흑사병이 돌면서 마을 하나가 통째로 없어지는 일들이 허다하게 발생했습니다. 영주들 입장에선 땅은 있는데 농사지을 사람이 없으니 황당하기 이를 데 없었겠지요. 병사들이 창 들고 가서 농사를 지을 순 없으니, 인력 품귀 현상이 벌어지면서 실질 임금이 상승했습니다. 이때부터 영주들은 농노들이 자기 땅을 떠나지 못하도록 결박하는 데 더욱 혈안이 됩니다. 봉건적인 농노제 질서를 강제하려고 한 건데요, 이게 항상 성공하지는 않았습니다. 영주가 힘이 강한 곳에서는 농노가 강하게 결박되었지만, 영주가 힘이 약한 곳에서는 농노들이 도망가는 일이 종종 발생하면서 봉건제와 장원 체제 질서가 아래에서부터 무너지는 중요한 계기가 되었습니다.

흑사병은 문화적·정신적 차원에서도 중요한 변화를 맞이했는데요, 15세기 중세 그림을 보면 사람들과 해골이 함께 어울려 있기도 하고, 해골 혼자서 춤을 추기도 하는 그림을 많이 볼 수 있습니다. 이걸 '죽음의 춤danse macabre'이라고 표현합니다. 이전까지 유럽 사람들은 죽음에 대해 크게 두려워하거나 중요하게 생각하지 않았습니다. 자신들은 구원받고, 천국으로 들어갈 존재이므로 그리 대수롭지 않게 여겼죠. 하지만 흑사병이 터진 상황은 그런 아름다운 그림과 거리가 멀었습니다. 우선 성직자들이 다 도망가는 바람에 죽은 사람들이 임종 성사를 받지 못했을 뿐 아니라 온전한 몸으로 땅에 묻히지도 못했습니다. 그냥 불에 태워지거나 여러 시체가 한꺼번에 구덩이에 처넣어지기도 했습니다. 이때부터 사람들은 가톨릭이라는 종교가 그려 낸 영적 세계의 죽음과 전혀 다른 죽음을 목도하고 실상을 깨닫기 시작합니다.

이렇게 되니 사람들의 의식 속에 죽음은 항상 우리 곁에 있다는 전혀 새로운 테마가 발생하게 되었습니다. 당연한 이야기지만 이때 평민들만 죽은 게 아니죠. 도망간 성직자들도 허다하게 죽었습니다. 어디 성직자뿐입니까. 영주도 죽고 기사도 죽고 너도 죽고 나도 죽고 다 죽었습니다. 한마디로 죽음에 대한 관점이 달라졌어요. 이게 종교적인 테마로 승화되면 메멘토 모리Memento mori라고 해서 죽음의 그날을 기억하며 바르게 살자는 교훈을 가질 수도 있겠지만, 당시 사회 분위기나 죽음의 춤이 가진 의미를 생각해 보면 그다지 종교적이거나 아름다운 주제가 아니었습니다. 오히려 섬뜩한 느낌에 가까웠지요. 흑사병으로 인해 유럽 봉건제를 떠받치던 한 축인 종교의 권위가 흔들리게 되었고, 이후 벌어진 종교개혁은 유럽 봉건제가 붕괴하고 있다는 사실을 명확히 드러내는 사건이었습니다.

흑사병은 중세 유럽을 이루고 있던 죽음에 대한 관점은 물론이고, 우주의 시작과 종말과 인생과 물질과 현실과 세계를 바라보는 관점에까지 깊숙한 영향을 끼쳤습니다. 저는 이것이 결국 유럽 봉건제가 붕괴하는 계기가 되지 않았나 생각합니다. 어쩌면 인류는 수없이 죽어 나간 목숨을 제물로 중세라는 낡은 체제와 이별하고 근대와 산업문명과 자본주의라는 미증유의 여정을 걷게 된 것인지도 모르겠습니다.

3

파우스트,
과학혁명의 시작

이번에는 산업혁명과 과학혁명의 관계에 대해서 말씀드리겠습니다. 과학혁명은 보통 17세기 무렵에 일어났던 자연 과학 분야의 변혁을 일컫는데요, 이때 갈릴레이나 뉴턴 같은 천재 과학자들이 튀어나와서 오늘날 근대 과학의 패러다임을 정초하였습니다. 다만 사람들이 잘못 알고 있는 게 하나 있는데요, 산업혁명이 시작될 때까지만 해도 과학기술은 서양 사회에 큰 영향을 끼치지 못했습니다. 왕립 아카데미에 몸담고 있던 영국이나 프랑스 과학자들은 과학자라기보다는 철학자에 가까웠고, 실질적으로 산업을 담당하는 공학자나 엔지니어, 기술자 등과는 전혀 다른 부류의 사람들이었습니다. 이런 상황이 거의 19세기 초중반까지 이어졌으니 과학과 산업기술이 직접적으로 관계한다고 말하기는 어려웠습니다. 19세기 중후반이 되면서 서서히 양상이 바뀌어 과학과 산업은 필수 불가결한 관계로 맺어집니다.

19세기 이후에 전자기역학과 화학, 물리학이 자리를 잡고, 19세기 중후반에 이르러 중화학공업이 도입되면서 전기나 석유의 사용이 본격적으로 시작된, 이른바 2차 산업혁명이 나타났습니다. 이 단계부터는 철저히 훈련된 고급 공학자들이나 과학자들의 연구 조사가 없으면 산업기술이 발달할 수 없게 되었습니다.

20세기 이후부터 현재까지는 과학기술과 산업기술 간 결합도가 더 높아져 이제는 거의 떼려야 뗄 수 없는 관계가 되었습니다. 결론적으로 17세기에 벌어진 과학혁명은 시작되자마자 인류에 직접적인 영향을 준 건 아니었어도, 19세기 말 이후로 자본주의와 산업문명의 방향을 거의 결정짓다시피 할 정도가 되었습니다. 그러면 어떻게 해서 17세기에 과학혁명이 일어날 수 있었을까요?

파우스트와 아그리파

혹시 괴테Goethe의 『파우스트』라는 책을 읽어 봤는지 모르겠습니다. 읽어 본 적은 없더라도 이름 정도는 들어 봤을 겁니다. 파우스트는 지식과 진리를 알기 위해 악마와 계약을 맺고 자신의 영혼을 팔아 버린 사람입니다. 악마와 계약한 이야기들의 흔한 결말과는 다르게 괴테의 파우스트는 구원을 받아 해피엔딩으로 끝나죠. 악마인 메피스토가 파우스트를 잡으러 오는데 하늘에서 '구원의 여신상'의 전형인 그레트헨이 성모 마리아인 듯한 모습으로 나타나 파우스트의 영혼을 데리고 하늘로 올라가는 걸로 끝납니다.

파우스트는 괴테가 창작한 인물이 아니라 유럽의 전설 속에 나오는 인물인데요, 괴테 이전에 크리스토퍼 말로Christopher Marlowe란 영국 극작가도 〈포스터스 박사의 비극 The Tragical History of Doctor Faustus〉이라는 극작품을 내기도 했습니다. 말로는 셰익스피어와 같은 해에 태어나 활동한 동시대 인물입니다. 간혹 셰익스피어가 가공인물이라는 설이 나오기도 하는데, 이는 크리스토퍼 말로가 셰익스피어라고 하는 주장과 어느 정도 맥이 닿아 있습니다. 그만큼 말로는 당대에 알아주던 극작가였습니다.

말로의 극작품에 등장하는 포스터스와 괴테의 희곡에 등장하는 파우스트는 한 원형에서 나온 인물인데요, 말로의 포스터스는 괴테의 파우스트와는 달리 지옥으로 끌려가는, 전혀 다른 결말로 끝을 맺습니다.

여기서 포스터스 또는 파우스트라는 인물은 뭘 상징하는 걸까요? 저는 이 인물이 서양 과학혁명의 성격과 기원을 밝히는 데 중요한 메타포라고 생각합니다. 20세기 후반의 과학사 연구가 밝혀낸 중요한 사실이 하나 있는데요, 과학혁명이 벌어진 17세기 이전, 그러니까 15세기나 16세기로 가면 과학이라고 할 만한 것이 마술이나 오컬트, 심지어는 악마적 마술인 흑마술 정도라는 사실입니다. 현대 과학, 근대 과학의 기원이 대단히 과학적이지 못한 비술이나 은비학 같은 신비주의 범주와 밀접한 관련이 있었다는 것이죠.

아마도 이 포스터스 혹은 파우스트의 원형이 되는 인물은 하인리히 아그리파Heinrich Cornelius Agrippa라는 16세기 철학자일 것입니다. 흑사병이 벌어지고 중세 문명이 큰 내상을 입은 15세기에 사람들은 더 이상 교회에서 가르치는 종교적인 질서, 자연의 질서를 믿지 않게 되었습니다. 눈앞에서 셀 수 없이 송장 치는 걸 봤고, 죽음을 상징하는 해골이 늘 옆에서 춤추고 있다고 생각했으니 지식을 대하는 태도가 예전과 같을 수는 없었겠죠. 이즈음부터 지식 범주라고 할 수 있는 과학 탐구와 영적 범주라고 할 수 있는 종교 탐구가 나뉘기 시작했습니다. 지금 이 책을 읽는 여러분은 "당연한 거 아냐? 과학 탐구와 종교 탐구가 어떻게 같아?"라고 반문할 수 있겠지만 14세기 이전의 거의 모든 문명은 과학과 철학과 형이상학이 분리된 것이 아니었고, 윤리적 · 과학적 · 신앙적 탐구가 별개로 존재한 것도 아니었습니다. 이 모든 것은 하나로 연결되어 있었고, 그래서 학자들도 누구는 철학자, 누구는 과학자 이렇게 따로 있는 게 아니라 소위 박식가라는 사람들이 그 모든 걸 '한 큐'에 처리하는 양상이었습니다.

하지만 철학자이자 군인이었던 아그리파는 좀 달랐죠. 이 사람은 종교니 신앙이니 하는 걸 떠나 진리 그 자체를 알고 싶어 했습니다. 영혼을 구원하고, 하나님을 찬양하는 거 다 좋은데, 이와 별개로 실질적인 힘을 발휘할 수 있게 해 주는 지식을 미친 듯이 갈구했습니다.[62]

처음에는 중세 때 있었던 시시한 마술들 같은 걸 하다가 나중에는 종교의 일반 영역을 벗어나 악마나 사탄과 계약을 맺는 행동까지 서슴지 않았다는 이야기가 떠돌기도 했습니다.[63] 풍문에 따르면 그는 사탄과 계약을 맺었다고 하는데요, 아그리파가 항상 데리고 다니던 검은 개가 악마였다는 말이 나돌기도 했습니다. 악마 입장에선 아그리파라는 존재가 자신의 소유니까 따라다니면서 보호하는 동시에 감시했다고 하죠. 나중에 아그리파가 죽은 다음 그 개가 아그리파의 시체 위로 올라

---

[62] Charles Nauert, Agrippa and the Crisis of Renaissance Thought, University of Illinois Press, 1965.

[63] 물론 아그리파의 저작에서 실제로 흑마술을 옹호했다는 내용이나 근거를 찾을 수는 없습니다. 흑마술과 악마의 이야기를 담은 저작은 후에 그의 이름을 도용한 위작이라고 밝혀졌습니다. 하지만 그는 스스로를 마술사magus라고 보았고, 그가 영향을 크게 받은 『헤르메티카Hermetica』는 르네상스 기간 전체에 큰 영향을 발휘한 저서 중 하나입니다. 심지어 『헤르메티카』 원본을 구한 메디치 가문은, 이미 플라톤의 저작을 라틴어로 옮기고 있던 마르실리노 피치오Marsilio Ficino에게 하던 작업을 멈추고 『헤르메티카』 먼저 번역하라고 지시했을 정도라고 합니다. 『헤르메티카』의 마술적 전통이 르네상스 시기에 끼친 영향은 유럽 사상사를 연구하던 사학자들에게조차 금기시되는 영역이었지만, 지금은 프랜시스 예이츠Frances Yates의 다음 저작을 통해 인정을 받고 있습니다. Frances Yates, The Occutl Philosophy in the Elizabethan Age, Routledge, 2001.

타는 장면이 목격되었다고도 합니다. 물론 이런 이야기는 믿거나 말거나 식의 풍문 같은 것이지만 아그리파가 포스터스와 파우스트의 원형이 되었다는 것은 꽤 설득력이 있다는 생각이 듭니다.

아그리파가 쓴 유명한 책이 『비의의 철학occult philosophy』인데요, 이 책에는 지식을 바라보는 아그리파의 다양한 태도가 드러납니다. 지금까지 유럽인들이 알고 있는 모든 지식은 다 쓸데없는 것이었다는 회의, 교회에서 가르치는 것이든 항간에 떠도는 마법이든 자신이 실제로 해봤지만 아무런 소용이 없었다는 절망, 실제로 힘을 발휘할 수 있는 지식을 얻을 수 있다면 비의occult에라도 기대겠다는 의지가 다양하게 드러납니다. 아그리파는 우주의 진리를 알 수 있다면 죽은 영혼을 불러내는 강령술necromancy마저도 기꺼이 하겠다고 공언했는데요, 중세 로마 교황청에서는 강령술을 악마의 기술이라고 공식적으로 명시하고, 이를 행하는 사람들을 단죄한 바가 있습니다. 이런 험악한 분위기 속에서도 공공연히 강령술 이야기를 한 걸 보면 진리와 지식을 위해서는 못 할 게 없다는 아그리파의 열망을 잘 알 수 있습니다.

존 디, 과학사의 희극이자 비극

재미난 인물이 하나 더 있는데요, 과학사의 희극이자 비극이라고 할 수 있는 존 디John Dee입니다.[64]

그는 엘리자베스 1세 당시 영국에 살았던 수학자이자 과학자인 동시

---

64 Benjamin Woolley, The Queen's Conjuror: The Life and Magic of John Dee Flamingo, 2016.

에 점성술사이자 연금술사인데요, 존 디도 이것저것 몽땅 다 하는 초인적인 지식인, 박식가에 가까운 사람이라고 할 수 있습니다. "아는 것이 힘"이라는 말로 유명한 프랜시스 베이컨Francis Bacon의 사상 철학은 존 디의 연구가 없었다면 나올 수 없었다고 할 정도로, 뉴턴 이전에 가장 위대한 영국 수학자라고 평가받는 인물입니다. 우리가 오늘날 사용하는 메르카토르 도법의 성립에도 큰 기여를 했던 것으로 알려져 있고요.

재미있는 건 수학과 화학, 물리학 전반에 걸쳐 많은 성과를 이루었던 당대 최고의 과학적 지성을 가진 이 인물이 다른 한편으로는 "천사를 불러들여 우주의 비밀을 캐자!" 같은 희한한 방법론을 채택했다는 사실입니다. 이유인즉슨 자기가 아무리 연구를 해 봐도 우주의 비밀과 진리를 한 방에 꿰뚫는 방법이 없더라는 겁니다. 그러니 이걸 풀려면 천사를 불러내 이야기하는 수밖에 없다고 생각한 것이죠. 기막히게도 이 시점에 자신이 영매라고 주장하는 에드워드 켈리Edward Kelley라는 사기꾼 하나가 등장합니다. 신들린 것 같은 상태에서 폼을 잡으며 방에 그림인지 문자인지 처음 보는 형태의 기호 같은 것을 쭉 늘어놓고 손으로 가리킵니다. 그 사기꾼은 이게 천사가 하는 말이라며 존 디에게 받아 적게 만들었습니다. 그러면서 천사가 쓰는 이 언어는 영어도 라틴어도 아닌 에노키안 랭귀지Enochian language라고 합니다. 이 말의 유래가 된 에노크는 유태교 신비주의 전통에 따르면 노아의 대홍수 이전에 살았던 인물로, 살아 있는 상태에서 천상에 올라가 신과 친구가 된 유일한 사람으로 알려져 있으며, 헤르메티카[65]와 함께 마술적 전통에 큰 영향을 끼쳤던 카발라[66]

---

[65] Hermetica, 헤르메스 문헌주의
[66] Kabbalah, 유대교 신비주의

의 시조로 여겨지기도 합니다. 에드워드 켈리는 이런 신비로운 이야기를 이용해 신과 천사가 사용하는 언어가 따로 있고 그게 바로 에노크가 쓰던 언어이며, 그 언어는 영매靈媒인 자신만이 접신한 상태에서 알아들을 수 있다고 한 겁니다.

오늘날의 눈으로 보면 이게 참 조잡한 사기에 불과합니다. 그 에노키안 랭귀지라는 걸 조금만 뜯어보아도 그냥 영어를 좀 구부려서 바꾸어 놓은 것에 불과하다는 것을 알 수 있습니다. 하지만 존 디는 이 사기꾼에게 완전히 빠져 버렸고, 사기꾼은 나중에 존 디의 부인까지 빼앗으며 존 디를 완전히 파멸시켜 버립니다. 당대 최고의 지성인이 우주의 진리를 깨닫기 위해 천사를 불러내겠다고 한 것이든, 말도 안 되는 방식으로 사기꾼에게 넘어갔다는 사실이든 지금의 우리에게는 너무도 어처구니없는 일이지만 한 천재의 몰락을 생각해 보면 참 씁쓸하기 그지없기도 합니다.

아그리파와 존 디라는 인물에서 공통적으로 드러나는 것은 진짜 진리와 진짜 지식을 향한 끊임없는 갈증입니다. 이 갈증은 종교적인 경건함이나 형이상학이나 윤리적인 태도와 완전히 분리되어 과학 그 자체, 진리 그 자체만을 추구합니다. 비록 자신이 파멸될지라도 말이죠. 이걸 극적으로 표현하는 것이 파우스트가 자신을 악마에게 팔아 버리는 장면이라고 할 수 있겠죠.

이런 과정에서 그 전까지 유럽뿐만 아니라 이슬람 세계에도 큰 영향을 가지고 있었던 아리스토텔레스의 세계관은 완전히 무너지기 시작합니다. 아리스토텔레스도 뛰어난 과학자였고 생물학자였지만 그의 모든 학문 세계를 관통하는 것은 '목적론teleology'이라는 세계관이었습니다. 이 세상에 존재하는 모든 것은 다 생겨난 '목적'을 가지게 되어 있고, 그 수많은 '목적-수단'이라는 관계가 하나의 거대한 체계를 만들어 우주를 형성하고 있다는 겁니다. 그 우주의 궁극적인 목적을 중세 가톨릭 신학은 신의 존재와 연결시켰습니다. 이렇게 그때까지의 과학은 형이상학·윤리학·신학과 구분되어 있지 않습니다. 그 모든 연구가 하나로 연결되어 있었고, 과학을 대하는 이런 체계는 거의 16세기까지 큰 변화 없이 이어져 내려왔습니다.

그러다 흑사병이 발발하고, 지식을 대하는 태도가 바뀌면서 아그리파나 존 디 같은 진리 그 자체를 탐구하는 지식인이 나오게 된 것입니다. 이런 태도가 점점 발전하면서 과학은 물론 인간과 사회를 바라보는 사회과학 측면에서도 "그 어떤 윤리적·형이상학적 고려 없이 객관적인 법칙만을 찾는다."는 독특한 태도를 낳게 됩니다. 결국 종교나 윤리와 분리해 오직 효과적인 진실만을 탐구하겠다는 의지에 따라 연금술이니 오컬트니 하는 방법이 등장했고, 이를 바탕으로 과학혁명이 일어났으며 이게 또 시간이 지나 산업혁명과 자본주의를 가져오게 된 중요한 원천이 되었으니, 한편으로는 역사의 아이러니라 하지 않을 수 없습니다.

4

양이 사람을 잡아먹고,
공동체가 해체된 사연

젊은 분들은 잘 모르겠지만, 제가 대학에 다닐 때 종종 있었던 일입니다. 학교에 들어갔더니 못된(?) 선배들이 손목을 끌고 "조국이 이 모양인데 지금 공부할 때냐!" 울분을 토하고는 독재 정권을 타도하기 위해서는 꼭 읽어야 한다며 책을 하나 던져 줬으니, 이름하여 『자본주의 이행 논쟁』입니다. 책을 열어 보면 '영국 농촌에서 면직업이 발달을 했네, 안 했네' 하는 17세기 이야기가 나오는데 책을 꾸역꾸역 읽던 후배가 묻습니다. "이거 공부하면 전두환 정권이 타도됩니까?" 그러면 선배가 답하죠. "쓸데없는 소리 하지 말고 읽어!"

1980년대 대학가의 흔한 풍경이었습니다. 그렇게 갓 입학한 신입생들은 선배들이 읽어야 한다고 하니 읽기도 하고, 딱히 내용도 잘 모른 채 '지하'에서 세미나를 하기도 했습니다. 그때 배웠던 바로는 모리스 돕Maurice Herbert Dobb이야말로 진정한 마르크스주의자인 반면, 폴 스위지Paul M. Sweezy는 그야말로 순 나쁜 놈이라는 건데, 지금에 와서 보면 도대체 둘이 왜 싸운 것인지, 논쟁의 내용은 또 도대체 뭔지 기억하는 사람들은 거의 없을 것입니다. 도대체 뭘 가지고 그렇게 침을 튀겨 가며 논쟁을 했는지도 기억이 나지 않을 것이며, 왜 돕은 좋은 놈이고 스위지는 나쁜 놈으로 몰아붙였는지도 기억하지 못할 것입니다. 아니, 애초에 왜 그 책을 읽어야 했는지조차 기억하지 못할 것입니다. 사실 아무 이유도 없는 허무한 짓이었으니까요.[67]

　이번 장에서 하려는 이야기가 이 『자본주의 이행 논쟁』과 관계가 있습니다. 간단하게 이야기하자면 공동체가 해체되는 과정에서 시장적 관계가 확장된 상황을 다루고 있는데요, 이때 돕과 스위지가 논쟁했던 것은 중세에서 자본주의로 넘어갈 때, 시장이라고 하는 것 혹은 시장을 전제로 한 수공업자들의 생산이 어디서 나타났느냐 하는 것입니다.

시장과 공동체의 관계

두 사람의 생각을 간단하게 살펴봅시다. 우선 유럽 전역에 퍼져 있었던 상업 네트워크가 확장되면서 나타났다는 게 스위지의 주장이었고, 돕은 봉건제가 내부적으로 파괴되면서 안에서부터 생겨난 것이라는 입장이었습니다. 요약하자면 이게 밖으로부터 들어온 것이냐, 영국 장원 내부에서 자본주의적 관계가 나타난 것이냐 두 가지 상반된 주장을 두고 벌인 논쟁이라고 할 수 있습니다. 이 논쟁에 대해 깊이 들어갈 생각은

---

67 몇십 년 전 우리나라 진보학계에서 회자되던 돕-스위지 논쟁이 이와 직결되어 있습니다. 돕, 스위지 외, 『자본주의 이행 논쟁』, 김대환 역, 동녘, 1997. 특히 폴 스위지에게 영향을 주었던 앙리 피렌 등의 입장은 이후에 다시 비판을 받으면서 1990년대 이후 로버트 브레너Robert Brenner와 엘런 우드Ellen Wood 등을 중심으로 또 한 번 서유럽에서의 자본주의 기원에 대한 논쟁으로 이어졌습니다. Ellen Wood, The Origin of Capitalism: A Longer View, Verso, 2017.

없습니다. 다만 결론을 말씀드리자면 그들이 살았던 시대가 아니라, 지금 현재 21세기를 살고 있는 관찰자 입장에서 봤을 때 공동체의 해체와 시장적 관계의 확장은 동전의 양면과 흡사하다고 할 수 있을 것 같습니다.

앞서도 여러 번 말씀드렸지만, 중세 공동체의 경제 활동은 돈을 버는게 아니라 공동체 성원들의 자급자족이 목표였습니다. 그런 공동체 안에서는 돈을 벌기 위해 생산을 한다거나, 상인들이 왔다 갔다 하며 무언가를 하는 일은 생길 수 없죠. 공동체들이 버티고 있는 한 시장 관계는 확장될 수 없습니다.

흑사병이 터지고 유럽 중세 봉건제가 큰 위기를 맞은 다음 15세기부터 16세기에 걸쳐 두 가지 일이 동시에 나타나기 시작했습니다. 하나는 기존에 있었던 공동체 붕괴입니다. 그러면 어떤 일이 벌어질까요? 전에는 내가 필요한 의식주나 생필품을 공동체 내부에서 조달했는데, 그게 사라졌으니 시장에서 사 오는 수밖에 없습니다. 공동체가 해체되면 그 간격을 시장적 관계가 메꾸고 들어온다고 봐야 하는 것이죠.

또 뒤집어 이야기하면, 몇 년 전까지는 시장에 가 봤자 시시한 장난 감이나 허접한 옷감밖에 없었는데 어느 날 갔더니 아기 기저귀라는 새로운 물건이 들어왔습니다. 보니까 이게 굉장히 편리할 것 같아요. 이렇게 시장에 들어오는 상품의 양이 늘어나고 질이 좋아질수록 사람들은 일상생활에 필요한 것을 조달하는 데 있어 자급자족보다는 점점 시장에 의존하게 됩니다.

이 두 가지 경우를 보면 공동체 해체로 인해 시장적 관계가 형성되기도 하지만, 시장적 관계가 넓어지면서 공동체 해체를 촉진하기도 합니다. 공동체와 시장은 역학적으로 서로 맞물려 있다는 이야기입니다. 그러니 돕이나 스위지가 했던 주장을 되짚어 보면 이렇게까지 신경을 곤두세우면서 싸울 필요가 있는 문제였나 싶습니다. 돕은 영국 공산당의 정통 이론가였고, 스위지는 미국 공산주의나 소련을 별로 좋아하지 않은 마르크스주의자였기 때문에 그게 서로의 감정을 건드린 게 아닌가 생각하는데요, 두 사람의 논쟁을 정리해 보면 15세기와 16세기에 걸쳐 영국과 유럽 전역에서 공동체가 무너지고 시장 관계가 확장되는 일이 발생했다는 것입니다. 이렇게만 말씀드리면 감이 잘 안 올 테니 16세기 영국으로 가서 장원이 어떻게 해체되었는지 좀 풀어 보겠습니다.

인클로저 운동

장원 해체의 결정적 계기가 된 사건을 인클로저Enclosure 라고 합니다. 옛날에 일본에서 서구 언어를 새롭게 받아들여 한자어로 변환하던 때의 번역으로는 종획 운동이라고도 부르지만, 사실 이렇게 번역한들 역시 알 수 없는 한자어가 될 뿐 이해하기 쉽지 않습니다. 오히려 요즘 세대들은 외국어에 익숙한 특성을 보이면서, 용어가 발생한 지점에서 발생한 언어 그대로를 인식하는 경향이 있고, 또 그것이 말의 정의를 이해하는 데 용이한 점이 있기도 하므로 이 책에서는 그냥 인클로저라고 하겠습니다.[68]

중세 장원의 주인이 영주임에는 분명한 사실이지만, 그렇다고 모든 것을 영주가 마음대로 할 수 있었던 것은 아닙니다. 영주는 생산 과정

---

68 다만, 'En-'은 '넣다', '어떠한 상황에 처하게 하다'라는 뜻이고, 'clusure'는 '폐쇄'라는 뜻임을 염두에 두시기 바랍니다.

에서 누군가를 제어할 아무런 권한이 없었고, 농노를 쫓아내지도 못했습니다. 장원에 있는 사람들은 그 땅에 묶여 장원 내의 한 부분을 대대손손 관리하면서 살았습니다. 이때는 삼포농법도 보편화되어 있었으므로, 땅을 세 쪽으로 갈라 어디에는 밀, 어디에는 콩 같은 걸 심는다는 식으로 작물의 종류나 순서도 엄격하게 정해져 있었습니다. 따라서 영주가 어떤 작물을 어디에 심으라고 명령할 수 있는 것도 아니었습니다. 작물이 나오면 그 일부를 세금으로 뜯어 가고, 분쟁이 발생하면 재판도 하는 등 영주 나름대로 이런저런 권리를 많이 가지고 있었지만, 생산 과정이나 땅 자체를 어떻게 활용할 것인지 하는 부분까지 간여할 수 있는 입장은 아니었습니다.

16세기 들어오면서 영국에서 중요한 변화가 생겼는데요, 튜더 왕조의 왕이었던 헨리 8세가 이혼과 결혼을 여러 번 반복하는데, 이게 문제가 되어 교황청과 갈등을 빚습니다. 가톨릭교회에서는 이혼이 불법이니까요. 결국 헨리 8세는 로마 가톨릭과 관계를 끊어 버리고 종교개혁을 단행했습니다. 성공회를 만들어 자기를 영국 교회의 수장으로 삼고, 완전히 독립적인 방식으로 재편해 버린 것이죠. 이때 교회가 그동안 가지고 있던 토지까지 몽땅 뺏어 버리면서 중세적 질서와 소유 제도에 금이 가고 변화의 바람이 불기 시작했습니다. 이런 혼란한 틈을 타서 영주들도 자기가 가지고 있는 땅을 다르게 써 보려는 마음을 품게 되는데요, 때마침 바다 건너에 모직물 산업이 폭발적으로 발전하는 일이 벌어집니다. 벨기에 북쪽인 안트베르펜이나 겐트에서 생산된 모직물이 잘 팔렸던 겁니다. 그런데 안타깝게도 벨기에나 근처 네덜란드 땅은 양을 기를 만한 환경은 아니었기 때문에 조건이 맞는 영국이 절대적으로 유리했죠. 이른바 독점 산업이 되다 보니 양털값이 하늘 높을 줄 모르고 치솟았습니다.

영국 영주들이 보기에 양을 길러서 팔면 돈이 될 것 같은데, 그러려면 아무래도 땅이 필요합니다. 결국엔 영주들이 양을 기르고 싶은 욕심에 다짜고짜 농노들을 쫓아 버리고 말았습니다. 영국의 농촌, 장원이라는 건 짧게는 몇백 년, 길게는 천 년씩 거슬러 올라가기도 하는, 아주 오랜 세월 동안 유지된 틀이었습니다. 이 오래된 틀을 하루아침에 무너뜨린 영주들은 땅에다 울타리를 치면서 말합니다. "이 울타리를 넘어오지 마라. 내 땅이다." 그렇게 사람들을 내쫓은 땅에 양을 기르기 시작한 것을 인클로저라고 합니다.

영국 장원의 토지를 정의하자면 개방형 시스템이라고 할 수 있습니다. 우리나라는 밭고랑이나 이랑으로 나눠 누구 논, 누구 밭이라는 게 정해져 있지만 영국을 비롯해 유럽 여러 나라는 그렇지 않았습니다. 쟁기로 땅을 간 다음 씨를 뿌리면 거기만 소유가 있는 경작지고, 나머지 빈 땅은 사람들이 오리를 기르기도 하고, 다른 용도로 활용하기도 하는 열린 공간이었습니다. 즉 '공유지common'라고 할 만한 땅이 도처에 있었습니다. 원래는 토지의 소유라는 게 경작하는 곳만 의미했는데, 인클로저로 인해 울타리를 치고서 어디서부터 어디까지를 몽땅 자기 땅이라고 여기는 소유 개념이 나타나게 된 것입니다.

이렇게 울타리 쳐 놓은 내 땅에선 그동안의 관습이야 어떻든 다 무시한 채 내 마음대로 할 수 있습니다. 지금 관점에서 보면 당연한 일이지만 이전까지는 볼 수 없던 희한한 개념이었습니다. 일종의 배타적이고 독점적인 소유권 개념이 나타나게 된 셈인데, 이 사건이 유럽에서 근대적인 사적 토지 소유의 기원으로 알려져 있습니다. 농민들로부터 빼앗은 이 땅은 이윤을 내기 위한 생산 수단이었고, 초기 자본 형태로 자리 잡게 되었습니다. 마르크스는 『자본론』 1권에서 이 현상을 두고 생산자와 생산 수단이 처음으로 분리된 사건이라고 판단하기도 했지요. 사람이 살면서 농사를 짓던 땅의 상당 부분이 양이 사는 곳으로 바뀌었으니 장원 내에서의 자급자족은 갈수록 힘들어졌고 공동체가 파괴되는 건 자명했습니다. 여기서 생산된 양털은 북대서양에서의 해상무역, 특히 플랑드르와의 해상무역과 긴밀한 관계를 맺었는데, 이 또한 시장적 관계의 확장과 공동체 파괴가 맞물려 나타나게 된 현상이라고 볼 수 있습니다.

영주들이야 양을 기르면서 한몫 단단히 잡았지만 쫓겨난 사람들은 갈 데가 없으니 나라를 떠돌기 시작합니다. 이들을 배가본드vagabond라고 부르고, 이를 흔히 방랑자로 번역합니다. 한국 드라마나 일본 만화책 제목이기도 한 이 단어가 얼핏 느끼기에는 낭만적인 이미지를 가지고 있지만, 사실은 위험한 부랑자라는 뜻으로 통용됐습니다. 그렇게 쫓겨난 농민들은 먹고살기 위해 자기들의 노동력을 팔 수 밖에 없는, 초기 프롤레타리아가 되었다고 할 수 있습니다.

토머스 모어Thomas More는 『유토피아』라는 책에서 이 사건을 가리켜 "양은 보통 온순하고 조금밖에 먹지 않는 동물이지만, 지금은 아주 게걸스럽고 포악해져서 사람들까지 먹어 치운다."라고 표현했습니다. 그렇다면 이 사태를 영국 왕은 어떻게 봤을까요? 나라가 박살 나고 관습법이 무너지니까 그냥 뒀다간 난리가 나겠다는 생각을 하지 않았을까요? 아닌 게 아니라 이는 심각한 치안 문제를 낳았습니다. 자기들이 몇백 년 아니 어쩌면 천 년 이상을 살아오던 땅에서 하루아침에 쫓겨나 버린 이들이 떼를 지어 전국을 우르르 몰려다니면서 구걸과 강도질을 벌인다고 생각해 보십시오.

이런 현상이 전국적으로 일어나니까 헨리 8세나 엘리자베스 여왕 또한 일정한 조치를 하게 됩니다. 그래서 이른바 '구빈법Poor Laws'이라는 국가 법령이 생겨납니다. 특히 엘리자베스 여왕은 이 신빈민층에게 국가 차원에서 구호를 베풀도록 하는 동시에 구걸과 유랑 행위를 철저히 금지합니다. 한 번 걸리면 태형, 두 번 걸리면 귀를 자르는 벌, 세 번 걸리면 교수형에 처하는 식이었죠. 이를 두고 마르크스는 분노에 차서 이게 무슨 구빈법이냐며 냉소를 날리기도 합니다. 이때 이후로 자본주의 시스템에서 사회 복지 제도는 항상 가난한 이들을 돕는다는 윤리적인 측면과 빈민들이 사회 질서를 해치지 않도록 관리하고 통제한다는 억압적인 측면이 동전의 양면처럼 결합되어 있는 모습을 띠게 됩니다.

한편으로 튜더 왕가의 왕들은 스스로가 대지주였기 때문에, 그들도 사실 적극적으로 인클로저 운동 물결에 합류합니다. 지금도 영국의 최대 지주는 영국 왕실입니다. 하지만 다른 한편으로 튜더 왕조와 그다음의 스튜어트 왕조의 왕들은 인클로저 운동의 속도와 파괴력이 너무 심하다고 느꼈습니다. 실제로 이 시기에 굉장히 많은 농민 반란이 빈발하기도 했으니까요. 그래서 영국 왕정은 아직 농촌에 기반을 두고 있는 영국 사회가 이 흐름에 송두리째 무너지는 것을 막기 위해 여러 법령과 보호조치를 취하여 그 속도를 늦추고자 했습니다. 하지만 그러한 노력도 이 흐름의 방향 자체를 돌리지는 못했습니다. 산업혁명과 맞물리면서 18세기 말 이후에는 아예 의회가 주도하는 2차 인클로저 운동이 벌어지게 되니까요.

차지 농업가의 등장

이다음부터 영국에 자본주의적 차지借地 농업가들이 나타납니다. 한자만 놓고 보면 땅[地]을 빌린다[借]는 뜻인데, 실제로는 개념이 복잡합니다. 굳이 따지자면 농업 경영가들이라고 보는 게 좀 더 정확한 의미인데요, 과정은 이렇습니다. 우선 울타리를 쳐 놓은 땅이 있겠죠. 양을 계속 기르자니 땅이 너무 황폐해져 머뭇머뭇하고 있는데 런던 사는 홍 아무개가 접근해 "얼마 드리겠습니다. 이 땅을 일 년만 빌려주십시오."라고 제안합니다. 홍 씨는 땅을 일 년간 빌린 다음 임금을 주는 노동자들도 고용하고 씨앗과 농기계도 구합니다. 홍 씨의 목표는 명확합니다. 그해에 비싼 값에 팔 수 있는 작물을 기른 다음 팔아서 돈을 벌기 위함입니다. 가령 1억 원을 들여서 장미꽃을 재배하고 이걸 팔아서 이것저것 떼고 1억 5천만 원이 남으면 5천만 원은 홍 씨 이윤으로 떨어지잖아요. 이 돈을 먹기 위한 목적으로 농사를 짓는 사람들을 차지 농업가라고 부릅니다.

이들은 이제 예전처럼 자급자족을 위해 농사를 짓지 않습니다. 어디까지나 시장에 농산물을 팔아 큰돈을 남기는 것이 목적입니다. 그래서 이 사람들이 선택한 방식은 자신이나 공동체 내에서 필요한 것을 재배하는 것이 아니라 가장 이윤을 많이 낼 수 있는 작물을, 가장 효율적인 방식으로 경작하는 것입니다. 이런 차지 농업가의 행태에서 '개선하다'는 뜻의 영어 단어인 임프루브improve가 생겨났습니다. 이 말은 본래 땅이 이윤을 토해 낼 수 있도록 몽땅 바꾼다는 뜻이었어요. 15세기 말에 생겨난 말로, 윌리엄 1세의 노르만 정복 이후 영국 귀족들이 쓰곤 했던 노르만식 프랑스어였는데 '이윤prou'이 나오도록 '만든다en, em'는 뜻이었습니다. 참고로 부동산 개발을 디벨로프먼트development라고 하는데, 이게 경제 용어로 쓰이게 된 건 1950년대 이후이고, 그전에는 '가치를 올린다'는 뜻의 임프루브먼트improvement라는 말이 더 많이 쓰였습니다.

이런 양상들이 16세기, 17세기에 걸쳐 영국 농촌에서 벌어진 일이었고, 소득을 목표로 지대와 임금을 투자하는 이 방식을 자본주의 초기 모습이라고 이야기하는 사람들도 있습니다. 영국 장원이 변해 가는 과정에서 공동체 해체는 빨라졌고, 시장 관계가 확장되었는데요, 그러면 이런 일들이 다른 문명에서는 벌어지지 않았을까요?

사실 공동체라는 건 그렇게 대단하고 결속력이 강한 것은 아닙니다. 갈등과 반목 같은 부침도 있고, 이를 통해 얼마든지 해체될 수도 있습니다. 다만 공동체 해체를 법적으로 인정하고 그것을 하나의 정상적인 형태로 보면서 동시에 시장적인 관계를 맺은 것은 다른 문명에서는 없었던 일입니다. 그래서 어떤 학자들은 이걸 17세기 영국의 농업 자본주의라고 부르기도 합니다.[69]

---

[69] 17세기 말에 나타난 존 로크의 정치 사회 사상은 이러한 영국식 '농업 자본주의'를 전제로 해야만 이해할 수 있다고 주장하는 이도 있습니다. Neal Wood, John Locke and Agrarian Capitalism, University of California Press, 2021.

5

숫자가 바꾼
많은 것들

지금까지 자본주의를 낳은 유럽 문명의 여러 사건들을 나열했는데요, 이번에는 그 마지막 순서로 '수량화'에 대해 이야기해 보려고 합니다. 이를 어떤 학자들은 '수량화혁명'이라고 부르고 있을 정도로 매우 획기적인 개념이라고 할 수 있습니다.[70]

자본주의란 세상의 모든 것을 숫자로 바꿔 돈으로 나타내고 계산하는 태도가 없으면 성립하기 힘든 시스템입니다. 이렇게 말씀드리면 여러분들은 "인류 역사에서 숫자를 쓰지 않은 문명이 어디 있냐?", "유럽뿐 아니라 중국이나 인도에서도 숫자가 발달하지 않았냐?" 의문을 가질 수 있겠죠. 맞습니다. 어떤 문명에서나 숫자가 광범위하게 쓰인 건 사실입니다. 측량과 수량화가 없으면 문명은 성립할 수 없다고 해도 과언이 아니니까요. 다만 르네상스 이후 유럽에서 성립한 수량화에는 다

---

70 앨프리드 W. 크로스비 『수량화혁명: 유럽의 패권을 가져온 세계관의 탄생』, 김병화 역, 심산, 2005.

른 문명과는 확연히 구분되는 특징이 있는데 바로 숫자의 추상성입니다. 그럼 이 말이 무슨 뜻인지 알아보도록 하겠습니다.

추상적 숫자의 도입으로 모든 것을 계측하다

옛날에 쓰던 단위 중에 척尺이라고 있지요. 다들 구척장신 같은 말을 한 번쯤 들어본 적 있을 겁니다. 이 척이라는 단위는 시대나 지역에 따라 조금씩 기준이 다르기는 하지만 대체로 사람의 팔꿈치에서 손가락 끝까지 길이를 뜻합니다. 또 다른 단위로 치寸도 있습니다. 이때 한 치는 손가락의 한 마디를 일컫습니다. 이처럼 도량형은 사람의 인체 한 부분을 측정한 것이거나 인체가 직접적으로 경험할 수 있는 물리적 특성에서 파생한 경우가 많습니다. 근대 이전의 서양 문명도 마찬가지였는데요, 피트ft라는 단위는 풋foot, 사람의 발 길이에서 온 것입니다.

그러다 근대 유럽으로 오면 이야기가 좀 달라집니다. 미터법이라는 게 등장합니다. 이로써 무게와 길이와 면적과 부피를 다 통일해서 나타낼 수 있게 되었습니다. 미터(m)는 센티미터(cm), 미리미터(mm), 제곱미터(m^2)로 확장이 됩니다. 무게의 단위로 가면 4℃ 온도의 물 1세제곱센티미터의 무게가 1그램(g)으로 표현이 되고, 이건 킬로그램(kg), 톤(t)으로 나타낼 수 있을 뿐 아니라 시시(cc), 밀리리터(mL), 리터(L) 등으로도 표현할 수 있지요.

그럼 1미터의 정의는 뭘까요? 이것도 신체의 일부에서 따온 걸까요? 그렇다면 예전과 다를 것이 없겠죠. 1미터는 북극-적도 사이 자오선 길이의 천만 분의 일입니다. 이 자오선의 길이를 정확하게 측정하기 위해 나폴레옹 시절 프랑스에서 두 원정대가 출발했는데요, 천문학자였던 들랑브르와 지도 제작자였던 메샹이 각각 북쪽의 됭케르크와 남쪽의 바르셀로나로 가서 삼각측량법을 활용해 자오선의 길이를 측량하는 작업을 진행했습니다. 이렇게 말하면 과정이 그리 어려울 것 같지 않지만, 정확한 1미터를 계산하는 데 무려 6년이 넘게 걸렸다고 합니다. 이렇게 미터법을 만든 다음 나폴레옹은 "정복은 순간이지만 이 업적은 영원하리라."라고 말했는데 정말 그런 것 같기도 합니다. 나폴레옹이 어디어디를 정복했는지는 이제 역사책에나 나오지만 미터법은 인류가 일상에서 유용하게 사용하고 있으니까요.

이런 게 르네상스 이후 서양 사람들이 숫자를 대하는 추상적 태도입니다. 숫자라는 걸 사람의 인체나 경험과 떼어 내서 숫자 그 자체의 추상적 질서를 만들었다는 이야기죠. 다른 문명과는 확연히 다른 태도였고, 이로 인해 부를 나타내는 방식도 자본주의 이전과 이후가 달라지게 되었습니다.

자본주의 이전에 계산화폐로 부를 나타내지 않던 사회에서는 회계 자체도 일종의 현물 회계였습니다. 가령 우리나라 조선 전기만 봐도 통일된 화폐 단위로 부를 나타내는 것이 아니라 인삼이 몇 관이요, 뭐가 얼마요 하는 식으로 가진 물건을 쭉 나열하는 방식이었다는 겁니다. 화폐 단위로 모든 것을 산술하는 지금 기준에서 생각해 보면 굉장히 거리감이 있는 방식이죠. 그랬던 것이 자본주의 개념이 생기면서부터는 자신이 가진 돈을 구체적인 숫자로 나타내는 것은 물론, 심지어 가격표가 붙어 있지 않은 것도 돈으로 환산할 수 있다는 산술 신화가 생기게 되었습니다. 그럼 이런 태도는 어떻게 나타나게 되었을까요?

13~14세기 정도에 신학과 철학을 공부하는 스콜라 철학자들이 있었습니다. 이 사람들이 만물의 질서에 대한 철학적이고 형이상학적인 토

론을 하다 보니 어느 순간 만사만물의 공통적인 실체가 무엇인지 관심을 가지기 시작했습니다. 이게 사실 신학에서는 굉장히 중요한 문제예요. 하나님의 정의를 이야기하다 보면 철학 범주와 맞닿기 때문에 우주의 실체가 무엇이냐 하는 문제는 신의 문제와 밀접하게 연관되어 있습니다. 그래서 이들은 인간 세상에 공통적으로 존재하는 실체가 무엇인가 하는 문제를 오랫동안 고민했는데요, 그러다 중요한 사고방식이 하나 나옵니다. 그 실체가 바로 숫자일 수 있다는 것이죠.

사고가 이렇게까지 이어지게 된 데에는 여러 가지 요인이 있는데 그중 하나가 화폐입니다. 아리스토텔레스의 『니코마코스 윤리학』에 이런 내용이 있습니다.

> "사람들이 5개의 의자와 1개의 침대를 서로 교환하는데, 의자와 침대는 그 실체를 보면 공통점이 없는 이질적인 물건이다. 이 다른 물건을 교환하는 게 어떻게 가능한가?"

어떻게 보면 너무도 당연한 관점일 수도 있는데, 당시엔 그게 또 그렇지 않아서 이걸 가지고 스콜라 철학자들이 고민하고 논쟁하기 시작합니다. '전혀 다른 물건인 의자와 침대가 교환되는 건 무슨 원리인가?'에 대해서 말이죠. 현학적이라기보다는 본질을 탐구하는, 스콜라 철학자들다운 기질이 발현되었다고나 할까요. 그러다 나온 결론이 이게 화폐의 재주라는 거예요. 매개물로서의 화폐가 전혀 다른 이질적인 여러 가지 물건에 일정한 가치를 부여하고, 교환 가능한 것으로 바꿔주는 신비한 힘을 발휘했다는 건데요, 알쏭달쏭하죠?

참고로 이즈음 유럽에 대학이라는 게 생겨났습니다. 대학의 초창기 모습은 배우고자 하는 학생들과 가르치고자 하는 교수들의 조합이라고 할 수 있었는데요, 일종의 길드와 비슷했습니다. 학생들이 교수에게 수업료를 주면 교수들은 그걸로 생활을 영위했습니다. 이러다 보니 대학이 있는 곳엔 거의 예외 없이 시장이 열렸습니다. 스콜라 철학자들은 대학의 교수들이기도 했으니 시장에서 매일매일 전혀 다른 종류의 물건들이 사고팔리는 걸 일상적으로 접하게 되었습니다. 이런 풍경은 장원에서는 보기 힘든 모습이었죠. 게다가 스콜라 철학자들의 일부는 대학 학장이 되어 행정을 담당하기도 했는데, 이렇게 시장을 접하고, 행정을 경험했던 것이 영향을 미쳐 돈이 신비한 물건이라는 생각을 하게 된 배경은 아닐까 하고 추측하기도 합니다.[71]

이런 과정을 거쳐 14~15세기 무렵부터 스콜라 철학자들을 중심으로 만사만물을 돈이라는 매개를 통해 숫자로 표현할 수 있고, 물건 사이에 화폐를 가져다 놓으면 서로 교환이 가능한 동질적인 물건으로 바뀌는 신비한 일이 벌어진다는 사고방식이 퍼지게 되었습니다. 시간이 지나 15~16세기 르네상스 시절이 되면 인간의 거의 모든 영역에서 숫자를 통해 질서를 조직하는 것이 편리하고 좋은 방식이라는 인식이 일반화되기 시작합니다.

같은 맥락으로 르네상스 때 벌어졌던 예술에서의 혁신도 중요한 사건으로 꼽을 수 있는데요, 이를테면 미술 기법의 혁명 중 하나라고 일컬어지는 원근법 같은 것이 있습니다. 물론 원근법이 르네상스에만 있었던 건 아닙니다. 그전부터 사용한 사람은 있었어요. 하지만 르네상

---

71 Joel Kaye, Economy and Nature in the Fourteenth Century: Money, Market Exchange, and the Emergence of Scientific Thought, Cambridge University Press, 1998.

스 때 원근법은 숫자로 측량해서, 이 측량된 비례와 질서에 따라 원근을 배치했다는 중요한 특징이 있습니다. 음악도 그렇습니다. 서양 음악은 한 옥타브를 8계조로 나누었고, 이를 바탕으로 정교한 선법이나 화성학 같은 것을 만들었습니다. 이것도 숫자를 베이스로 하고 있는 것이죠.

16, 17세기로 넘어가면 드디어 화학이라든가 천문학 같은 자연과학 분야에서도 수를 질서로 배열하고 나타내야 규명이 가능하다는 태도가 나왔고, 이게 계속 이어지면서 뉴턴 같은 위대한 수학자이자 물리학자가 나타나기도 했지요. 이렇게 보편적인 추상적 질서로서의 숫자를 상정하고, 이 숫자로 만사만물을 나타내고자 하는 태도가 자본주의 탄생에서 매우 중요한 전제가 되었음은 물론입니다.

복식부기의 등장

이런 정신적 태도를 전제로 나타난 결정적인 혁신이 또 하나 있으니 바로 복식부기입니다. 베르너 좀바르트가 쓴 『근대 자본주의』라는 책이 있습니다.[72] 볼륨vols. 상으로는 3권이지만 실질적으로는 각 권이 2권씩

---

72 Werner Sombart, Der moderne Kapitalismus. Historisch-systematische Darstellung des gesamteuropäischen Wirtschaftslebens von seinen Anfängen bis zur Gegenwart. Final edn. 1928, paperback edn. (3 vols. in 6): 1987 Munich: dtv. 좀바르트의 이 저작은 그 중요성에도 불구하고 영어로 번역되지 않았고, 일본에서 한 번역도 3분의 1 분량에 그치고 있습니다. 옛 독일어인 데다 분량마저 방대해서 접근하기 쉽지 않습니다. 다음의 책을 권합니다. Frederick Nussbaum, A History of the Economic Institutions of Modern Age: An Introduction to Der Moderne Kapitalismus by Werner Sombart F. S. Crofts and Co., 1933. 좀바르트의 사상을 전반적으로 이해할 수 있는 영어 입문서는 Werner Sombart, Economic Life in the Modern Age ed. by Nico Stehr et. al. Routledge, 2001.

으로 되어 있어서 총 6권인 무지막지한 책입니다. 이 책에 "자본주의가 언제 생겨났는지 물어보면 구체적인 연도를 말하기는 힘들다. 굳이 말하라고 한다면 나는 1484년을 이야기하겠다."는 내용이 나옵니다. 1484년에 무슨 일이 벌어졌느냐 하면, 프란체스코회 수도사이자 회계학의 아버지라 불리는 루카 파치올리Luca Pacioli가 복식부기의 원리를 최초로 정리한 책을 출간했습니다. 이 사람이 이걸 정리한 이후에 오늘날까지도 복식부기는 원리적으로는 크게 바뀐 게 없다고 하죠. 좀바르트는 이 복식부기라는 걸 빼고서는 자본주의라는 문명을 절대로 이해할 수 없다고 이야기했습니다. 좀바르트의 절친한 친구였던 막스 베버도 상당 부분 동의하는 지점이었고요.

단식부기는 우리가 흔히 쓰는 금전출납부, 좀 더 쉽게는 은행 통장을 생각하면 됩니다. 돈이 얼마가 들어오고 얼마가 나갔다는 액수만 표시되는, 그래서 결국 잔고가 얼마라는 것만 나옵니다. 그 돈이 무엇 때문에 나갔고 왜 들어왔는지에 대해서는 자세한 설명이 없습니다.

하지만 생각해 보세요. 돈이 나갔다고 해도 내가 군것질하느라고 나간 돈도 있지만, 자산을 구입하느라고 쓴 돈도 있을 테고 혹은 사장이 직원들 월급을 주느라고 나간 돈도 있을 것입니다. 이걸 몽땅 그냥 '돈이 나갔다, 들어왔다'라고만 처리하는 건 문제가 있습니다. 우선, 들어오고 나간 돈 중에 무엇이 수익에 해당하고 무엇이 비용에 해당하는지 구별할 수 없습니다. 이런 방식으로는 자산이나 부채가 늘었는지 줄었는지 역시 파악할 수 없습니다. 결국 단식부기는 아무리 작성해 봤자 그 기간 동안 수익과 비용이 어떻게 발생해서 순수익이 얼마가 되는지, 또 자산과 부채의 증감이 어떻게 변화하여 그 기간 동안 순자산의 증감이 어떻게 바뀌었는지 알 수가 없습니다.

하지만 복식부기는 모든 금전의 출납을 다르게 표기합니다. 먼저 종이에 큰 T 자를 그어, 왼쪽을 차변 오른쪽을 대변으로 삼습니다. 그래서 돈이 들어오고 나갈 때마다 그것이 수익/비용, 자산/부채 어디에 해당하는지를 모두 기록합니다. 이렇게 기록해 둔 원장을 나중에 손익계산서와 대차대조표로 따로 만듭니다. 이를 통해서 단순히 돈이 들어오고 나간 기록이 아니라, 해당 기간 동안의 순수익과 순자산 가치 증가를 파악할 수 있도록 합니다.

중세 때 교회에서 상인들과 금융업자들을 저주하면서, 이들이 이윤을 내는 방식에 대해 사기와 같은 것으로 취급했다는 말씀을 드렸었죠. 하지만 상인들과 금융업자들의 복식부기 장부를 보면 그 사람들의 이윤이라는 건 아무것도 없는 데서 툭 떨어지는 게 아니라, 들어오는 게 있다면 그만큼 나가는 것도 있다는 것을 기본 개념으로 삼고 있다는 사실을 알 수 있습니다. 파치올리는 돌고 도는 자본의 순환 과정에서 그 일부가 이 사람의 금고에 들어오는 것이지, 아무것도 없는 상태에서 사기를 쳐 만들어 낸 것이 아니니, 장사로 벌어들인 이윤이 부도덕하다거나, 또 그런 이유로 무조건 교회에 헌금으로 내야 하는 건 아니라는 말을 하고 싶었던 겁니다. 이런 이유로 복식부기는 르네상스 초기의 상인 자본주의를 정당화하는 중요한 세계관을 담고 있다고도 할 수 있습니다. 어쩌면 이게 파치올리가 복식부기를 통해 전달하고 싶었던 진짜 메시지인지도 모르겠습니다.

나중에 역사가들이 밝혀낸 바로는 이 T 자 회계라는 걸 파치올리가 처음 만든 것은 아니었습니다. 13, 14세기 때도 비슷한 흔적을 찾을 수 있고, 최근에는 무려 기원전 2500년경 수메르 점토판에도 T 자 회계의 흔적이 남아 있다는 사실을 알게 되었죠. 게다가 파치올리식 복식부기가 광범위하게 사용된 것은 19세기부터입니다. 자본의 역사를 생각해 보면 얼마 안 된 것이죠. 여기서 중요한 것은 시기가 아니라 의미입니다. 파치올리의 복식부기가 등장하게 된 맥락을 살펴보면 자본주의가 가지고 있는 독특한 태도 중 하나를 발견할 수 있는데요, 내가 가지고 있는 자산의 크기가 얼마인지를 항상 계산할 수 있도록 만들어 냈다는 것입니다.

가계부로는, 매일매일 돈이 얼마나 들어오고 나갔는지는 알 수 있지만 내 현재 자산이 얼마인지는 알 수 없습니다. 이걸 파악하려면 가계부 맨 앞으로 가서 가장 최근까지 덧셈 뺄셈을 해야 하는데 이런 방식은 자본주의 발달 과정과는 맞지 않습니다.

12, 13세기 이탈리아 북부 도시나 벨기에 같은 곳에서는 사무실을 크게 차려 놓고 앉아서 장부만 쓰는 큰 상인들이 나타났습니다. 이렇게 큰 규모의 사업을 하다 보면 자본을 회수하기까지 1~2년이 걸릴 수도 있습니다. 한 500억 원 정도의 자본금으로 인도에서 향료를 수입하는 사업을 하겠다면 처음엔 자본금을 투여해 배도 사고 배를 움직일 선원도 고용하고 보험도 들어야 할 것입니다. 그 외에도 돈이 나갈 일은 많겠죠. 이런 사전 준비가 완료되면 향료를 사러 가야 할 것이고 가지고 와야 할 것이고 팔아야 할 것입니다. 이 전체 과정을 보면 원금을 회수하기까지 시간이 얼마나 걸릴지 알 수 없습니다. 이런 식으로 자본의 규모가 커지고 자본의 회전 기간이 늘어나면서 자본이 배·선원·향료 등등 여러 가지 형태로 모습이 바뀌게 되는데요, 이러한 과정을 관통하는 것은 '이게 자산 가치로 얼마'라는 추상적인 개념입니다.

이렇게 시간적으로 일관된 '자산 가치'의 개념은 금전출납부식 단식부기로는 나타낼 수 없습니다. 이걸 파악하려면 기본적으로 손익계산서를 작성하고 복식부기를 통해 대차대조표를 만들어야 합니다. 그러면 설령 아직 돈이 들어오지 않았더라도 내가 가진 자산의 규모나 상태를 알 수 있습니다. 복식부기는 단순히 들어온 돈과 나간 돈을 기록하는 데 그치는 게 아니라 이걸 통해 이 순간 내가 가진 자산 전체가 얼마인지를 숫자로 나타낼 수 있다는 중요한 특징을 가지고 있습니다.

사실 좀바르트가 복식부기에 대해 했던 이야기는 좀 더 복잡한 개념들을 다루고 있습니다만, 이것을 단순화하는 과정에서 "복식부기가 나오면서 자본주의가 나왔다."는 주장으로 잘못 알려져 많은 비판을 받기도 했습니다. 게다가 복식부기는 처음 등장한 이후로도 오랜 기간 동안 그리 널리 쓰이지도 않았습니다. 간혹 지역이나 국가에 따라 쓰이는 곳이 있긴 했어도 그렇게 많지는 않았죠. 자본 시장이 발달하기 이전이니 기업 공시 등의 규칙도 없었고, 공적인 회계 규칙이 존재했던 것도 아니었습니다. 이때의 회계란 그저 사업을 하는 본인과 동업자들만 이해하고 알아보면 그만이었던 셈입니다. 게다가 복식부기는 자산이나 사업의 규모가 어느 정도 되면 필요가 있겠지만, 그렇지 않다면 별 의미가 없기도 합니다. 가령, 생활비 15만 원으로 이번 주와 다음 주를 버텨야 하는 식이라면 자산의 규모를 파악하고 말고가 무슨 소용이 있겠습니까. 또한 이걸 기록하는 게 보통 귀찮은 일이 아닌데다가 정확한 규칙을 따르자고 하면 작성 방식이 그리 쉽지도 않았습니다.

이런저런 이유로 복식부기는 처음 만들어지고 무려 400년 가까이 지난 뒤인 19세기 초에 들어와서야 그 쓰임이 인정받게 되었습니다. 상황이 이렇다 보니 좀바르트는 가뜩이나 오해에 휩싸인 와중에 실제로 쓰이지도 않는 걸 뭐가 중요하다고 그렇게 강조하냐는 비판까지 받아야 했죠.[73] 하지만 좀바르트가 복식부기를 중요하게 여긴 분명한 이유가 있습니다. 그게 뭘까요? 복식부기 발전의 정점은 바로 손익 계산서와 자본 회계Kapitalsrechnung, 즉 대차대조표의 도입과 이를 통한 결산입니다. 그냥 돈이 들어오고 나가는 것만 보는 게 아니라, 그 과정에서 자기에게 진정으로 이익이 되는 수익, 즉 실제의 '이윤'이 얼마나 들어오는지를 명확하게 파악하고 따질 수 있게 되었고, 그 결과로 자신의 '자산'이 얼마나 축적되고 증식했는지도 명확하게 파악할 수 있게 되었습니다. 요컨대, '이윤'과 '자산 증식'이라는 자본주의의 핵심 개념, 즉 '자본'이라는 개념 자체가 바로 복식부기에서 생겨났다는 게 좀바르트의 주장입니다. 그다음에는 이 '이윤'과 '자산 증식'이라는 최고 목표를 좇아 모든 활동의 일거수일투족을 가차 없이 수량화하고 합리화하는 일이 벌어집니다. 좀바르트의 말을 들어 봅시다.

"수익과 자산의 계산이야말로 복식부기의 가장 으뜸인 본질이라고 할 수 있다. 그 목적은 명쾌하게 다음과 같이 요약할 수 있다. 해당 기업의 자본 순환 전반에 걸친 모든 활동을 추적하고, 수량화하고, 기록으로 남기는 것"[74]

---

73 좀바르트의 저작은, 충분한 논리와 근거를 제시하지 않은 상태에서 지나치게 일반화하거나 과감한 억측을 돌출시키는 경우가 적지 않습니다. 그래서 "복식부기에서 자본주의가 생겨났다."는 이른바 '좀바르트 명제' 또한 숱한 비판을 받았고, 지나친 주장이라는 게 오늘날 회계사학자들의 일반적인 결론입니다. 우선 단식부기라는 게 그렇게 허접한 것도 아니었을 뿐만 아니라, 18세기 말까지 작성되었던 여러 상업 문서들을 보면 복식부기가 쓰인 흔적을 전혀 찾을 수 없다는 것 등이 그 근거로 제시되고 있습니다. Basil Yamey, Accounting and the Rise of Capitalism: Further Notes on Sombart, Journal of Accounting Research 2(2), 1964. 하지만 이러한 역사적 사실과 무관하게 그의 생각은 자본주의 '정신'의 본질적인 부분에 대한 날카로운 직관을 담고 있으며, 그의 동료였던 막스 베버도 같은 태도를 취합니다.

74 Agbi Eniola Samuel, et. al., The Double Book Keeping (DEB) System and the Emergence of Ethics and the Spirit of Capitalism, European Journal of Accounting, Auditing and Finance Research, 2017, 5(10). 81p.

좀바르트에 의하면 결국 복식부기는 수익이라는 관점에서 만사만물을 이해하는 계기가 되었다는 것입니다. 즉 돈으로 나타낼 수 없는 것까지도 수량화하기 시작했고, 모든 것을 수익의 관점에서 바라보게 되었다는 것인데, 이는 두말할 필요 없이 자본주의 핵심적인 정신이라고 할 수 있습니다.

지금까지 유럽 문명에서 자본주의가 발생할 수 있었던 몇 가지 중요한 사건들과 현상들에 대해 알아보았습니다. 자본주의란 어떤 하나의 현상, 어떤 하나의 운동, 어떤 하나의 사고 흐름으로 만들어진 것이 아닙니다. 다양한 사건과 상황과 시대의 흐름이 모이고 모이면서 자본주의라는 거대한 물결이 만들어졌습니다. 얼핏 큰 상관 없이 벌어졌다고 생각되는 일들이 사실은 하나의 결과를 향해 달려온 길고 지난한 과정이죠. 그 거시적인 맥락을 이해하고, 미시적인 사건을 파악하는 작업은 현대 사회를 이해하는 데 매우 중요합니다.

PART 5

근대국가의 형성

1

주권, 영토, 질서

비교적 최근까지도 경제와 정치를 별개의 개념으로, 그래서 각자의 영역이 따로 있는 것으로 알고 있는 경우가 많았습니다. 하지만 실제 역사 과정을 보면 어림도 없는 이야기입니다. 근대국가와 근대적인 시장 경제가 동시에 발생했다는 건 아무리 강조해도 지나치지 않습니다. 물론 모든 국가가 시장 경제를 만들어 낸 건 아닙니다. 근대적인 시장 경제 개념은 역시 유럽에 근대국가가 등장하면서 발생한 것이라고 할 수 있습니다.

사실 근대국가라고 하면 좀 낯선 개념이죠. 근대면 근대고 국가면 국가지 근대국가가 대체 뭘까 싶기도 하고요. 현대인들은 근대국가를 공기나 바람처럼 자연스러운 환경 조건으로 여긴 지 몇백 년이 지났기 때문에 근대국가가 아닌 국가를 상상하는 것도 힘들고, 특이점이 뭔지 발견하는 것도 쉽지 않습니다. 그런 점에서 먼저, 자본주의 발생이란 맥락 속에서 근대국가가 어떤 역할을 했는지 구체적으로 알아보겠습니다.

근대국가의 특징과 정의

우선 이 근대국가라는 게 왜 독특한 물건인지 설명하기 위해 예를 하나 들어보겠습니다. 누가 죄를 지으면 교도소에 가잖아요. 근데 피해자한테는 아무것도 안 해 줍니다. 이거 좀 이상하지 않나요? 가령 A가 B를 살해했다면 아주 옛날에는 '눈에는 눈, 이에는 이' 원칙을 따지든가, 그에 해당하는 배상금으로 문제를 풀었습니다. 여기서 문제를 풀었다는 건 B의 가문이 어떤 형태로든 A와 싸움을 하지 않는 것을 말합니다. 요즘으로 치면 합의 정도로 생각할 수 있겠네요. 그런데 오늘날 B의 가족이나 가문은 땡전 한 푼 못 받죠. 물론 민사 소송을 하면 보상을 받을 수도 있겠지만, 그건 나중 이야기고 형사 재판으로 들어가면 대략 '살인죄 탕탕탕' 해서 A가 여러 정황에 따라 그에 상응하는 형을 받겠죠. 그러면 A는 그 기간 동안 징역을 사는 건데, 이건 A와 B의 관계가 아니라 A와 국가의 관계입니다. 이야기인즉슨 오늘날은 A가 지은 죄가 있다면 그건 B에게 지은 게 아니라 국가에 대해서 죄를 지은 것과 다름없다는 것입니다.

이런 법과 형사 질서라는 걸 가만히 보면, 마치 "건방진 A야, 네가 감히 근대국가가 정해 놓은 형법을 어겨? 맛 좀 봐라!" 이러면서 교도소에 넣는 식이란 거죠. 이게 지금은 당연한 것 같지만 근대국가라는 개념이 시작되면서 나타난 독특한 현상입니다. 심지어 B의 가족들이 억울해서 "우리도 복수 한번 해 보자! 네 놈 배에도 칼 한번 찔러 보자." 하는 식의 사적 복수는 근대국가에서 철저하게 금지되어 있습니다. 다시 말해 폭력의 라이선스를 발행할 수 있는 건 국가뿐이라는 겁니다. 경찰과 군인 같은 국가의 인증을 받은 특수한 집단이 특수한 경우에만 폭력을 사용할 수 있고, 인가를 받지 않은 개인이 복수를 한다면 역시 교도소에 가야만 합니다. 여기서 폭력이란 표현이 어색하거나 불편하다면 이를 공권력이라고 바꿔 불러도 좋습니다. 하지만 그 본질은 같습니다. 국민을 상대로 합법적인 권력을 창출한 것도 근대국가의 특징 중 하나이고 이 권력은 결국 폭력의 다른 얼굴인 셈이니까요. 사실상 미화의 과정을 거친 한 개념의 전과 후라고 해도 무방할 정도입니다.

이 법질서라는 게 좋은 의미든 나쁜 의미든 좀 인위적이라는 생각이 들지 않나요? 중세 때는 결투라는 게 있었습니다. 가령 A와 B가 한쪽은 거짓을 말하고 한쪽은 참을 말하는데, 누가 거짓이고 누가 참인지 모를 경우 "그럼 너희 둘이 한번 싸워 봐라." 하는 겁니다. 이런 결투 방식을 통한 사적 해결은 16, 17세기로 넘어오면서 금지됩니다. 그래서 17세기 루이 13세 시절의 프랑스를 배경으로 한 유명한 소설 『삼총사』를 보면 칼싸움을 벌이다가도 '경찰'이 오면 잽싸게 도망가는 장면들이 나오지요.

막스 베버는 국가를 가리켜 '폭력을 합법적이고 구체적으로 독점한 집단'이라고 정의하기도 했는데요, 이 특징은 근대국가에서 완성된 형태로 나타납니다. 군대와 경찰 이외에는 누구도 폭력을 행사해서는 안 됩니다. 결국 근대국가란 법을 만들 수 있는 권력, 즉 주권sovereignty을 완전히 독점한 국가, 법을 지키지 않은 사람들을 제재하기 위한 폭력을 독점한 국가라고 말할 수 있습니다. 그래서 폭력의 독점과 함께 이 '법을 정할 권리' 즉 주권을 근대국가의 주요한 특징으로 꼽을 수 있습니다.

근대국가의 또 다른 측면은 영토국가territorial state라는 점입니다. 이것도 지금 우리는 너무 당연한 개념이라고 생각할 수 있겠지만 그건 우리가 근대국가의 품에서 몇백 년을 살았기 때문에 그렇습니다. 최초의 영토국가라고 말할 수 있는 원형은 15~16세기 정도의 스페인·포르투갈·프랑스 등에서 나타나났습니다. 이렇게 말씀드리면 영토가 없는 국가가 뭔지 상상이 잘 안 가죠. 중세 유럽의 경우 국가라는 개념은 영토를 딱 정해서 '여기서부터 여기까지 우리 나라' 이렇게 정해진 게 아니라, 왕이나 군주 개인이 꿰어 차고 있는 여기저기의 땅덩어리를 말하는 것이었습니다. 그러니까 예전엔 영국 왕이 오늘날 잉글랜드 지역과 프랑스 남부와 서부 지방의 이런저런 지방을 가지고 있었는데 이게 붙어 있는 게 아니라 드문드문 떨어져 있잖아요. 중세 영국 왕실 자체가 프랑스 북쪽의 노르망디에서 온 이들이었던 데다가 프랑스의 앙주 지방도 자기들의 영지로 거느리기도 했습니다. 그래서 이때 큰 군주나 왕의 타이틀을 보면 '프랑스 왕'으로 끝나는 게 아니라, 프랑스의 왕이시며 어디의 공작이시며 어디의 백작이시며 등등이 쭉 나열되곤 했습니다.

이런 이유로 당시에는 부재 군주라는 말도 있었는데요, 군주는 군주인데 그 자리에 없다는 뜻입니다. 우리 왕이신데 우리 나라에는 안 삽니다. 왕이 한 번도 방문하지 않은 지역이 있을 정도니까요. 부재 군주의 끝판왕이라고 하면 카를 5세를 꼽을 수 있습니다. 16세기 합스부르크 왕가가 가장 큰 힘을 발휘했던 시기에 유럽을 다 정복하겠다고 나선 신성 로마 제국 황제였는데요, 카를 5세가 거느리고 있던 땅을 보면 스페인과 오스트리아를 비롯해 이름을 나열하기도 힘든 이탈리아와 독일의 이런 지역 저런 지역이 있습니다. 이 지역들의 명칭만 다 나열해도 대략 이 책의 몇 페이지 정도는 너끈히 채울 수 있을 것입니다.

이런 맥락에서 봤을 때 근대국가 이전의 국가라는 건 그 왕이나 군주의 재산을 일컫습니다.[75] 국가를 소유한 왕은 자기가 가지고 있는 지역에서 세금을 수취할 수 있고 권력을 행사할 수 있었습니다. 중세 시기를 보면 공간적으로 영토와 국가와 왕권이 일치하는 경우는 거의 없었거나, 설령 있었더라도 아주 드물었습니다. 가령 프랑스의 경우 카페 왕조나 위그노 왕조 때를 보면 프랑스 왕이 실제로 권력을 행사할 수 있는 지역은 파리를 중심으로 한 좁은 지역이었고, 나머지는 다른 영주가 지배하는 곳이었습니다. 오늘날 지도처럼 영토를 정해 놓고 프랑스라고 쓰는 식의 개념은 존재하지 않았다는 것이죠.

종교전쟁이 불러온 영토국가와 주권국가의 일치

지금과 같은 영토국가의 형태는 15~16세기 정도에 나타났습니다. 주권국가라는 개념과 영토국가라는 개념은 밀접한 상관관계에 놓여 있으며 사실상 하나의 뿌리에서 나온 두 가지라고 할 수 있습니다. 이 둘을 연리지처럼 연결한 결정적 사건이 있었으니 바로 종교전쟁입니다.

1517년 루터가 종교개혁을 하고 얼마 지나지 않아 독일 농민들이 봉기를 일으키는 1520년대부터 유럽은 개신교와 가톨릭교가 끊임없이 치고받는 전쟁 상태였습니다. 단순한 전쟁이 아니라 '만인의 만인에 대한 투쟁'이라고 말해도 과언이 아닐 정도로 무질서하고 잔인하기 짝이 없었습니다. 이러다 우리 다 죽겠다 싶었는지 신교 군주와 구교 군주가

---

75 국가state의 어원인 이탈리아어stato는 마키아벨리의 저작에서 거의 대부분 주체가 아닌 목적 대상으로 쓰인다고 합니다. 즉 stato란 적극적인 '국가 이성의 주체'가 아니라 '군주에게 이익을 가져다주는 재산'이라는 개념이었던 셈입니다.

독일의 아우구스부르크에 모여 일종의 평화 회의를 합니다. 이걸로 좀 잠잠해지나 싶더니 얼마 지나지 않아 근방 지역에서 다시 종교전쟁으로 비화되었고, 17세기로 넘어가서는 독일을 중심으로 다시 30년 전쟁이 벌어집니다. 이 전쟁은 1648년에 베스트팔렌에서 유럽의 종교 지도자들이 모여 명확하게 조약을 맺으면서 비로소 끝이 났죠.

당시 독일 농민 봉기가 얼마나 잔인했는지 프리드리히 엥겔스Friedrich Engels가 쓴 『독일농민전쟁』이라는 책에 나오는 장면 하나를 소개하겠습니다. 1514년 헝가리에서 죄르지 도자György Dózsa의 지도로 6만 명의 농민들이 봉기를 일으켰습니다. 하지만 헝가리 귀족들의 공격으로 농민들은 패배하고 지도자 도자는 사로잡힙니다. 귀족들은 도자를 산 채로 불에 달군 의자에 앉혀서 살을 반쯤 익힙니다. 그다음 불에 달군 집게로 몸 곳곳을 더 태우고 찢어 놓습니다. 그리고 농민 추종자들에게 익은 도자의 살을 뜯어 먹도록 시킵니다. 거부하는 이들은 그 자리에서 몸을 몇 조각을 내어 버립니다. 엥겔스에 따르면, 농민들과 귀족들 사이에서 일어난 보복의 악순환 속에서 잔학 행위는 더욱 끔찍해져 갔다고 합니다. 이 책에 나오는 잔학 행위는 귀족 측 농민 측 가리지 않고 상상을 초월합니다.

이런 험악한 일이 무려 100년 넘게 진행되면서 수많은 사람이 죽어나갔을 뿐 아니라 유럽에 있던 조그마한 정치 단위들도 대폭 사라지고 말았습니다. 이 전쟁의 발단은 원래 하나였던 신이 여럿으로 늘어나면서 시작되었다고 할 수 있는데요, 16세기 유럽에서, 가톨릭이 모시는 신과 개신교가 모시는 신은 이름만 같지 사실상 서로 다른 신이었고, 그 와중에 개신교는 또 여러 종파로 조각조각 나뉘었습니다. 같은 이름을 가진 다른 신을 모시는 이들은 서로를 악마의 자식이라고 부르며 비난했습니다. 신의 자식과 악마의 자식이 공존할 수 있는 방법은 어디에도 없으니 서로 죽이고 죽어야만 했고, 그렇게 유럽은 아수라장이 되었습니다.

그전까지 신과 종교는 인간 세상의 질서를 잡기 위한 최후의 보루였습니다. 그런데 갑자기 신이 여러 모습을 띠고, 서로 싸우기 시작하면서 이제는 종교와 신의 질서가 오히려 분란과 무질서의 원인이 되어 버렸습니다. 사람들에게 '경건하게 살아라, 올바르게 살아라, 신을 믿고 살아라' 가르치면 가르칠수록 세상은 전쟁으로 끓어올랐습니다. 오늘날도 일부 종교 급진주의자들로 인한 갈등과 분쟁과 테러가 끊임없이 일어나고 있는데, 어쩌면 그것의 원형은 이 종교전쟁인지도 모르겠습니다.

이 상황을 해결하기 위한 유일한 대책은 신이 아닌 신, 종교색이 없는 신을 만드는 것이었습니다. 이게 주권국가라는 개념이 생겨나는 계기인데요, 프랑스의 장 보댕Jean Bodin이라는 법률가가 처음 이 아이디어를 냈습니다. 그의 생각을 요약해 보자면 이렇습니다.

"현재의 무질서를 정리할 유일한 존재는 현세에서의 신이어야 한다. 그러자면 국가는 왕에게 신의 권력을 부여해야 한다. 그리하여 주권자는 함부로 신의 질서를 외치고 신의 권위를 내세우는 자들을 위에서 눌러 버릴 수 있는 권능을 가져야 한다."

이 주권 개념이 17세기로 가게 되면 토머스 홉스Thomas Hobbes의 『리바이어던Leviathan』이라는 저서로 나타납니다. 여기에 나오는 리바이어던은 구약성경에 나오는 괴물입니다. 어떤 동물이나 인간이나 세력도 적수가 되지 못하는 무적의 강자인데요, 국가가 바로 리바이어던이 되어야 한다는 게 홉스의 이야기입니다. 그러니까 홉스는 '필멸의 신mortal God'이 필요하다고 생각했습니다. 신은 원래 불멸의 존재죠. 하지만 홉스가 말하는 신은 인간들이 인공적으로 만들어 낸 신이니까 언젠가 반드시 죽어야 하는 존재입니다. 홉스의 주장을 간단하게 윤색하자면 이런 식이 될 겁니다.

"진짜 신은 이 세상을 떠나 버렸다. 그러니 이제 종교와 무관한 필멸의 신을 만들어 그에게 모든 권력을 부여하고 모두 그 앞에 무릎을 꿇어야 한다. 이게 인간 세상의 질서를 회복하는 유일한 길이다."

바로 근대적 주권국가의 개념, 모든 폭력과 모든 법적 정당성을 몽땅 독점하는 그런 국가가 나타나게 된 배경입니다. 홉스가 이 책을 출간하기 전까지만 해도 영국은 '대반란Great Rebellion', 이른바 청교도혁명으로 알려진 혼란을 겪어야 했습니다. 법과 질서가 사라진 상황에서 사적인 보복과 폭력이 난무하는 엉망의 상태였습니다. 홉스는 여기에서 사회가 나타나기 이전의 끔찍했던 '자연 상태'를 상상했고, 이를 면할 수만 있다면 어떤 권력도 용인할 각오를 하면서 사회와 문명이 나타났다고 주장했던 것입니다.

특히 독일의 30년 전쟁은 지독한 혼란의 기간이었습니다. 베스트팔렌 조약은 1555년 아우크스부르크 화의의 내용, 즉 '군주는 자기가 다스리는 영토 안에서 신민들이 믿어야 할 종교를 결정할 수 있다'는 원칙을 재확인합니다. 하지만 군주들이 이런저런 종교적 신념 변화와 이런저런 계산속 등으로 종교를 갈아타는 일은 빈번했습니다. 베스트팔렌 조약에서는 설령 군주가 개종하더라도 신민들이 이를 따를 필요는 없다는 것을 밝혀 둡니다. 그러니 한참 또 뒤죽박죽 상태가 계속되는 가운데에 리바이어던 같은 존재들이 하나씩 둘씩 나타나면서 명확한 경계선이 생기게 되었고, 일정한 지역 내에서는 종교든 법이든 무조건 따라야 하는 쪽으로 바뀌기 시작했습니다. 이제 영토territory라는 개념이 확립되었고, 그 안에서는 법을 정하고 그것을 독점적 폭력으로 관철시킬 수 있는 국가의 권력이 획일적으로 행사되었습니다. 이 과정에서 각자의 영토를 더 팽창하기 위한 시도가 벌어지기도 했습니다. 그 엄청난 세월 동안 전쟁을 치르면서 겨우 안정된 논리였음에도 이 팽창을 막기 위해서는 다른 주권국가와 전쟁을 벌이는 방법밖에 없었는데 이것도 좀 아이러니하죠. 처음엔 팽창하려는 국가와 막으려는 국가끼리의 다툼이 있었지만 시간이 흘러 대체로 안정을 찾게 되면서 어디서부터 어디까지는 프랑스, 어디서부터 어디까지는 스페인 하는 식으로 오늘날과 비슷한 영토 개념이 확립되었습니다.

이런 지난한 과정을 거쳐 주권국가와 영토국가가 결합한 근대국가의 형태가 발생했고, 이것이 오늘날까지 이어지면서 몇백 년 동안 여전히 인류의 삶을 규정하고 있습니다.

전쟁과 세금과 금융의 관계

근대 전쟁의 독특한 특징

현대 금융 질서 세계는 수많은 나라가 거미줄처럼 얽혀 있을 뿐 아니라 여러 가지 정교한 제도적 장치들로 이루어져 있어 굉장히 복잡한데요, 그 기원은 좀 엉뚱하게도 근대국가 간 전쟁과 맞닿아 있습니다.

물론 어느 시대를 막론하고 전쟁은 국가의 주된 비즈니스였습니다. 다만 근대국가에서는 다른 시대, 다른 문명에서는 볼 수 없었던 주요한 특징이 하나 있는데 돈이 많이 든다는 점입니다. "무한한 돈은 전쟁의 힘줄이다Nervi Belli Pecunia Infinita."라는 키케로의 말처럼 전쟁에 큰돈과 많은 물자가 필요하다는 건 그리 새로운 사실은 아닙니다. 다만 16세기, 17세기의 초기 국가들은 그 규모가 남달랐다는 점에 주목해야 하는데요, 여기엔 몇 가지 이유가 있습니다.

첫 번째는 용병입니다. 중세 봉건제 전성기 때는 왕이 봉홧불을 올리면 그 아래에 있던 귀족들이 달려와 전쟁에 참여했죠. 그러다 중세 말기가 되면 용병들이 더욱 중요한 군사력의 원천으로 등장합니다. 귀족들 스스로가 용병을 사서 자기들 대신 군역을 시키기도 하고, 또 왕들 역시 더욱 효율적인 군사 단위로서 용병을 선호하기도 합니다. 16세기 이후의 종교전쟁과 같은 전면적 전쟁 상태에서 이 용병의 규모는 폭발적으로 불어나게 됩니다. 용병 대장Condottiero은 자신들을 고용하려는 군주와 흥정을 벌여 가격을 맞춥니다. 가격이 맞으면 돈을 받고 전쟁에 나가서 대신 싸우는 식이었는데요, 얼핏 생각해 봐도 이 사람들이 싼 값에 움직였을 것 같진 않죠. 게다가 금화나 은화가 아니면 받지도 않았습니다. 예전처럼 보유하고 있던 군사를 동원하거나 물자 징발을 통해 전쟁을 치르는 게 아니라 일일이 돈을 주고 고용해야 했으니 비용이 많이 발생할 수밖에 없습니다. 여기에는 또 하나의 문제가 있었는데요, 용병을 사서 전쟁을 하는데, 저쪽에서 더 많은 돈을 주면 어떻게 될까요? 갑자기 창끝이 반대로 바뀌는 일도 왕왕 있었습니다. 이런 일을 막기 위해서라도 용병 충당 비용을 점점 올릴 수밖에 없었습니다. 그래서 군인을 뜻하는 영어의 soldier와 프랑스어의 soldat 모두 '은화 솔리두스solidus를 지급받는 자'라는 뜻에서 나온 말들입니다.

두 번째 이유는 총과 대포입니다. 그전까지 전쟁이라고 하면 창칼이나 방패 같은 것이 주였는데 16, 17세기 들어서면 총과 대포가 표준 무기로 자리를 잡습니다. 아무래도 칼보다는 총이, 창보다는 대포가 훨씬 비싸겠죠. 게다가 대포가 발달하면서 함께 발달한 분야가 있었으니 축성술입니다. 중세 때는 성이 군대의 침입을 막는 강력한 장치였는데, 이제 성 따위는 대포 몇 방이면 충분히 무너뜨릴 수 있게 되었습니다. 그러니까 덩달아 대포에 견딜 수 있는 축성법도 함께 나오게 된 것이죠. 성벽의 바깥은 일자로 올리되 내부는 비스듬하게 경사를 만들어 성벽을 두툼하게 만드는 방식이 고안된 이후로는 대포 몇 방 맞아도 완전히 무너져 내리지 않게 되었습니다. 다만 돈이 더 많이 들 뿐이죠.

세 번째는 관료제 유지에 드는 비용입니다. 전쟁을 많이 하면 할수록 행정적인 일을 처리하거나 세금을 걷는 인원도 늘어나기 마련입니다. 행정 인원이 늘어나면 이들에게 들어가는 월급도 늘어나니 재정 규모를 더 불려야 하는 악순환에 빠지게 되죠.

여기에 가장 큰 문제가 있습니다. 전쟁이라는 게 언제 어디서 터질지 모르다 보니 거기에 필요한 자금과 물자도 항시 준비 상태에 있어야 한다는 겁니다. 자금을 준비하려면 추수 후 같은 시기적 요건이 맞아야 합니다. 하지만 16세기 유럽처럼 험악한 상황에서는 전쟁이 때에 맞춰 터지기를 기대할 수는 없는 노릇이었습니다. 게다가 농업은 해마다 작황이 들쭉날쭉하므로 안정적인 재정의 기초로 삼는 데에도 무리가 있었습니다. 따라서 전쟁을 염두에 둔다면 군주들로서는 '급전'이 필요하게 되겠죠. 여기에서 '금융가'들의 역할이 크게 대두됩니다.

왕과 부르주아들의 동맹

급전이 필요할 때 해결하는 방법은 빚을 내는 수밖에 없습니다. 왕이 부르주아들에게 "전쟁에서 이기면 전리품도 있고, 원래 가지고 있는 영지에서 나오는 세금 수입도 있으니 나를 믿고 돈을 좀 꿔다오."라고 손을 벌리게 되었던 것입니다.

근대국가가 들어서면서 왕들은 전쟁을 할 때마다 언제든 안정적으로 돈을 빌려주는 충실한 신민을 원하기 시작했습니다. 물론 그전부터 "전쟁을 해야 하니 세금을 더 내라.", "죽어도 못 낸다." 하는 옥신각신은 계속 있었습니다. 그러다 영국처럼 반란이 일어나 왕이 목이 잘리는 사태도 벌어졌습니다. 물론 전쟁을 위해 거둔 세금이 모든 원인은 아니겠습니다만, 전쟁에 들어가는 비용을 국민들이 지는 방식에 불만의 목소리가 높았던 것은 사실입니다. 그러다 보니 왕은 주먹구구로 돈을 빌리는 방식은 위험성도 높고 한계도 있다는 점을 인식하고, 금융가들이나 부르주아들과 좋은 관계를 맺은 다음 이들을 잘 조직해야 할 필요성을 느끼게 되었습니다.

그러자면 뭐가 있어야 할까요? 현대 개념에서 생각해 보면 간단하게 답이 나옵니다. 우리가 돈을 마련하고자 할 때 쉽게 떠올릴 수 있는 곳, 바로 은행입니다. 이때도 마찬가지였습니다. 하지만 아직은 그런 제도나 기관이 공적으로는 마련되어 있지 않았기 때문에 안정적으로 자금을 조달하고 받을 수 있는 금융혁명이 필요해졌습니다. 처음에는 왕이 먼저 부르주아들에게 적극적으로 손을 내밀었습니다. 부르주아들도 왕의 손짓에 화답할 만한 이유가 있었는데요, 부르주아들이 장사나 사업을 제대로 하기 위해서는 귀족들의 간섭과 봉건제의 여러 불합리함을 뚫을 수 있는 법질서가 필요했습니다. 왕의 입장에서도 왕의 권력을 견제하는 귀족이라는 존재는 늘 눈엣가시였지요. 다시 말해 왕에게도 부르주아들에게도 귀족은 적이었던 셈입니다. 귀족을 공동의 적으로 상정하자 영국 · 프랑스 · 네덜란드 같은 나라에서 왕과 부르주아들 간에 일종의 동맹이 이루어집니다. 이제 왕은 손쉽게 전쟁 자금을 빌릴 수 있게 됐고, 부르주아들은 상업 질서를 지킬 수 있는 법적 보호를 받을 수 있게 되었습니다. 조금 과장한다면 이 새 질서가 근대국가의 근간을 이루었다고 할 수 있을 정도로 큰 변곡점을 창출해 냈습니다. 이 새 질서의 이름이 바로 '공적 은행public bank'입니다.

예전에는 왕이 돈을 좀 빌려 달라고 해도, 부르주아들이 거절하거나 심지어 도망을 가기도 했는데 이제는 자기들 스스로 조직을 꾸려 국가가 국채를 발행하면 그걸 인수하고 돈을 내어 주는 방식으로 바뀌었습니다. 17세기 초부터 여러 나라에서 이러한 행위를 가능하게 하는 '공공은행' 설립을 추진하기 시작했습니다. 하지만 이 새 제도에 가장 가까이 갔던 것으로 보이는 네덜란드에서도 실패를 거듭하게 되죠. 가장 큰 문제가 되었던 것은 역시 신뢰였습니다. 제도나 기관은 마련할 수 있어도 모두가 신뢰할 수 있는 위상을 확립하는 건 쉽지 않았기 때문이죠. 결국 1694년에 이르러서야 비로소 국가 조세 수입을 담보로 한 은행권 발행이라는 근대적인 화폐 제도가 생겨납니다. 국가라는 이름을 등에 업었기 때문에 기관이 재량에 따라 은행권을 발행해도 화폐로서의 가치가 보장되는 신뢰가 생긴 것이죠. 이것이 오늘날까지도 지속되는 '공공은행'의 설립 배경이고, 그 기념비적인 기관이 바로 영란은행 Bank of England 입니다.[76]

결국 근대국가가 발전하면서 상비군과 관료를 유지하기 위해 국가 재정 규모가 커지게 되었고, 이걸 해결하기 위해 항시적으로 국채를 발행하고 발행한 국채를 인수하는 시스템이 조직되었는데요, 바로 여기서 근대 금융 체제가 나타났다고 할 수 있습니다. 그래서 금융 시스템과 재정 시스템은 사실상 같은 뿌리에서 발생해 자라났다고 볼 수 있습니다.[77]

---

[76] 영란英蘭은 잉글랜드의 음역어입니다.

[77] 이렇게 금융 시스템과 재정 시스템을 한 몸으로 보아야만 한다는 것이 최근 대두되고 있는 '현대화폐이론 MMT: Modern Monetary System'의 핵심입니다. 랜덜 레이, 『균형재정은 틀렸다: 화폐의 비밀과 현대화폐이론』, 홍기빈 역, 책담, 2018.

이렇게 국가가 발행한 국채를 중앙은행을 통해 인수하는 방식으로 국가에 돈을 꿔 주는 시스템이 구축되자, 금융가에서는 좀 더 안정적인 장치가 필요했습니다. 즉 왕실의 과도한 지출로 채무 불이행이 벌어지는 일이 없도록 재정 안정성을 요구하기 시작했고, 특히 몇몇 특정 항목의 세금에 대해서는 그 세수가 어느 국채의 원리금 지불에 쓰여야 한다고 미리 못을 박아 두는 일도 있었습니다.[78]

17세기 말 18세기 초의 영국 국가는 국채를 발행하는 동시에 세금 중 몇 가지 항목은 국채의 원리금을 갚는 데에만 쓴다고 약속해야 했습니다. 이때부터 국가의 재정이라는 게 만천하에 공개되기 시작했습니다. 이는 회사와도 비슷합니다. 처음엔 개인회사였지만 나중에 성장해 규모가 커지면 주식시장에 상장하죠. 여기서 상장은 공개와 같습니다. 이런 측면에서 보자면 근대국가는 국채 시장에 상장된 사업체라고 말할 수 있습니다.

비록 국가의 세수와 지출이 국채 시장과 금융가의 감시 아래 놓였지만, 그들의 힘을 빌려 거대한 재정을 조달할 수 있게 되면서 이 새로운 금융 시스템은 근대국가라는 또 다른 시스템에 안착했습니다. 처음엔 전쟁을 위한 자금 조달 때문에 시작했으나, 18세기 초중반쯤 오면 국가와 의회와 부르주아의 금융 시스템이 서로 불가분의 관계로 엮이면서 결국 화폐와 금융 관계의 확장을 가속화하는 장치로 발전한 것입니다.

---

78 다음을 참조하세요. John Brewer, The Sinews of Power: War, Money and the English State 1688-1783, Routledge, 2014.

3

무역과
중상주의

중상주의는 여러 가지 뜻으로 사용되기도 하고, 다양한 얼굴이 있어서 그 의미를 많이들 헷갈려 합니다. 하지만 지금까지 살펴본 것처럼 근대국가를 전제로 놓고 국가 형성 과정에 있었던 정책 중 하나로 보면, 여러 개의 얼굴을 가진 것도 아니고 그렇게 어려운 개념도 아닙니다.

말씀드렸다시피 근대국가는 형성 과정에서 돈이 많이 들었고, 이를 대부분 금융가에게 꿔 왔는데요, 만약 금융가들도 돈이 없으면 어떻게 될까요? 그러면 나라가 그냥 망하는 겁니다. 이 시기의 많은 군주들이 처음부터 나라 경제에 관심을 가졌던 건 아니었습니다. 이들의 관심사는 오로지 전쟁이었으니까요. 그런데 전쟁하려면 돈을 꿔야 하는데 금융가들이나 부르주아들도 가난해서 꿔 줄 돈이 없으면 아무리 국채를 발행한들, 부르주아를 런던 타워에 묶어서 고문한들 소용이 없지요. 게다가 전쟁에 들어가는 돈이라는 건 오늘날로 치면 꼼짝없이 '현금 박치기'로 지불해야 할 금화나 은화였으니 더더욱 그랬습니다. 이런 이유로 군주들은, 과연 상인들과 금융가들이 금과 은을 얼마나 가지고 있는지 관심을 가지기 시작했습니다.

왕이 전쟁을 하기 위한 금과 은을 확보하기 위해 이런저런 노력을 기울였던 건 꼭 이 시기만 그랬던 것도 아니고, 이게 무역과 관계가 있다는 것도 일찍부터 알고 있었습니다. 일찍이 14세기 영국에서 자국의 금이 유출되는 것을 막기 위해 수입을 제한했다는 기록이 있습니다. 외국에서 물건을 많이 가지고 들어오는 배가 있었는데 배의 물건을 풀었다가는 그 대금으로 영국 안에 있는 금이 다 빠져나간다며 배를 쫓아내버렸다고 합니다.

초기와 중기 중상주의의 모습

다소 엉뚱한 질문입니다만, 힘을 가진 자가 금과 은을 확보하기 위해 할 수 있는 가장 쉬운 방법은 무엇일까요? 그건 바로 빼앗는 것입니다.

15~16세기에 들어와서 유럽은 본격적으로 약탈에 나섭니다. 바스쿠 다가마Vasco da Gam, 크리스토퍼 콜럼버스Christopher Columbus 등으로 대표되는 지리상의 발견을 한 예로 들 수 있겠지요. 무슨 이유 때문인지는 알 수 없지만 당시 일본은 금이 많은 나라라는 소문이 돌았죠. 실제로 일본은 은만큼은 대단히 풍부했습니다. 그래서 그랬는지 유럽인들은 그냥 배를 타고 일본처럼 금이 많은 나라로 가서 그걸 가져오면 된다고 생각하기도 했습니다. 그런데 이때 일본이 아니라 엉뚱하게 북미·남미 대륙으로 가게 됐고, 거기서는 또 황금의 나라 엘도라도를 찾겠다고 난리를 치다가 사람들만 잔뜩 죽이고 그랬습니다. 앞서 중상주의에는 여러 얼굴이 있다고 했는데, 이런 게 초기 단계의 중상주의였습니다. 돈에 목숨을 거는 시대였다고 할까요? 이때 많은 탐험이 행해지면서 포르투갈

배가 일본까지 오기도 하고 그야말로 아수라장이었습니다.

전 세계로 나가서 금을 수탈하고 식민지를 개척하는 방식에서 크게 성공한 나라가 스페인과 포르투갈입니다. 이들이 맨날 배 타고 나가서 전 세계를 거의 땅 따 먹기 하다시피 하고, 서로 식민지를 가지고 아웅다웅하니까 교황이 지도를 반으로 나눠 이쪽은 포르투갈이, 저쪽은 스페인이 가지라고 한 일도 있었죠.

처음엔 이렇게 외부에 나가서 금을 긁는 식으로 약탈했는데, 얼마 지나지 않아 이게 그리 좋은 방식이 아니란 걸 깨닫게 되었습니다. 스페인을 보니까 왕실과 귀족들의 사치, 끊임없는 전쟁 같은 것으로 들어왔던 금과 은이 순식간에 밖으로 빠져나가더란 거죠.

이후 17세기쯤에 "그렇다면 무역 차액이 답이다!" 이런 결론이 나왔습니다. 외국에 수출을 많이 해서 금을 빨아들여 찰랑찰랑 채워 놓은 다음에 수입은 안 하는 식이었는데요, 그야말로 자린고비 작전이라고 할 수 있습니다. 이걸 아주 명확하게 글로 써서 남긴 사람이 영국의 경제학자이자 영국 동인도 회사의 이사였던 토머스 먼Thomas Mun입니다. 이 사람이 쓴 저작인 『대외 무역을 통한 영국의 금은보화England's Treasure by Foreign Trade』가 그 당시 프랑스나 영국 같은 국가들의 무역정책 변화를 일으켰다고 알려져 있는데요, 무역을 통해 금을 확보하는 게 중요하다는 정책은 중상주의의 두 번째 얼굴이기도 하고, 중상주의라는 말의 일반적인 의미이기도 합니다. 오늘날에도 수출을 많이 해서 외화만 먹으려고 하고, 수입은 잘 안 하려고 하는 보호무역을 중상주의라고 부르기도 하죠.

이렇게 일종의 보호무역을 통해 국내의 금을 채우는 작전으로 선회하면서 식민지 정책도 좀 바뀌었는데요, 예전처럼 단순히 쳐들어가서 파괴하고 약탈한 것이 아니라 근대국가의 대외 팽창이라는 관점으로 접근했습니다.

크게 두 가지 방식이 있었는데요, 첫 번째는 항로를 개척하고, 그 항로를 독점한 다음 비싸게 팔릴 만한 물건을 사들여 유럽에 팔아서 큰 수익을 내는 것입니다. 이 일을 했던 전형적인 형태가 네덜란드가 거느리고 있었던 동인도 회사였습니다. 보통 동인도 회사 하면 영국 동인도 회사를 생각하는 경우가 많은데, 17세기 말까지만 해도 네덜란드 동인도 회사가 인도양 쪽 무역을 거의 지배하다시피 했습니다. 일본도 처음 접촉했던 건 포르투갈인데, 나중에는 네덜란드하고만 교역하고 네덜란드 학문만 받아들였죠.[79] 유럽 근대국가들은 이런 식으로 항로를 독점해서 이익을 누리는 것이 대외 팽창의 중요한 목적이었습니다.

참고로 네덜란드 동인도 회사는 함대와 폭력 조직을 함께 거느리면서 중요한 교역항이나 무역항에다 군사기지를 세워 해적이나 다른 유럽 나라들이 얼씬하지 못하도록 막아 내는 일종의 군사적인 역할도 겸했습니다. 그러니 이건 일반 회사라고 할 수는 없고, 국가 회사 혹은 국가 기구의 일종이라고 보는 것이 맞습니다.

나중에 영국 동인도 회사가 우위를 점하면서 결국 인도를 점령합니다. 보통 인도가 처음부터 영국의 식민지였다고 알고 있는 분들이 많습니다만, 영국이 직접 총독을 파견하게 되는 건 상당히 뒤의 일이고 먼저 인도를 경략했던 건 영국 정부가 아니라 영국 동인도 회사였습니다. 인도와의 무역을 독점하려던 영국 동인도 회사의 작품이었는데, 이런

---

79 이를 흔히 난학蘭学이라고 합니다. 여기서 '난'은 네덜란드를 뜻하는 음역어 화란을 줄인 말인데, 여기에 '학'이라는 말을 붙여 가며 학술 연구와 기술 수입을 했을 만큼 중요하게 여겼습니다.

상황에 비춰 볼 때 영국 동인도 회사도 영국 국가 기구의 일부라고 보아야 합니다. 항로를 독점하는 특권을 일반 무역회사가 가질 수는 없으니까요.

근대국가의 대외 팽창 방식 두 번째는 식민지 지역에 가서 땅을 경작하고 작물을 키워 그걸 수출해서 돈을 버는 형태입니다. 전형적으로는 스페인이나 영국이 중미와 남미 지역에 만든 플랜테이션plantation[80]이 있습니다. 나중에 미국 남부에 형성된 면화 재배 지역도 그 일부라고 봐야 하고요. 이때 식민지를 건설하기 위해 프랑스나 영국에서 건너간 사람들 중에는 종교나 사상의 자유를 찾아 떠난 이들도 있었습니다. 이들은 무역보다 자급자족을 지향했는데 본국인 영국에서 자꾸 중상주의적 무역을 강요하면서 갈등이 빚어졌고, 이게 과도한 세금 등의 문제를 낳아 나중에 미국 독립전쟁으로 연결되기도 합니다.

중상주의의 세 번째 단계

18세기 후반에 들어서면서 중상주의는 세 번째 단계인 산업정책으로 발전하는데요, 어쩌면 중상주의는 모든 나라가 지향하는 목적이라고도 할 수 있습니다. 수출은 많이 하고 수입은 안 하겠다는 것, 그래서 돈을 많이 벌겠다는 것이죠. 돈이 들어오기만 하고 나가지는 않는다는 게 말로만 들으면 얼마나 근사한 일입니까. 오늘날도 말이 자유무역이지 사실은 다 중상주의를 원하고 있죠.

---

[80] 선진국이나 다국적 기업의 자본과 원주민의 값싼 노동력을 결합해 대규모로 생산하는 경영 형태

그런데 그게 참 쉽지 않다는 게 문제입니다. 중상주의를 하려면 우선 잘 팔리는 물건이 있어야 하고 그 물건을 싼값에 수출할 수 있어야 합니다. 그래야 국제 경쟁력이 생길 테니까요. 동시에 외국에서 물건을 수입하지 않으려면 필요한 모든 물건을 국내에서 다 생산할 수 있어야 합니다. 국내에 있는 산업을 그냥 내버려 둔 상태에서 무역 차액이 저절로 달성되는 것도 아니고, 옛날처럼 무조건 외국 배는 들어오지 말라며 항구에서 옥신각신한다고 될 일이 아니라는 거죠.

이때 국가의 산업정책을 주도한 대표적인 인물로 프랑스 루이 14세의 재상이었던 장 바티스트 콜베르Jean Baptiste Colbert가 있습니다. 외국에 잘 팔릴 만한 물건을 생산할 수 있는 국내 산업을 의식적으로 보호하고 장려하면서 보조금을 주기 시작했고, 수입을 많이 하는 물건을 대체할 수 있는 산업에도 보조금을 지급했습니다. 그야말로 현대적인 의미에서 산업 육성 및 보호 정책을 본격적으로 시행한 셈입니다. 이 시점부터 중상주의가, 애덤 스미스를 비롯한 여러 자유주의자들이 강력한 불만을 품게 되는 국가의 횡포라는 형태를 띠게 됩니다.

정리하자면, 중상주의는 크게 3가지 단계를 거칩니다.

15~16세기 금과 은 약탈을 목표로 한 대외 팽창 단계

17~18세기 초 무역 차액을 목표로 한 항로 독점 및 식민지 건설 단계

18세기 초중반 국내 산업 재편 목적으로 발생한 산업 보호 및 육성 단계

4

가진 자들이
설탕을 욕망한 결과

이번 장에서는 당시 중상주의와 식민지 대외 팽창이 구체적으로 어떻게 일어났는지 살펴보겠습니다.

조금 다른 이야기지만 저는 설탕을 보면서 마약과 참 비슷하다는 생각을 하는데 여러분은 어떤지 모르겠습니다. 설탕과 마약은 몇 가지 공통점이 있지요. 우선 둘 다 자연 상태에서는 존재하지 않습니다. 사탕수수를 쪄서 정제하든, 덜 익은 양귀비 과피에서 유액을 채취해 건조하든 가공을 거쳐야 하죠. 여러 가지 면에서 비슷하지만 제일 닮은 점은 중독되면 헤어 나오기 쉽지 않다는 것입니다.

간혹 "나는 설탕을 안 먹는데?"라고 말하는 사람도 있을지 모르겠는데요, '테이블 슈가'라면 그럴 수 있습니다. 요리에 설탕을 사용하지 않거나, 커피에 설탕을 넣지 않는 것은 충분히 가능할 테니까요. 하지만 고추장이나 된장 같은 것을 집에서 담그지 않는 이상 우리는 이미 알게 모르게 과도하게 설탕을 섭취하고 있습니다. 설탕을 비롯한 '당류'라고 하는 것이 각종 식자재와 가공식품에 들어가지 않는 경우는 거의 없다시피 합니다. 제가 아는 스님으로부터 "어느 날 설탕을 끊겠다고 냉장고를 뒤져 당류가 들어간 제품을 전부 버렸더니 남는 건 오이밖에 없더라~" 이런 이야기도 들었습니다. 그만큼 설탕은 알게 모르게 우리가 먹는 대부분의 음식에 들어 있습니다.

왜 갑자기 여기서 설탕 이야기를 꺼내게 됐을까요? 이 설탕이라고 하는 물건이 인류 경제사, 특히 서유럽 자본주의 발전에 혁혁한 공헌을 했기 때문입니다. 이 배경이 되었던 것 중 하나가 바로 대서양 삼각무역입니다.

설탕은 인도에서 4세기경 처음 만들었는데, 이것이 중국과 아랍 세계로 퍼져 나갔다고 합니다. 설탕은 엄청난 양의 사탕수수를 수확하여 고도로 정제해야 얻을 수 있으므로 아주 귀한 물건이었다고 합니다. 당시 경제 선진국이었던 중국에서도 특별한 날에만 먹는 고급 과자로 소비되는 식이었습니다. 이후 유럽 사람들이 무역을 통해 설탕을 가지고 왔는데, 이때만 해도 여전히 값비싼 물건이었습니다. 그러다 어느 순간 설탕이 지천에 넘치고, 20세기에 들어서면 소금과 비슷할 정도로 흔해지는데요, 이 결정적 변화를 일으킨 역할을 하게 된 것이 바로 대서양 삼각무역입니다.

스토리는 대략 이렇습니다. 영국에 비틀스의 고향으로 유명한 리버풀이라는 도시가 있습니다. 리버풀 항구에서 상인들이 배를 타고 출발합니다. 배에는 설탕을 살 돈이나, 설탕과 맞바꿀 물건을 싣는 것이 아닙니다. 엉뚱하게도 많은 양의 총과 무기, 장난감이나 옷감 같은 것을 가지고 출발합니다. 도착지도 좀 이상합니다. 사탕수수를 재배하는 곳이 아니라 서아프리카에 있는 기니만의 황금해안Gold Coast이라는 곳으로 갑니다. 여기가 지금으로 치면 베냉 지역인데 17세기에는 다호메이 왕국이 자리하고 있었습니다. 영국 상인들의 도착지가 바로 이 다호메이 왕국이었죠.

영국 상인들은 다호메이 왕국의 왕에게 총과 무기를 줍니다. 왕은 그 총과 무기를 가지고 신하들과 함께 전쟁을 벌였습니다. 주변의 호전적인 나라를 물리치려는 목적도 있지만, 그에 못지않게 더 중요한 이유는 노예사냥입니다. 영국에서 건너온 신식 무기가 있으니 전력은 압도적이었습니다. 이렇게 전쟁을 벌여서 잡은 포로들을 비롯해 애매한 변경 지역에 있는 사람들까지 남김없이 잡아 노예로 만들어 버립니다.

이런 식으로 다호메이 왕국은 매년 천 명 정도를 노예로 삼았습니다. 그중 대략 이백 명 정도를 조상들 무덤에 인신제물human sacrifice로 바칩니다. 노예들의 피를 뿌려 조상들 무덤에 풀을 자라게 하려는 목적이었는데요, 수사가 아니라 말 그대로 피를 먹고 자라는 풀이었던 셈이죠. 또 일부는 전쟁에 참여한 부하들에게 나눠 주기도 하고, 총과 무기를 줬던 영국 상인들에게 넘기기도 합니다. 이 노예들이 영국 상인들의 진짜 목적이었던 것이죠.[81]

자 이제부터 영국 상인들은 바빠집니다. 노예를 실은 배는 리버풀로 돌아가는 게 아니라 대서양 건너편에 있는 서인도 제도, 지금으로 치면 중미 지역의 사탕수수 플랜테이션 지역으로 갑니다.

여기서 상상도 못 할 일이 벌어지는데요, 배에 흑인 노예를 싣고 가야 하는데, 이왕이면 한 명이라도 더 태우는 것이 이익이겠죠. 한편으

---

81 다호메이 왕국의 노예 무역과 전쟁 및 무역 행위에 대해서는 Karl Polanyi, Dahomey and the Slave Trade: An Analysis of an Archaic Economy, University of Washington Press, 1966., 『다호메이 왕국과 노예무역』, 홍기빈 역, 길, 2011.

로 또 너무 많이 태우면 식량을 실을 곳이 부족해지는 사태가 벌어질 수도 있습니다. 요즘 같으면 인공지능을 활용해 최적치를 구했겠지만 당시엔 그런 기술이 없으니 노예들을 어떻게 눕혀야 가장 많이 눕힐 수 있을까 요모조모 연구해 차곡차곡 눕힙니다. 그렇게 노예들을 빼곡하게 싣고 무려 한 달 동안 대서양을 넘어갑니다. 이렇게 항해하는 길을 중간항로Middle Passage라고 하는데 도착하면 보통 반 정도의 흑인들이 죽어 나갔다고 합니다. 정말이지 지독한 인권 유린이자 잔인한 행위가 아닐 수 없습니다.

이렇게 해서 배가 서인도 제도의 사탕수수 플랜테이션에 도착하는데요, 여기는 또 여기 나름대로 슬픈 이야기가 있습니다. 이쪽 북미와 남미는 원래부터 인구 밀도가 그리 높지 않은 곳이었습니다. 그나마도 숫자가 많지 않았던 상황에서 다시 격감하게 되는데, 첫 번째 원인은 너무도 자명합니다. 유럽인들이 그들을 많이 죽였기 때문입니다. 스페인 사람들이 원주민들을 어떻게 죽였는지 '자랑삼아' 기록한 문헌이 남아 있는데요, 공 대신 한 살짜리 아이로 족구를 하기도 하고, 원주민 아이를 하늘로 던져 누가 먼저 창으로 꿰뚫는지 내기를 하기도 했습니다. 이런 에피소드들은 빙산의 일각입니다. 이렇게 잔인한 방식뿐 아니라 온갖 방법으로 사람을 죽였던 터라 인구가 상당히 많이 줄었다고 합니다. 하지만 더 크게 작용한 원인은 질병이었습니다. 북미와 남미 생태계에는 없는 유라시아의 박테리아와 바이러스 같은 것들이 들어와 많은 사람이 죽어 나갔던 겁니다. 이런 이유로 아메리카 대륙은 넓은 땅에 비해 일을 시킬 사람이 늘 부족했습니다. 이 부족한 일손을 메꾸기 위해 대서양 건너편에서 흑인 노예들을 강제로 끌고 온 것입니다. 그만큼 사탕수수 재배는 많은 노동력을 필요로 합니다. 게다가 등뼈가 휠

만큼 고된 일이라고도 하지요.

영국 상인들은 노예를 조달하는 대신 농장에서 설탕을 받습니다. 그 설탕을 가지고 신나게 리버풀로 돌아갔겠지요. 가져간 설탕을 항구에 풀어 놓으면 불티나게 팔려 나갑니다. 설탕을 영국인들만 먹는 게 아니죠. 유럽 사람들도 설탕 좋아하긴 마찬가지였습니다. 설탕은 영국을 비롯해 유럽 전역으로 퍼져 나가면서 차 마실 때도 넣고, 케이크 만들 때도 넣고, 요리할 때도 넣었습니다. 급기야 영국 사람들은 홍차에까지 잔뜩 설탕을 타서 먹는 희한한 풍습을 만들기도 합니다. 한때 귀족들이나 왕족들만 겨우 조금씩 맛볼 수 있었던 설탕이 지천으로 널리면서 매우 흔한 것이 되었고, 값도 엄청나게 내려가게 되었습니다.

결국 귀한 재료였던 설탕이 대서양 삼각무역을 통해 지리적 한계에서 벗어나, 싸고 누구나 즐길 수 있는 물건으로 바뀐 것입니다. 이렇게 생겨난 대서양 삼각무역은 그야말로 세계 경제사를 바꿔 놓습니다. 그전에 대서양은 스페인과 포르투갈 배들이 북미나 남미에서 약탈한 물건들을 가져가는 항로였고, 그 약탈해 가는 스페인과 포르투갈의 상선을 또 약탈하기 위한 영국 해적선이 출몰하는 곳이었습니다. 하지만 이때를 기점으로 전 지구적이라고 할 만한 대량 생산, 대량 소비를 조직하고 매개하는 시스템이 생겨나기 시작했습니다. 큰돈과 큰 물자와 큰 인력의 대규모 이동이 발생하면서 체계가 잡힌 것이죠.

여기서 설탕으로 인해 어떤 일이 벌어졌는지 생각해 보아야 합니다. 우선 아프리카 원주민들이 그야말로 '작살'이 났습니다. 물론 이전에도 원주민을 노예로 삼는 악습은 흔했지만 과연 백인들이 와서 그렇게 총을 나눠 주지 않았어도 체계적이고 조직적으로 매년 전쟁을 벌이고, 사람을 죽이고 노예로 삼는 일이 벌어졌을까요? 우리는 사탕수수를 설탕으로 만들 저렴한 노동력을 확보하기 위해 전쟁과 학살과 납치와 약탈이 벌어졌다는 사실을 기억해야 합니다.

서인도 제도는 또 어떻습니까? 한 가지 작물만 재배하는 '모노컬처monoculture' 때문에 자연이 또 '작살'이 났지요. 만약 어떤 집단이 있고 그들 스스로 생활을 영위하기 위해 농작물을 생산한다면 한 가지 작물만을 기르진 않을 것입니다. 모노컬처의 목적은 삶이 아니라 돈에 있습니다. 식물을 재배하고, 수확해 그것을 돈으로 바꾸기 위해서입니다. 이렇게 한 가지 작물만 기르게 되면 자연은 필연적으로 황폐해질 수밖에 없습니다. 하지만 다양한 작물을 재배하면 인간은 자연과 공존하면서 살 수 있고 자연도 계속 건강한 상태를 유지할 수 있습니다.

삶의 관점으로 다가가면 자연은 무한하고 넉넉한 품을 내어 주지만 자본의 관점으로 대하면 자연은 냉혹해집니다. 처음에는 연약하게 당할지 몰라도 언젠가는 불가항력적인 존재로 되돌아와 복수하기 마련입니다. 서아프리카의 문명을 박살 내고, 서인도 제도의 숲을 박살 냈던 유럽인들에게 돌아온 것은 설탕 중독이었습니다. 이제는 전 인류가 설탕 중독자가 되었죠. 이 어마어마한 이야기의 시작은 결국 홍차에 설탕 한 숟갈 넣어 보겠다는 참으로 사소한 욕망에서 비롯된 것인지도 모릅니다. 제가 서두에 설탕이 마약과 비슷하다는 생각을 한다고 했는데, 이제 좀 공감이 될까요.

대체 어떻게 이런 드라마가 벌어질 수 있었을까요? 이유는 명백합니다. 단맛을 보겠다는 욕망뿐만 아니라, 그 욕망을 가진 사람들 수중에 돈이 있었기 때문입니다. 인간의 욕망은 그 자체로 나쁜 것도 좋은 것도 아니며, 삶에서 자연스럽게 우러나는 자연적인 현상에 가깝겠죠. 하지만 그렇다고 해서 모든 사람의 모든 욕망이 무조건 존중되어야 하는 것은 아닙니다. 돈과 권력과 힘을 가진 사람들이 잘못된 욕망을 가지면 수많은 사람이 죽어 나갈 수도 있고, 숲이 없어질 수도 있습니다. 비록 그 욕망이 아주 하찮고 아주 우스꽝스럽고 아주 한심한 것이라 하더라도 말입니다.[82]

---

82 설탕과 근대 자본주의의 관계에 대한 여러 흥미로운 주제를 담은 책으로, Sidney Mintz, Sweetness and Power: The Place of Sugar in Modern History, Penguin, 1986. 『설탕과 권력』 김문호 역, 지호, 1998.

5

전국적 시장과
보편적 법질서의 확립

계속 중상주의에 대해 이야기하고 있는데요, 이 중상주의가 국외에만
영향을 미쳤던 것이 아니라 영국 내부 경제도 크게 바꿔 놓았습니다.
결론부터 말씀드리면 전국적 시장national market이라는 미증유의 경제 제
도를 확립한 것이 중상주의 국가입니다.

전국적 시장의 탄생

18세기 중반 정도부터 애덤 스미스처럼 자유무역을 원하는 자유주의
부르주아들이 중상주의에 반감을 갖기 시작했고, 이 이야기가 오늘날
까지 이어지면서 마치 중상주의가 상업과 자유무역을 억누르고 있었다
는 인식이 퍼집니다. 또 국가가 벌인 과도한 규제가 자본주의의 발전을
침해했다거나, 이 규제가 귀족과 왕의 권리를 옹호하는 정책으로 오용
되었다고 여기는 경우도 많습니다.

하지만 19세기 후반쯤 이러한 중상주의에 대한 부정적인 편견을 뒤

집는 중요한 연구 업적이 나옵니다. 독일 역사학파 경제학 2세대의 대표자인 구스타프 폰 슈몰러Gustav von Schmoller라는 경제사가가 세밀하게 연구한 결과, 사람들이 기존에 알고 있던 중상주의의 이미지는 완전히 반대로 뒤집을 필요가 있다는 것이었습니다.[83] 내용인즉슨 "중상주의야말로 자본주의와 근대 시장 경제를 건설한 주역이었다."

중상주의가 국제적으로 무역 차액을 남기기 위해 보호무역을 시행했고, 자유무역과는 거리가 먼 행태를 만든 것도 사실입니다. 다만 이것은 국내적으로 무슨 일을 했는지 보지 않았기 때문에 생긴 단면적인 관찰에 따른 결과일 뿐입니다.

칼 폴라니에 의하면 근대국가가 나타나기 전까지 유럽이라는 건 거대한 농업 지역 위에 몇 개의 섬처럼 도시가 떠 있고, 그 섬과 섬 사이에 배가 오고 가는 정도가 전부였습니다. 비유하자면, 유럽 전체는 농업의 바다라고 할 수 있습니다. 자급자족 단위로 굴러갔고, 상업 역시 그 바다 위에 떠 있는 도시라는 몇 개의 섬 사이를 왔다 갔다 하는 정도에 국한되었습니다. 그러다 근대국가가 나타나면서 농촌과 도시의 구별을 없애 버렸습니다. 도시끼리만 행해지던 교역이 지역을 막론하고 보편적으로 동일하게 널리 행해지도록 한 것이 중상주의를 통해 근대국가가 했던 중요한 임무였습니다.

20세기로 넘어오면 엘리 헤크셰르Eli Heckscher라는 스웨덴 학자가 『중상주의』라는 책을 출간합니다.[84] 17세기 프랑스나 영국을 보면 귀족들

---

[83] Gustav von Schmoller, Mercantile System and Its Historical Significance, Augustus M. Kelley, 1897/1967.

[84] Eli Heckscher, Mercantilism, London: George Allen & Unwin LTD., 1937.

이 성에 들어앉아 왕의 명령을 거부하는 경우가 많았습니다. 근대국가가 만들어지면서 군주들은 전쟁 자금을 조달하기 위해 모든 지역으로부터 세금을 뜯으려고 여러 가지 노력을 기울였습니다. 이때 각 지역의 남작이나 백작 또는 영지를 가진 영주들은 왕이건 교황이건 자신의 영지 안에는 아무도 들어오지 못한다는 식으로 특권을 주장하는 경우가 많았습니다. "세금은 나의 권한이니 건들지 마라!" 뭐 이런 식이었죠. 부르주아들을 중심으로 한 도시들은 자치권을 가지고 있었으니 그 양상은 더 심했고요.

왕은 돈이 필요하니까 세금을 내놓으라고 하고, 영주들이나 도시는 저항합니다. 그러면 어떻게 될까요? 전쟁이 나는 거죠, 뭐. 우리가 생각하는 전쟁이라고 하면 주권 국가끼리의 싸움을 상상하는 경우가 많은데, 그건 19세기 이후의 이야기고요. 17, 18세기까지 전쟁은 국내와 국제의 구별이 없었어요. 프랑스 왕은 카를 5세와도 전쟁했지만, 국내에 있는 말 안 듣는 도시나 영지와도 전쟁을 벌였습니다. 군대를 보내 성을 휩쓸어 버리곤 했는데요, 유럽 곳곳에 이런저런 성들이 남아 있긴 하지만 중요하고 큰 성은 이즈음에 대부분 다 부서졌다고 합니다.

이런 맥락에서 보면 근대국가의 형성 과정이라는 건, 국내 통일 과정이기도 합니다. 이때 영주들의 저항과 도시의 저항은 양상이 좀 달랐는데요, 프랑스의 경우 루이 14세 때부터 각 영주들을 파리로 불러들여 왕실 주변에 살게 하는 것으로 정리했습니다. 영주들 입장에서는 자신의 지역에서 갖고 있던 사법권을 비롯한 여러 권리도 남아 있었고, 형식상이긴 했지만 보상 체계도 아직 레헨을 유지하고 있었습니다. 하지만 왕 근처에 가서 살게 된 것만으로 권력이 크게 약해진 것은 사실입니다.

다만 도시는 이야기가 좀 달랐습니다. 도시에 사는 사람들은 단순히 봉건 영주들에 귀속되는 존재가 아니라 자치권에 관한 문서를 갖고 있을 정도로 세력이 컸으니까[85] 정리하기가 쉽지 않았습니다. 보통 이런 도시들은 도시 간 상업을 통해 물건을 가져오기도 하고 도시 인근 농촌과 하는 교역을 독점하기도 했는데, 이런 방식을 통해 이익을 취하는 게 그들의 생존 방식이었습니다.

왕은 전국적으로 세금을 걷고 싶어 했으므로 도시들이 상업을 독점하는 행태를 용납할 수 없었습니다. 독점을 깨고, 화폐를 통한 거래를 전국적인 단위로 확장하면서 도시의 특권을 위협했는데요, 당연히 도시들은 저항했겠죠. 말도 안 듣고 세금도 안 내고…. 그러면 또 대포와 군대를 보내 도시를 휩쓸어 버리곤 했습니다.

그래서 근대국가가 형성되는 과정을 보면 국외는 말할 것도 없고, 국내적으로도 굉장히 폭력적이었다는 사실을 알 수 있습니다. 이런 과정 속에서 중세 도시의 특징이라고 할 수 있는 공간적·사회적 배타성이 무너지면서 영토 국가의 일부로 통합되기 시작했습니다. 이로 인해 그동안 협소한 범위에 갇혀 있던 상업의 경계도 점점 확장되었습니다. 도시와 도시가 단순히 소통만 한 것이 아니라, 두 관계 사이에 국가 전체를 아우르는 보편적 화폐 제도와 보편적 도량형을 사용하는 상업 질서 또한 갖추었습니다. 이런 현상은 근대국가를 형성하는 데 아주 크

---

[85] 가장 비근한 예로 런던을 들 수 있습니다. 런던은 앵글로 색슨 시대에 에식스·켄트·머시아·웨식스 네 왕국의 교차 지점에 있으면서 '교역항', 즉 지정학적으로 중립 지대 역할을 수행하였습니다. 이후 1067년 정복왕 윌리엄으로부터 독자적인 도시임을 인정한다는 허가장charter을 받으면서 법인 단체corporation 성격을 띠게 됩니다. 이렇게 쌓은 런던의 독자적인 위상은 '금융가City'로 성장하는 기반이 되어 오늘날까지 이어집니다.

게 기여했습니다. 국내 상업이 부흥했을 뿐 아니라 더 많은 세금을 안정적으로 얻을 수 있게 되었기 때문입니다.

보편적 법질서의 확립

전국적인 시장 형성과 동시에 확립되기 시작한 것이 하나 더 있으니 바로 '법'입니다. 이때까지만 해도 지역마다 법이 다르고 관습이 달랐습니다. 근대국가는 곧 주권국가였고, 주권국가란 오직 국가만이 법을 정할 수 있는 권리가 있다는 의미인데, 국가에서 법을 정하면 뭐 합니까. 지키지 않으면 소용이 없지요. 일단 그전까지 너무나 많은 법이 난립하고 있었습니다. 교회법 · 신성법 · 실정법 · 관습법 · 자연법 · 로마법 · 상인법 등등 무수한 법이 있었고 또 어떤 경우에 어떤 법이 적용될지 그때그때 달랐습니다. 어떤 법이 어떤 식으로 적용될지 모르는 만큼 혼란과 분쟁도 끊이지 않았죠.

국가는 이 문제를 해결하고 법질서를 통일하기 위해 많은 노력을 기울였습니다. 프랑스의 경우 절대왕정이 내세우는 법적 질서를 강제하려다가 그전부터 지방에 존재하던 고등법원parlement과 여러 갈등을 빚기도 합니다. 막스 베버는 통일된 법질서의 확립이 자본주의 발전에 있어 얼마나 중요한 역할을 하는지 거듭 강조하기도 했지요.

앞서 복식부기의 발전을 이야기하면서 가격표가 붙어 있지 않은 것들조차 가격을 매기고, 수익을 내는 데 얼마나 기여할 수 있는지 수치로 가늠할 수 있고, 금액으로 가치를 부여할 수 있는 것이 자본주의 합리성의 핵심이라고 했는데요, 이런 사고방식이 가능하려면 우선 법이 예측 가능한 범위 안에 있어야 합니다. 법이 왕의 변덕에 따라 이렇게 바뀌고 저렇게 바뀌면 어떻게 대응할 수 있겠어요? 제대로 된 사업을 하려면 장기적인 관점에서 계획을 수립해야 합니다. 그런데 진행하려는 사업이 권력자의 전횡이나 지역 특색, 그밖에 예측 불가능한 변수에 따라 휘둘리고 변한다면 투자 가치를 계산하기도 힘들뿐더러 누가 나서서 투자를 할 리도 없습니다.

앞날을 정확히 예측하려면 여러 사회적 장치가 필요합니다만, 제일 중요한 것이 법적 보편성입니다. 예컨대 토지와 주택 보유자에 대해 종합 부동산세를 얼마 걷겠다는 식으로 법과 정책이 정해지면 그에 따라 집을 살지, 가지고 있는 집을 팔지 등에 대해 계획을 세울 수 있겠죠. 그런데 왕이 어제까지는 기분이 좋아서 집을 아무리 많이 가지고 있어도 세금을 안 걷겠다고 하다가, 오늘 갑자기 기분이 나빠져서 집을 한 채만 가지고 있어도 세금을 왕창 걷겠다고 하면 어떻게 해야 할지 도무지 가늠할 수 없겠죠.

법이란 왕의 변덕에 의해 바뀌지 않아야 하고, 제정되고 실행되는 구조가 투명해야 하고, 절차적 합리성을 가져야 합니다. 또 이렇게 제정된 법은 지역에 따라 이랬다저랬다 하는 게 아니라 모든 지역에서 정확히 집행되어야 합니다. 막스 베버가 근대적 자본주의가 나타나기 위해서는 6가지 제도적 장치가 필요하다고 이야기하면서, 그중 하나로 '법률 안정에 의한 미래의 불확실성 제거'를 꼽은 데는 이런 이유가 있습니다. 물론 시민혁명 이전까지는 여전히 법적 체계가 복잡하였고 가지가지 봉건적인 '특권privileges'이 덕지덕지 붙어 있었으므로 프랑스나 영국이나 법체계 개혁을 놓고 골머리를 앓습니다. 하지만 19세기 이후에 본격화된 합리적 법체계가 이 시절에 기틀을 마련하고 확립되기 시작했습니다.

이야기를 정리하겠습니다. 헤크셰르가 이야기한 대로, 근대국가는 국내 시장을 통일했을 뿐 아니라 도시가 독점하던 상업이란 행위를 전국 단위 시장에서 이루어지도록 했다는 점에서 중요합니다. 이를 통해 시장 경제가 보편성을 띠게 되었으니까요. 여기서 같이 이해해야 할 또 하나 중요한 점이 나라 전체에 보편적 법질서가 확립되었다는 것입니다. 근대국가가 나타난 뒤로 법을 정하는 주체는 물론 법을 관할하고 집행하는 사법부의 존재도 단일한 실체로 통일되었습니다. 이때 비로소 법이 안정성을 띠었고, 예측 가능한 범주 안으로 들어오기 시작했다고 할 수 있습니다. 프랑스 역사가 페르낭 브로델Fernand Braudel이 말하는 바, '전국적 시장national market'이 이때에 비로소 창출된 것입니다.

6

공무원 해적을 통해 이해하는
근대국가와 자본주의

근대국가와 자본주의를 이해하기 위한 한 가지 이야기를 더 해 보겠습니다. 좀 뜬금없을 수 있겠지만 해적 이야기를 들려 드리겠습니다. 윌리엄 키드William Kidd라는 해적을 아시는지요? 에드거 앨런 포의 『황금 딱정벌레』라는 소설에 보면 이 해적이 남겨 놓은 보물에 관한 이야기가 나옵니다. 어떤 섬에다 어마어마한 양의 금은보화를 묻어 놓았다고 하는데요, 그 섬에는 딱정벌레도 등이 금색으로 되어 있다고 합니다. 이 소설을 처음 읽었던 꼬맹이 시절에는 당연히 소설 속 허구의 인물이라고 생각했는데 나중에 알고 보니 실존했던 17세기 인물이더군요. 그 이전으로 가면 프랜시스 드레이크Francis Drake라는 전설적인 해적도 있습니다. 16세기에 대서양을 주름잡던 유명한 해적으로 스페인 상선에는 그야말로 공포의 대상이었습니다. 들리는 말로는 해적을 상징하는 해골 깃발을 처음으로 만든 사람이라고 합니다.

이들은 잔인하기로도 악명이 높았는데요, 예를 들면 살아 있는 포로의 심장을 뜯어 내 옆에 있는 포로의 입에 넣었다든가, 사람을 불에 태웠다든가 하는 등등의 무시무시한 기록들이 전해져 내려옵니다. 이렇게만 들으면 당연히 범죄자라고 생각하기 마련이죠. 황당한 건 윌리엄 키드도 프랜시스 드레이크도 단순한 해적이 아니라 오늘날의 공무원에 가까웠다는 사실입니다. 공무원 하다가 때려치우고 해적으로 뛰어든 게 아닙니다. 준공무원으로서 맡은 업무가 해적질이었고, 또 해적질을 하면서 국가 공무에 기여했다는 겁니다.

이걸 영어로는 privateer, 불어로는 corsair라고 하고, 우리나라 말로는 사략선私掠船이라고 옮기는데, 사적(정부가 개인에게 부여한 권한)[私]으로 노략질[掠]을 할 수 있다는 뜻입니다. 조금 더 풀어 볼까요. 이들은 경쟁국 스페인의 펠리페 2세를 견제하기 위해 대서양을 오가는 스페인 상선을 철저하게 뜯어먹었죠. 정규 해군이 아니라 사적 차원에서 운영된 조직이었지만, 엘리자베스 1세가 이를 지시했을 뿐만 아니라 큰돈을 투자하여 엄청난 수익을 올리기도 했습니다. 이렇게 적국 상선을 노략질하여 자국의 국고를 채우는 '거룩한' 임무를 띠고 대서양을 누볐던 해적단의 배를 사략선이라고 불렀습니다.

드레이크 해적단이 만들어진 계기는 이렇습니다. 15세기에 스페인 왕이나 포르투갈 왕이 아프리카로, 남미로, 북미로 배를 보내 엄청난 양의 금은보화와 값나가는 물건들을 스페인 본국으로 가져오는데요, 영국은 그 당시만 해도 유럽의 후진국에 가까웠습니다. 날씨가 좋아서 농사가 잘되는 것도 아니고, 그렇다고 금덩어리가 쏟아지는 곳도 아니었으니까요. 게다가 스페인이나 포르투갈은 교황청과 한통속이 되어 대서양 무역을 독점하다시피 했습니다. 영국 왕이 이 상황을 지켜보고 있자니 배가 아픈 겁니다. 그러다 쓴 방법이 국가 차원에서 해적단을 조직한 것인데 이 해적단 단장이 바로 프랜시스 드레이크였습니다.

해적단을 구성하려면 몰고 나갈 배와 장비 등이 필요하겠지요. 이 돈을 댄 것이 바로 엘리자베스 여왕과 귀족들이었습니다. 요즘 개념을 갖다 붙이자니 좀 이상하긴 한데, 일종의 공기업 혹은 특수목적회사를 만들었다고 할 수 있겠습니다. 허가장도 받았겠다, 왕과 귀족이 공동으로 출자한 장비도 있겠다, 이게 국가 산업이 아니면 뭐겠으며 이 해적들을 공무원이라고 부르지 않으면 뭐라고 부르겠어요.

대서양을 누비고 다닌 드레이크 해적단은 굉장한 수익을 올렸습니다. 가장 많이 투자한 사람이 엘리자베스 1세였는데, 수익률이 1,000퍼센트가 넘었다고 합니다. 투자한 돈의 10배 이상을 회수했다고 하고, 심지어 어떤 해에는 드레이크의 사략선이 긁어 온 수입이 영국 국가 전체의 한 해 세수를 초과한 때도 있었다니 이 정도면 웬만한 공기업은 물론 국부 펀드 같은 것들도 저리 가라 할 정도라 하지 않을 수 없습니다.

1588년, 견디다 못한 스페인 왕 펠리페 2세가 해적단 본거지를 박살내자며 영국에 쳐들어갑니다. 스페인에도 무적함대la Armada Invencible라 불리는 무시무시한 전력이 있었으니까요. 영국의 운명이 풍전등화가 되는가 싶었지만 이때도 드레이크의 빛나는 활약으로 스페인 무적함대를 무찌릅니다. 무적함대가 쓰던 전법이 임진왜란 때 일본 함대가 쓰던 것과 비슷했는데, 긴 갈고리를 걸어 상대방 배를 끌어당긴 다음 잘 훈련된 병사들이 상대방 배로 뛰어들어 백병전을 펼치는 방식이었습니다.

하지만 드레이크는 수많은 해적질을 통해 얻은 노련한 경험이 있었죠. 멀리서 대포를 쏴 겁을 줘야 한다는 걸 잘 알고 있었습니다. 영국

전함들은 사방으로 대포가 장착되어 있었고, 그래서 이순신 장군의 전술과 흡사한 방법을 써서 멀리서부터 함포사격을 했다고 합니다. 갈고리로 일단 끌어야 상대방 배에 뛰어들든 백병전을 하든 할 텐데 아예 접근을 못 하게 만들어 버린 겁니다. 이 밖에도 소형 배에다 화약을 비롯한 잘 타는 물건을 넣고 불을 붙인 다음 빠른 속도로 상대방 함선에 부딪는 방법도 스페인 함대를 무력화시키는 데 요긴한 작전이었습니다. 그럼에도 세상이 참 비정한 것이, 드레이크가 전쟁을 승리로 이끌었지만 자기 함대를 다 잃어버리면서 목이 잘릴 위험에 처하기도 했습니다. 하지만 드레이크는 전쟁 와중에서도 '공무원 해적으로서의 본분'을 잊지 않고 노략질을 계속했다고 하죠. 그 덕에 함대는 잃었지만 어마어마한 양의 금은보화와 물자를 확보했습니다. 마침 영국은 전쟁을 치르느라 국고가 빈 상황이었는데 드레이크가 그런 사정을 파악하고는 노략질한 물건을 정부에 바쳐서 살아남을 수 있었다고 합니다.

이게 영국만 그런 게 아니라 프랑스에서도 해적을 국가 사업으로 육성했습니다. 그래서 나중에 대서양은 이런 해적 공무원, 저런 해적 공무원들이 각축하는 양상이 벌어졌습니다. 이들이 바다에서만 싸운 게 아니라 항구에서도 싸움을 벌였는데요, 식민지에 있는 각 나라 대표 무역 포구에서 자기들끼리 뺏고 빼앗기고 전쟁하고 난리가 났습니다. 이 과정 전체, 즉 경쟁하고 싸우고 노략질한 모든 것이 국가 사업의 한 측면이었던 것은 두말할 필요가 없고요.

지금 해적질과 사략선을 이야기했는데, 여기서 강조하고 싶은 점이 두 가지 있습니다. 하나는 해상무역의 기원이 대단히 폭력적이라는 사실입니다. 특히 17세기, 18세기로 올라가면 폭력과 무역을 구별하기 힘든 점이 많고 또한 이런 행위 자체가 근대국가 형성과 무관하지 않다는 점을 말씀드리고 싶습니다.

또 하나는 자본주의의 기원을 설명하는 두 가지 흐름에 관한 것입니다. 이게 참 미묘한 지점인데요, 마르크스주의 역사관, 자유주의 경제사관 학자들은 자본주의 탄생이 이른바 '정상적인 경제 활동'에 힘입은 바 크다고 주장합니다. 소상공인들의 생산 활동이라든가 영업 활동 같은 것을 정상적인 경제 활동으로 정의했는데, 이를 통해 기술이 발전하면서 생산력이 올라갔고, 그게 오늘날의 자본주의 토대가 되었다고 말하는 것이죠.

하지만 저는 베블런 등의 주장에 따라 자본주의의 기원으로 '모험사업' 쉬운 말로 '한탕주의'라는 것을 강조하고자 합니다. 베블런에 따르면, 자본주의 기업 행태는 옛날 바이킹들의 해상 폭력 조직이자 무역 독점체였던 '트러스트'에서 그 기원을 찾아볼 수 있다고 합니다.[86] '한탕주의 조직'이란 영어로 하자면 이른바 엔터프라이즈enterprise입니다. 이 단어는 라틴어에서 프랑스어를 거쳐서 온 말인데, 이와 똑같은 의미를 가진 영어 고유어는 undertake입니다. 이 말은 '착수하다', '떠맡다' 이런 의미인데, 여기에 사람을 뜻하는 접사 '-er'을 붙여 undertaker라고 하면 장의사라는 뜻이 됩니다. 그래서 enterprise에는 '남들이 하기 싫어하는 어렵고 힘든 일을 떠맡는다', '위험을 감수하고 이익을 위해 뛰어든다'와 같은 의미가 들어 있습니다. 엔터프라이즈는 이런 어원을 바탕으로 기업이나 회사라는 뜻으로도 쓰이고, 대규모 사업이라는 뜻으로도 쓰입니다. 그래서 enterprise가 독일어로는 영어와 어원이 동일한

---

86 Thorstein Veblen, An Early Experiment in Trusts 1, The Place of Science in Modern Civilization, Routledge, 1990.

Unternehmung입니다. 좋게 이야기하면 혁신적인 모험사업, 일종의 벤처라고 말할 수도 있는데 좀 험악한 용어로 하면 한탕주의 조직이라는 의미입니다. 대안 경제사관론자들은 자본주의 기원을 이러한 한탕주의에서 찾기도 합니다.

물론 소상공인들이 물건을 생산하면서 생산력을 올린 것도 사실이고, 여기서 시장이 확장된 것도 사실입니다. 그걸 부인하는 건 아니에요. 하지만 자본주의 발전에서 가장 핵심적인 계기는 큰돈, 자본의 축적이라고 하지 않을 수 없습니다. 큰돈 버는 행위, 혹은 그런 행위를 벌이는 조직이 무엇이냐고 묻는다면 대답은 바로 엔터프라이즈라는 것입니다. 동인도 회사도 그런 경우에 속하는 것이고요.

큰 규모로 돈놀이를 하는 국제적 금융 조직들이나 사략선들은 생산을 하지도 않고, 평화롭게 장사하지도 않습니다. 이들은 큰 위험을 무릅쓰면서 큰돈을 노립니다. 이런 행위와 이 조직들이 이룩한 거대한 규모의 화폐자본 축적이 자본주의의 진짜 뿌리고, 바로 여기서 자본주의의 시작을 찾아야 한다는 것이 바로 베블런의 관점입니다.

프랑스의 경제사가 페르낭 브로델 또한 이 점을 강조합니다. 그에 따르면 최소한 18세기까지의 유럽에서는 생산 활동은 '집 나간 자본주의'였을 뿐이라고 합니다. 자본주의라는 현상의 곁가지에 불과했다는 거죠. 그러면 '집에 들어앉은 자본주의'는 무엇이었느냐, 바로 이렇게 모험과 약탈과 대박 추종이 판을 치는 세계 시장에서의 금융·상업·폭력 활동이었다는 것입니다.[87]

---

[87] Fernand Braudel, Civilization and Capitalism, 15th-18th Century, vol. 2, The Wheels of Commerce, Harper & Row: 1979.

이런 경제사관으로 볼 때 자본주의의 발전에서 가장 중요한 위치를 차지하는 조직은 다름 아닌 근대국가입니다. 근대국가야말로 리스크를 각오하고 뛰어들어 큰돈을 벌고자 하는 은행 · 동인도 회사 · 공무원 해적단 같은 조직을 모두 아우르는 합집합이자 이들을 모두 이끌고 자본주의라는 바다를 향해 떠난 선장이기 때문입니다. 그래서 드레이크나 사략선 같은 개념은 근대국가와 자본주의에 있어서 역사의 사소한 각주처럼 느껴지기도 하지만, 다른 관점에서 보자면 자본주의의 발전을 이해하는 중요한 열쇠이기도 합니다. 그래서 자본주의와 자본은 근대국가와 동일한 기원을 가지고 있다고 보아야 합니다. 이런 맥락에서 심숀 비클러Shimshon Bichler나 조나단 닛잔Jonathan Nitzan 같은 정치 경제학자들은 근대국가를 자본이라는 생명체가 잉태하고 태어난 '알cocoon'이라고 보기도 합니다.[88]

---

[88] 제가 알고 있는 한도 내에서, 자본주의의 성격과 역사와 본질에 대해 가장 과학적인 논의를 담고 있는 위대한 저작이기도 합니다. 심숀 비클러, 조나단 닛잔, 『권력 자본론: 정치와 경제의 이분법을 넘어서』, 홍기빈 역 삼인: 2004. Shimshon Bichler and Jonathan Nitzan, Capital As Power: A Study of Order and Creorder, Routledge, 2009.

PART 6

신용과 은행

1

신용에 관한
유사 역사학

근대 자본주의 시스템이 어디서 와서 어떻게 만들어져 또 어디로 가고 있는지를 이해하기 위해 남은 마지막 퍼즐이 있다면 그것은 신용credit이라고[89] 생각합니다. 이 신용 경제라는 것이 발전하면서 은행이나 지폐 등으로 이어지기도 하고요. 이 과정을 살피기 위해 고대 사회부터 근대까지를 다시 한번 짚으며 내려오려고 합니다. 이번 장에서는 우선 앞으로 이야기할 파란만장한 신용에서 근대 화폐까지의 이야기에 대비한 일종의 준비운동을 해 볼까 합니다.

신용이라는 단어가 간단한 것 같으면서도, 뜻도 많고 생각보다 복잡하기도 합니다. 게다가 역사적인 기원이나 발달 과정을 따질 때 신용만

---

[89] 이 말에 약간의 설명을 덧붙입니다. 영어 크레디트credit는 신뢰라는 말에서 나온 것으로 신용, 즉 믿고 빌려준다는 신뢰의 의미도 있지만, 그를 통해 일정한 채권을 가지게 되었다는, 즉 이익이나 이점을 누리고 있다는 의미도 있습니다. 하지만 우리말 신용이라는 것은 압도적으로 전자의 의미만이 강하여 번역에 어려움이 있습니다. 이제부터 할 이야기에 나오는 '신용'이라는 표현에는 이 두 가지 뜻이 있다는 사실을 염두에 두시기 바랍니다.

큼 어려운 것도 없습니다. 발달 과정 자체도 복잡하지만, 아주 강력한 유사 역사학이 존재하기 때문입니다. 신용에 관한 유사 역사학은 말 그대로 유사 역사, 즉 진짜 역사가 아니라는 것이 밝혀졌음에도 약 100년 가까이 그리고 지금도 사람들의 의식을 지배하고 있습니다. 그러니 우리는 이 유사 역사학부터 걷어 낼 필요가 있습니다.

세상엔 사실일 수밖에 없고, 반드시 사실이어야만 하는 이야기들이 있습니다. 이를테면 나의 조상은 분명 독립운동을 했던 훌륭한 가문이며, 그 위의 조상은 선비였고, 더 위로 가면 누구누구의 몇 대손인 뼈대 있는 가문이라는 식의 믿음 같은 것을 예로 들 수 있겠습니다. 이 믿음은 그저 믿음일 뿐 사실인지 아닌지는 모릅니다. 그런데 어느 날 우리 집 벽장에서 납속을 증명하는 문서나 공명첩이 나왔다면 어떨까요? '지금까지 내가 듣고 믿었던 우리 집안 이야기는 거짓말이었구나.' 하면서 납득하는 사람도 있겠지만, 오히려 납속 문서나 공명첩을 없애 버리는 사람도 있을 겁니다. 내가 뼈대 있는 양반 가문이 아니고, 우리 조상이 천민이라는 건 절대 있을 수 없는 일이기 때문이죠. 이를 국가의 역사 관점으로 옮겨 봐도 마찬가지입니다. 어떤 특별한 사관을 믿는 사람들에게 고구려는 전 세계를 지배했던 혹은 지배할 뻔했던 나라여야 하고, 우리 민족은 찬란한 오천 년 역사를 가진 민족이어야만 하므로 고조선은 반드시 기원전 2333년 아니 그 이전에 세워진 나라여야만 합니다. 그게 정말로 사실인지는 중요치 않습니다.

이런 식으로 세상엔 믿고 싶고 그래서 믿어야만 하는 종류의 내러티브가 있습니다. 이 내러티브를 잘 갖춘 이야기들이 유사 역사학이 됩니다. 비록 이게 역사적 사실이 아닐지라도 사람들은 "아, 그렇구나." 하며 혹하게 되는 겁니다.

신용의 역사적 기원과 발달 과정도 마찬가지입니다. 아주 강력하게 작동하는 이야기가 있지요. 19세기 중반 독일에 '역사학파'라는 경제학파가 있었습니다. 이 사람들은 경제사를 개척했다고 평가받기도 했으나, 한편으로는 화폐 경제 진화와 관련하여 잘못된 도식을 만들었다는 비판도 받았습니다. 특히 이 도식이 매우 그럴듯해서 오랫동안 사람들의 의식을 오도하기도 했습니다. 이른바 인류가 자연 경제에서 화폐 경제로, 화폐 경제에서 신용 경제로 발전했다는 도식입니다. 이 도식은 브루노 힐데브란트Bruno Hildebrand라는 경제학자가 1857년에 쓴 논문에 처음 등장합니다. 사실 이 시기까지만 해도 경제학자들은 인류가 어떻게 경제생활을 했는지 별로 아는 바가 없었습니다. 1850년대는 경제사라는 관점에서 연구가 막 시작되던 때였고, 대략 중세 시대 사람들, 로마 시대 사람들의 경제생활에 대한 역사 데이터를 쌓아 놓고 얼기설기 짜 맞추던 정도의 수준이었죠.

힐데브란트의 이 도식을 대략적으로 설명하면,

> 화폐를 사용하지 않는 자급자족 경제 → 시장이 발달하면서 주화를 가지고 경제생활을 조직하는 화폐 경제 → 화폐가 무겁고 불편한 데다 도둑맞을 위험이 있으니, 화폐를 가지고 있다는 신용 증서 등장 → 이후 발전을 거치며 환어음·채권 급기야 주식 같은 신용에 기초한 각종 유가 증권을 마구 사용하는 고도의 경제로까지 발전

이런 과정을 거쳤다는 겁니다. 굉장히 그럴듯하죠? 힐데브란트를 비롯한 경제사가들이 이런 생각을 가지게 된 그 나름대로의 이유가 있습니다. 5세기부터 19세기까지의 경제사를 정리한 방식이라고 할 수 있는데요, 앞서 주화의 진화 이야기에서 로마 제국의 멸망으로 인해 주화

나 화폐 경제가 무너지면서 시장 경제도 큰 타격을 받았다는 설명을 했었죠. 이때 교역 자체가 사라지면서 주로 자급자족의 자원으로 살아갔다는 기록은 분명히 나옵니다. 이후 시간이 조금 지나서 12세기, 13세기에 농업 생산력이 올라간 뒤에 이탈리아 북부 도시와 한자동맹을 맺었던 북유럽 쪽 상업 도시들, 그러니까 함부르크나 뮌헨 등지에서 상인들이 다시 활동하면서 화폐 경제가 나타났습니다. 그러다 18세기, 19세기 정도가 되면 프랑스 · 네덜란드 · 영국 등지에서 주식시장 · 채권시장 · 외환시장 등 각종 신용시장이 나오고 큰 은행도 생겨납니다. 대략 이런 과정이 이 사람들이 파악했던 유럽의 경제사였고, 이를 바탕으로 이것이 하나의 보편적인 인류 경제 발전의 도식이라고까지 이야기했던 것이죠.

독일 역사학파와 사이가 좋지 않았던 영국 고전파 경제학자들도 힐데브란트의 이 논문만큼은 받아들입니다. 이게 자유주의자들이 가지고 있는 역사관과 딱 맞아떨어졌거든요. 앞서 자본주의 이전의 화폐의 기원과 진화에서 말씀드렸던 자유주의 이론, 옛날에 짐승처럼 살던 인간들이 교환을 하면서 시장이 발전하고 화폐가 생기고 문명이 고도화되었다는 그 주장이 바로 고전파 경제학자들의 주장이었습니다. 강력한 유사 역사학이 또 다른 유사 역사학을 만나 상승작용을 일으키면서 완전히 사실처럼 굳어져 버린 셈입니다.

하지만 이후 19세기 말에서 20세기 초로 넘어가는 시기에 역사 데이터, 특히 경제사 데이터가 점점 더 쌓이게 되면서 힐데브란트의 이 도식은 '잘못됐다'는 근본적인 비판에 직면합니다. 역시 독일의 역사학파 경제학자인 카를 뷔허Karl Bücher는 인류의 경제사를 논할 때, 발전 과정을 일직선상에 나열하는 방식을 비판하며, 국민경제 형성 과정을 살피는 것이 더 중요한 논점이라고 설파하였습니다. 좀 더 결정적인 반론은 오스트리아에서 나왔습니다. 중세 경제사의 권위자 알폰스 도프슈Alfons Dopsch가 1930년에 『세계 역사에 있어서 자연 경제와 화폐 경제 Naturalwirtschaft und Geldwirtschaft in der Weltgeschichte』라는 저서를 발표합니다. 이 책에서 도프슈가 누누이 강조한바, 신용이라는 기법은 화폐 경제 심지어 자연 경제의 시대에도 도처에서 광범위하게 사용되고 있었다는 것입니다. 다시 말해 힐데브란트가 자연 경제 상태라고 주장했던 그 시절에도 여러 가지 신용 기구들이 사용되고 있었고, 결론적으로 자연 경제·화폐 경제·신용 경제는 정해진 순서가 있는 게 아니라 거꾸로 나타나기도 하고, 두 가지가 섞여 나타나기도 하고, 동시에 나타나기도 한다는 게 도프슈의 주장이었습니다.

도프슈가 그 저서를 발표한 1930년대 이후로 이를 보강하는 증거와 자료가 축적되면서 자연 경제-화폐 경제-신용 경제 순서로 발전했다는 주장은 사실상 19세기에 유행했던 유사 역사학이 됩니다. 하지만 대부분의 유사 역사학이 그러하듯, 이 이론도 쉽사리 사라지지 않았습니다. 제2차 세계대전이 끝난 뒤, 소위 후진국이라 불리는 국가나 산업혁명이 일어나지 않은 사회에 들어가서 어떻게 경제 성장을 일구어 낼 것인지 연구하는 개발 경제학이라는 학문이 나옵니다. 그런데 개발 경제학에서도 이 도식을 거의 그대로 사용해 정책을 펴는 경우가 많습니다. 이 사람들은 현재 자급자족의 자연 경제 상태에 있으니 여기서 화폐 경제-신용 경제 순서로 넘어가야 한다는 의식이 은연중에 작동하면서 정책에 영향을 주는 것이죠.

이런 도식이 그 나라의 발전에 큰 도움을 주지 못한다는 것을 말씀드리기 위해 예를 하나 들어 보겠습니다. 아프리카에 케냐라는 나라가 있죠. 여기는 땅이 넓은 데다 곳곳이 오지이고 기반 시설을 설치하려 해도 경제성을 유지할 수 있을 만큼 지역당 인구 밀도가 높지 않아 20세기 말까지도 통신망이나 전력망이 확충되지 않았던 곳입니다. 그러다 1990년대 말에 휴대폰이 들어오면서부터 갑자기 장거리 통신 기술과 모바일 기술이 급속도로 발전해 단 9년 만에 인구의 85퍼센트가 휴대폰을 들고 다니게 됩니다. 자연 경제 체제에 있던 사람들이 갑자기 휴대폰을 사용하게 되었으니 이제 다음 순서로 화폐가 발달했을까요? 여기서 재미있는 일이 벌어집니다. 이동 통신 회사에서 핸드폰으로 결제하는 시스템을 만들어 뿌린 겁니다. 그다음부터 케냐 사람들은 경제 거래를 할 때 핸드폰 페이앱을 사용하게 되었다고 합니다.

그렇다면 여기에 자연 경제 – 화폐 경제 – 신용 경제 도식이 맞나요? 비교적 최근에 있었던 일을 하나의 예로 든 것입니다만, 이런 경우는 다른 나라에서도 여럿 찾아볼 수 있습니다. 결론적으로 기술이 뒤처진 나라에서 그동안 발전했던 순서를 답습해야만 새로운 기술을 얻을 수 있는 게 아닙니다. 기술의 발전 순서는 뒤죽박죽이고 또 불규칙적이어서 쉽게 단선화할 수는 없습니다.

신용 문제도 그렇습니다. 만약 자연 경제 – 화폐 경제 – 신용 경제라는 도식이 항상 옳은 것이라면 신용 경제라는 건 주화가 나온 다음에 발전해야 맞겠죠. 역사적으로 전혀 사실이 아닙니다. 또 여전히 사람들은 신용이라는 개념을, 무거운 화폐 대신 내가 화폐를 갖고 있다는 증서라고 인식하는 통념이 있는데, 이 또한 그렇지 않습니다.

신용은 주화와는 전혀 별개의 기원을 가질 뿐만 아니라 시간상으로 볼 때도 화폐 경제나 주화 경제보다 훨씬 앞서 있습니다. 하지만 지금까지 말한 유사 역사학을 오랫동안 접해 왔기 때문에 화폐가 없는 상태의 신용이 어떤 형태로 존재했는지에 대해서 생각하는 것을 낯설어합니다.

이제 우리는 오류투성이 역사를 걷어 내고, 잘못된 통념을 지워야 합니다. 비단 신용의 기원에만 국한된 것이 아니라 경제사를 비롯한 대부분의 역사를 공부할 때도 마찬가지입니다. 역사 공부의 본질이 믿고 싶은 것을 믿는 게 아니라 일어난 사실을 제대로 보는 데 있다면 말입니다.

2

신용으로 운영되는
술 익는 마을

'돈' 없이 거래가 가능할까?

신용이 어떤 식으로 진화했는지에 대해 좀 더 이해하기 쉽게 막걸리로 유명한 가상의 어떤 마을 이야기를 들려 드릴까 합니다. 다시 한번 강조합니다만, 어디까지나 가상의 이야기입니다.

남녀노소 불문하고 모든 사람이 막걸리를 마시는 어떤 마을이 있습니다. 이 마을에서 마신 막걸리를 정산하는 방법은 이렇습니다. 보통 일 년 내내 외상으로 막걸리를 주문합니다. 그러다 가을이 되어 추수를 한 뒤, 곡식을 시장과 정미소에 내다 팔아서 돈이 들어오면 그때 그동안 먹은 막걸릿값을 치릅니다. 당연히 이 술도가에는 누가, 언제, 막걸리 몇 주전자를 가져갔는지에 대한 개인 기록이 있을 테고요. 그러니 이 마을의 막걸리 거래에서는 일 년에 한 번 농사한 작물을 팔아서 돈을 번 다음 외상을 갚을 때 외에는 화폐가 사용되지 않습니다.

이렇게 마을 사람 모두가 술도가에 개인 계정이 있고, 이 개인 계정을 바탕으로 외상을 달아 놓고 막걸리를 마시다 보면 나중에 이 술도가는 묘한 기능을 하나 가지게 됩니다. 바로 이 집 저 집 사이의 채권·채무를 해결하는 중간 다리 역할을 하게 되는 거죠.

예를 들어 돌쇠가 막걸리 300주전자를 먹었습니다. 편의상 한 주전자에 만 원이라고 하겠습니다. 그러면 돌쇠는 이 술도가에 총 300만 원의 빚이 있는 셈이죠. 한편, 순돌이라는 친구는 외상으로 200주전자의 막걸리를 먹었습니다. 그러던 어느 날 순돌이가 돌쇠한테 꿨던 돈 100만 원을 갚아야 하는 일이 발생했습니다. 사정상 이 빚을 바로 갚아야 하는데 순돌이는 당장 100만 원이 없었어요. 고민하던 순돌이가 묘안을 하나 냅니다. 술도가에 있는 돌쇠 외상 중에서 100주전자만큼을 자기 계정으로 옮기는 거죠. 그러면 이제 돌쇠의 외상은 300주전자에서 200주전자가 되고, 순돌이의 외상은 200주전자에서 300주전자가 됩니다.

이게 요즘 말로 하면 뭘까요? 순돌이가 돌쇠의 계좌에 입금을 한 것과 다름없는 셈 아닌가요? 자, 여기에는 우리가 화폐라고 부를 만한 그 어떤 것도 왔다 갔다 하지 않았고, 어떤 교환 수단도 오가지 않았지요. 그런데 술도가에 있는 외상 장부의 기록이 바뀌면서 순돌이와 돌쇠의 채권·채무 관계가 정리되었습니다.

순돌이와 돌쇠의 예만 들었습니다만, 마을의 모든 사람이 술도가에 계정을 갖고 있고, 모두가 외상을 지고 있으니 술도가의 외상 장부만 이리저리 정산하면 마을 사람 간의 모든 금전 관계가 다 정리됩니다. 단 한 푼의 화폐를 사용하지 않더라도 화폐가 유통되는 것과 같은 효과를 얼마든지 낼 수 있는 것입니다.

이게 신용입니다. 신용이란, 주화나 화폐를 전제하지 않고도 모든 사람이 지불 행위에 합의하는 하나의 공동체를 이룬다면 발생할 수 있습니다. 이 개념을 가장 먼저 제시한 학자는 프리드리히 크나프였습니다.

제가 예를 든 술 익는 마을이 좀 허접해 보이지만 나름 뼈대 있는 메타포라는 것이죠.

이후에 등장한 독일의 경제학자 프리드리히 벤딕센Friedrich Bendixen은 『화폐와 자본Geld und Kapital』이라는 저서에서 이를 모든 사람이 서로서로 채권·채무의 관계를 청산하는 데 합의한 '지불 공동체'라는 개념으로 확장하는데요, 이런 공동체 안에서는 주화가 필요 없습니다. 방금 말한 술 익는 마을에서처럼, 지불 공동체에서는 신용 그 자체가 얼마든지 화폐가 될 수 있기 때문입니다.

케인스도 말년에 재미있는 구상을 하나 했는데요, 사람이 태어날 때부터 예외 없이 하나씩 계정을 가지면 어떨까 하는 것이었습니다. 사람들 사이의 모든 경제적인 거래를 각자가 가진 계좌를 통해 청산과 입금 등으로 처리하면 화폐가 필요 없지 않겠냐는 생각이었죠. 케인스 당시에는 어땠을지 모르지만 지금은 상당히 현실성 있는 구상입니다. 벌써 카드 없는 사람 찾아보기 힘들고, 스웨덴은 동전 없는 경제를 만들겠다고 이야기했습니다. 이런 사례들을 통해 신용에 의한 화폐의 유통은 주화에 의한 화폐의 유통과 별개의 문제라는 걸 알 수 있습니다.

은행과 지폐의 발생

다시 술 익는 마을 이야기를 좀 더 이어가 보겠습니다. 이렇게 사람들끼리 각자 가지고 있는 채권·채무 관계를 술도가의 외상으로 해결하고 있었습니다. 그러던 어느 날 술도가 주인이 기막힌 생각을 합니다. 종이에 막걸리 주전자 그림을 그리더니 "이 종이를 가져온 사람에게는 막걸리 한 주전자를 드리겠습니다."라면서 마을 사람들에게 종이를 뿌렸습니다. 그러자 어떤 일이 벌어졌을까요? 이 마을은 막걸리 안 마시는 사람이 없고, 밥은 안 먹어도 막걸리는 마셔야 하니 이 종이가 당연히 통용이 되었겠지요. 사람들은 이제 막걸리가 그려진 이 종이를 화폐로 보기 시작합니다. 200주전자 외상이 있는 사람은 이 종이를 하나를 가지고 가면 외상을 하나 깎을 수 있으니 필요하고, 외상이 없는 사람은 이 종이로 막걸리를 하나 받아서 마실 수 있으니 유용합니다. 술도가 주인은 이제 슬슬 간이 커집니다. 자기가 주전자 그림을 발행하기만 하면 안 받는 사람이 없다는 사실을 알게 된 겁니다. 그러면 이걸 들고 슈퍼마켓도 가고 식당도 갑니다. 슈퍼마켓 주인도 이 그림을 군말 없이 받습니다. 왜냐면 자신에게 당장 필요가 없다고 해도 다른 마을 사람들은 누구나 이 종이를 받아들일 것이니, 다른 사람한테 물건을 사고 넘기면 되기 때문입니다. 술도가는 이제 은행 역할까지 하게 된 것이지요.

이렇게 모든 사람이 계정을 가지고 있는 술도가 같은 곳, 즉 신용의 원천이 되는 곳에서는 신용이 바로 화폐 역할을 할 수 있게 됩니다. 이를 크레디트 발행이라고 말할 수 있습니다. 이게 바로 은행권, 즉 지폐banknote의 기원입니다. 하지만 유사 역사학에서 말하는 지폐의 기원은 좀 다릅니다. 금화나 은화 같은 주화만이 진짜 화폐인데, 이게 무겁고 위험하죠. 그래서 어느 순간 이 주화는 은행이나 금 대장장이 집에 맡겨 놓고 '금 맡겨 놨음'이라는 예치 증서만 들고 다녔던 게 그 시작이라는 거예요. 영국의 경제학자 데이비드 리카도David Ricardo가 이 주장을 펼치면서 널리 퍼져 나갔는데요, 이 또한 역사적 사실과 다른, 억측과 사변일 뿐입니다.

은행권의 기원은 본질적으로 금은이나 예치 증서와 아무 상관이 없습니다. 여러 사람이 계좌를 가지고 있고, 빚을 갚아야 하는 술도가 같은 게 생겨났고, 지폐는 이 술도가가 자신의 힘을 이용해 임의로 발행한 약속어음에 불과합니다. 그러다 무수히 많은 문제들이 생기기도 했고요. 이를테면 술도가에서 술로 바꿀 수 있는 종이를 생각 없이 막 발행해서 사람들한테 뿌리고 다닙니다. 그러니 사람들이 종이를 들고 가서 술로 바꿔 달라고 하는데 만들 수 있는 술의 양보다 종이가 훨씬 많아지는 일이 발생합니다. 술이 떨어졌다고 하면 난리가 나면서 결국 술도가는 문을 닫을 수밖에 없겠죠. 17세기, 18세기에 이런 식으로 지불능력solvency을 초과하여 과도하게 은행권을 발행했다가 망한 은행이 무수히 많았다고 합니다.

이 술 익는 마을 이야기에 덧붙여 토막 상식 같은 재미난 이야기를 하나 해 보겠습니다. 화폐의 기원을 논하던 사람들이 농담처럼 하는 이야기인데, 술도가에 해당하는 게 중세 가톨릭교회라고 보면 면죄부가 화폐의 기원이 될 수도 있다는 겁니다. 면죄부라는 건 우리가 살면서 짓는 죄를 제해 주는 장치입니다. 이를테면 죄를 100만큼 지었는데 면죄부를 몇 개 받으면 30쯤 제해 주는 거죠. 천국에 정말로 회계 장부가 있는지 어떤지는 잘 모르겠지만, 기독교 교리상 죄를 안 지은 사람은 없습니다. 모든 사람은 원죄가 있기 때문에 우리는 일단 태어나는 순간부터 채무가 왕창 적혀 있는 통장을 안고 세상에 나오는 셈입니다. 따라서 이를 줄이기 위해서는 모두 교회에서 면죄부를 받아야 합니다. 이론적으로 보면 면죄부를 많이 받은 사람은 죄가 적고, 죄가 많은 사람보다 상대적으로 유리한 위치에 있으니 자기 면죄부를 꿔 줄 수도 있고 받을 수도 있게 됩니다.

그래서 어떤 이론가들은 "종교개혁이 일어나기 전인 15세기나 16세기 상황에서, 가톨릭교회가 금융혁명에 착안했다면 어땠을까?"하는 상상을 하기도 합니다. 서유럽의 모든 사람은 교회에 죄의 계정을 가지고 있는 셈이니 그들의 신용을 바탕으로 가톨릭교회가 면죄부를 대량으로 발행하는 것입니다. 모든 기독교인들이 이렇게 발행한 자신들의 '천상 장부'를 기반으로 '지불 공동체'를 조직하여 상거래를 행한다면 유럽 전체 차원에서 아주 독특한 신용화폐 체제를 만들 수 있었을 거라는 이야기죠. 물론 실현되지 않았던 내용이니 재미로 읽고 넘기시면 되겠습니다.

이것으로 술 익는 마을 이야기는 끝났습니다. 이 예에서 보았듯, 신용은 주화 등의 화폐와는 독자적인 기원을 가지고 있으며, 오히려 신용에서 화폐가 발생하기도 합니다. 이 이야기가 신용에 관한 유사 역사학과 잘못된 통념을 걷어 내는 데 도움이 되었으면 좋겠습니다. 그러면 이제 다음 장에서는 다시 고대 오리엔트 세계와 고대 로마 세계로 돌아가 어떤 신용과 화폐 시장이 존재했는지 알아보겠습니다.

3

고대의
신용

부절 막대기tally stick로 신용을 기록하다

신용이 정확히 언제부터 시작됐는지는 알 길이 없습니다. 다만 고고학
자들의 조사에 의하면 구석기 시대인 4만 년 전에도 신용 거래가 있었
으며, 그 증거로 짐승 뼈에 기록되어 있는 흔적을 제시합니다. "아니,
그렇게 오래전, 숫자도 없던 시절에 신용 계산을 했다고?" 의문이 들
수도 있겠습니다. 신용 거래를 기록하는 오래된 방법 중 하나가 부절
막대기tally stick에 표시하는 것입니다. 물론 나무 막대기가 아니라 짐승
뼈를 사용할 수도 있습니다. 실제로 구석기 시대의 부절 유물은 주로
짐승 뼈로 나타납니다. 시대와 장소에 따라 여러 변형이 있지만, 영국
의 경우를 예로 들어 설명을 해 보겠습니다.

B가 A의 곡물을 꾸어 갑니다. 두 사람은 채권·채무 관계를 기록하
는 방법으로, 나무 막대기 하나를 가져옵니다. 다음으로 그 액수에 해
당하는 표식으로 나무 막대기에 금을 긋고, 그 막대기를 세로 방향으로
반을 쪼갭니다. 이때 양쪽 길이를 일부러 다르게 만들어서 긴 쪽은 채

권자가 가지고 짧은 쪽은 채무자가 가져갑니다. 전자를 스톡stock이라 하고 후자를 포일foil이라고 합니다. 훗날 B가 약속한 양의 곡물을 A에게 갚을 때 두 사람은 그 부절 막대기 두 쪽을 꺼내 맞춰 봅니다. 나무가 쪼개질 때의 모습은 항상 다르기 때문에, 이 세상에 그 거래에 썼던 부절 막대기는 단 한 개뿐이겠지요. 어느 한 쪽에서 일방적으로 금을 그어 위조할 수도 없습니다.[90] 맞추어 보면 바로 들통이 나니까요. 원만하게 거래가 끝나면 막대기를 불태워 버립니다.

중세 영국의 국가는 부절 막대기를 국가 채무의 기록 방식으로 활용했습니다. 종이가 없고 비싼 양피지를 사용하던 시절이라 나무 막대기를 쓰는 편이 비용이 덜했을 것입니다. 국가에서 필요한 재물을 징발합니다. 이렇게 되면 국가는 그 재물을 징발당한 개인에 대해 나중에 갚아야 할 채무를 지게 되고, 개인은 국가에 대한 채권자가 됩니다. 이러한 채권·채무 관계를 기록하기 위해 부절 막대기를 만들어 국가는 '포일'을 보관하고 개인은 '스톡'을 갖습니다. 훗날 국가가 그만큼을 갚아준다는 일종의 차용 증서인 셈이죠. 하지만 개인은 그때까지 기다릴 필요가 없습니다. 국가가 갚겠다고 써 준 차용 증서이니만큼, 다른 개인에게 물품을 구입할 때 돈 대신 이 부절 막대기의 '스톡', 즉 채권 증서를 사용하여 지불합니다. 허접한 개인이 발행한 가계수표라면 받는 쪽에서 의심을 하여 받지 않을 수도 있겠지만, 그 '스톡'을 가진 자에게 갚아 주겠다고 약속한 쪽은 무소불위 권력의 국가이니 받지 않을 이유가 없습니다. 그렇게 해서 이 부절의 '스톡'을 넘겨받은 두 번째 사람은

---

90 이 금을 긋는 기술은 대단히 정교했습니다. 주로 금의 폭으로 액수나 가치를 표현하였는데, 1페니부터 1천 파운드까지 새길 수 있었다고 합니다. 참고로 1파운드는 240페니입니다.

또 자기가 다른 물품을 구입할 때 다시 그것을 화폐처럼 사용합니다. 그러다가 헨리 1세가 중요한 조치를 취합니다. 누구든 자기의 세금을 국가에 낼 적에 그렇게 국가가 발행했던 '스톡'을 내면 그걸 세금 납부로 인정해 주겠다는 조치였습니다. 이렇게 되면 국가에 세금을 내야 할 모든 사람들은 이 '스톡'을 더욱더 믿고 받아들일 이유가 생깁니다. 그리하여 이 부절 막대기는 런던 주변에서 광범위하게 화폐로 유통되었습니다. 13세기가 되면 아예 '부절 막대기' 시장까지 생겨서 거기에서 할인된 가격으로 거래가 되기도 했다고 합니다. 17세기 말엽이 되면 정부가 발행한 부절 막대기의 총액이 1,400만 파운드에 달하였는데, 당시 금화와 은화의 주조량 총액은 그 절반도 되지 않았다고 합니다.

이 부절 막대기는 원시 시대부터 여러 가지 방식으로 신용을 기록했다는 명백한 사실을 보여 줍니다. 채권과 채무 때문에 문명이 생겨난 건지, 문명이 생겨난 다음에 채권과 채무의 개념이 생겨난 건지 알 수 없을 정도로 인류에게 있어 채권과 채무라는 개념은 굉장히 오래된 것이었으며, 대단히 원초적인 메커니즘이라는 사실은 분명합니다.

고대 바빌로니아 제국의 신용 거래는 어떤 모습이었을까?

고대 바빌로니아 제국으로 시점을 옮겨 보면 기묘한 일을 만납니다. 고대를 연구하는 학자들에게 고대 바빌로니아 시절 메소포타미아에서 시장 거래나 화폐 경제가 발달했었느냐고 물어보면 서로 다르게 이야기하는 두 개의 집단이 나오는 거죠. 한쪽은 "당연하지." 현대 자본주의와 크게 다르지 않을 정도로 발달했다고 주장하고, 다른 쪽은 "천만의 말씀." 시장 거래나 화폐 경제가 전혀 없었다고 할 수는 없지만, 그게 오늘날과는 전혀 다른 성격, 전혀 다른 경제라고 답합니다.

그간 무엇이 옳은가를 두고 많은 갑론을박이 있었고, 심지어 지금도 논쟁 중인 사안입니다. 하지만 그 시절의 점토판이나 문서를 보면 (계산)화폐 거래나 부동산 거래를 비롯해 수없이 다양한 계약 문서가 있었습니다. 다른 건 몰라도 최소한 (계산)화폐를 매개로 한 다양한 거래가 벌어졌던 것만큼은 분명한 사실이라는 거죠. 문제는 이걸 어떻게 해석할 것인가에 있습니다.

우선 고대 메소포타미아의 신용 거래가 어떤 식으로 발생했는지에 대해서 말씀드리겠습니다. 이때 존재했던 대제국은 신전 경제든, 궁전 경제든 조세에 근거한 재분배 경제였습니다. 모든 신민들은 신전이나 궁전에다 일정한 양의 세금을 갖다 바쳐야 했는데요, 바꿔 말하면 모든 사람들은 신전이나 궁전에 일종의 채무를 지고 있다고 할 수 있습니다. 앞 장에서 이야기했던 술 익는 마을의 술도가가 신전이나 궁전인 셈이죠. 그래서 신전이나 궁전에 있는 서기관과 사제와 관료 들은 점토판에 누가 얼마나 세금을 내야 하고, 지금까지 얼마나 냈고, 앞으로 남은 세금은 얼마나 되는지 기록해야 했습니다.

이때 세금을 징수하는 역할을 한 무리가 탐카룸이었습니다. 탐카룸들이 세금을 징수하면서 여러 가지 거래가 벌어지는데, 주요한 방식은 궁전이나 신전에 기록된 사람들의 채무를 지우는 것이었습니다. 이를테면 고대 이집트에 살고 있는 주민 홍 아무개가 탐카룸에게 세금을 내면 탐카룸은 그걸 들고 가서 내는 대신에 신전에 기록된 홍 아무개의 채무를 하나 지워 주는 방식이었다는 거죠.

이걸 지로giro 금융이라고 합니다. 요즘은 널리 쓰이지 않아서 모르는 사람들도 있겠지만 2000년대 초반까지만 해도 세금이나 여러 요금 등을 지로로 납부하는 것이 일반적이었습니다. 지로 용지를 들고 은행에 가서 돈을 내면 은행이 이를 각 해당 기관에 맞게 처리해 주는 일종의 대납 방식이었습니다. 이 지로 금융은 수표 금융의 반대라고 생각하면 됩니다. 수표라는 건 내가 친구에게 빚을 갚을 적에 내가 가진 은행 계좌 앞으로 가계수표를 끊고, 그 수표를 친구에게 주면 친구가 나의 거래 은행으로 가 현금을 받는 방법입니다. 반면 지로 금융은 내가 그 은행에 돈을 내면서 친구에게 돈을 지급하라고 명령하는 방식이라고 할 수 있습니다. 즉 지로로 세금을 낸다는 행위는 지로를 가지고 가 은행에 돈을 주면서 그 돈을 나 대신 국가에 내라고 명령하는 셈인 것이죠. 방식은 메소포타미아 시대와 크게 다르지 않으니 이 지로 금융의 기원은 굉장히 오래되었다고 할 수 있습니다.

앞서 이야기했던 술 익는 마을의 술도가가 바로 지로 금융의 천국이라고 할 수 있습니다. 남녀노소 모두 막걸리 주전자를 계산 단위로 삼아 술도가에 가서 명령하기만 하면 순돌이와 돌쇠의 채무가 정리되는 방식으로 지로 금융을 했던 것이고, 이는 고대 메소포타미아도 다르지 않았습니다. 고대 메소포타미아에는 아직 주화가 없었고, 계산화폐만 존재했다고 말씀드렸죠. 그러니 화폐 경제라고 할 수는 없습니다. 그 대신 은 몇 셰켈이라는 계산 단위로 액수를 매기고, 각자가 궁전이나 신전에 두고 있는 계좌를 활용해 주화나 지폐 없이도 활발하게 화폐 거래를 했던 것입니다. 이게 다른 말로 하면 바로 신용, 좀 더 정확히 말하자면 크레디트credit입니다. 고대 이집트 당시 상거래 기록도 실제로 화폐를 주고받은 게 아니라 각자가 신전이나 궁전에 두고 있는 채무 계좌에서 지로 금융을 행한 것이라는 해석이 좀 더 우위를 보이는 것 같습니다.

이 형태가 이어지면서 고대 그리스 아테네에서도 금융업이 발달했는데, 여기서도 지로 금융이 활발히 행해졌습니다. 많은 사람이 공통으로 가지는 채무와 채권의 계좌들을 연결해 주화를 사용하지 않고 화폐거래를 하는 방식이었고 이것은 고대 로마에까지 이어집니다. 이때는 주화가 활발히 사용되던 시기였는데도 그와 독립적으로 지로 금융 거래가 많이 행해졌습니다. 재미있는 점은 이 금융업을 담당하던 사람들이 노예였다는 겁니다. 기록을 살펴보면 금융업을 아주 훌륭하게 해서 자유인으로 해방되는 노예 이야기도 나옵니다. 노예들이 금융 업무를 봤다니, 요즘 금융계에서 일하는 사람들이 들으면 어떤 기분이 들지 궁금하군요.

금융업이라고 해서 조금 의아할 수 있을 텐데 고대에도 고리 대금업이 있었습니다. 이것도 많은 논란을 불러일으키고 있기는 합니다만, 수메르 제국에도 이자라는 게 있었다고 하니 최소 5,000년 이상은 되었다고 봐야겠죠. 이걸 두고 어떤 쪽에선 "봐라! 고대에도 화폐 시장이 있었고 자본 시장이 있었다. 이것이 사람들이 돈을 빌려주고, 이자를 취하는 오늘날과 같은 종류의 화폐 시장이 존재했다는 증거"라고 주장하는 학자도 있습니다. 하지만 그렇게 보기엔 좀 무리가 있다는 생각입니다. 당시 이자율이 도저히 화폐 시장에서 성립됐다고는 볼 수 없을 정도로 터무니없이 높았는데요, 수메르 당시 이자율은 보리를 단위로 계산할 때에는 33퍼센트, 은을 단위로 계산할 때에는 20퍼센트였으니, 시장 이자율로 따지면 터무니없이 높은 숫자입니다. 이런 숫자는 어디서 나왔을까요? 고대경제사가인 마이클 허드슨Michael Hudson의 설명을 따라가 봅시다. 당시 신전에서는 60진법을 사용했는데, 이는 일꾼 등에게 배급을 할 때의 편리함과 연관이 되어 있었다고 합니다. 한 끼 식사가 될 수 있는 보리 1구르를 하루에 두 번 지급하면, 한 달을 30일로 보았을 때 한 달에 들어가는 보리의 총량은 60구르가 됩니다. 한편 당시의 회계 기준에서 은 1미나mina(대략 1파운드 정도의 무게) 또한 60셰켈로 나누며, 보리 1구르는 1셰켈로 계산되었습니다. 은 1미나에 대한 1년간의 이자는 이렇게 계산됩니다. 한 달에 인부의 한 끼 식량에 해당하는 보리 1구르씩을 이자로 쌓습니다. 보리 1구르는 은 1셰켈이니 1년이면 은 12셰켈의 이자가 쌓입니다. 이를 은 1미나 즉 60셰켈에 대한 이자로 보면 12/60 즉 20퍼센트라는 숫자가 나옵니다.[91] 이렇게 당시의 이자율은 화폐 시장에서의 수요와 공급의 논리에 따라 이루어진 것이 아니라, 재분배 경제에서의 신전과 배급과 달력 등의 논리에 만들어진 관습에 불과하다는 것입니다.

다시 지로 금융 이야기로 돌아가겠습니다. 여기서 주의해야 할 점이 하나 있습니다. 지로 금융이라고 하면 우리가 은행에서 지로를 이용해 세금을 내는 것처럼 돈이 슉슉 왔다 갔다 했던 걸로 상상할 수도 있을 텐데 그렇게 작동할 수는 없습니다. 고대 사회의 채권과 채무라는 건 남에게 쉽게 넘겨줄 수 있는 종류의 것이 아니었기 때문입니다. 예를 들어 현대 사회에서 국민 홍길동 씨가 국가에 지고 있는 채무(세금)라는 건 아주 간명합니다. 액수의 차이는 있겠지만 그냥 돈 얼마로 통일되어 표기되죠. 국가가 국세와 지방세를 계산해서 국민에게 얼마씩 내라고 하면 액수에 맞게 납부하면 되는 시스템입니다. 하지만 고대 사회에서 국가가 홍길동 씨에게 지우는 채무는 아주 다양한 유무형의 것들

---

91 Michael Hudson, The Archaeology of Money: Debt versus Barter Theories of Money's Origins, in W. Randall Wray ed. State and Credit Theories of Money, Edward Elgar, 2004.

신용과 은행

319

이었습니다. 게다가 사람마다 가지고 있는 채권과 채무의 내용이 다종 했습니다. 이걸 사회학적 용어로 하면 몰인격성impersonality이 없는, 인격 적 종류의 채무였습니다. 이러면 남에게 쉽게 양도할 수가 없죠.

이런 예를 생각해 봅시다. 가령 내가 은행에 57만 원을 내야 하고, A 한테 57만 원을 받을 게 있다면 A에게 현금을 받아서 은행에 입금해도 되고, A와 상관없이 그냥 내 계좌에서 은행으로 이체해도 되겠죠. 하지 만 신전에 내야 할 세금이라는 게 현물이고, 그 현물이라는 것도 '교미 하다가 말라 죽은 메뚜기 두 쌍, 얼어 죽은 개구리 네 마리, 가을 서리 를 맞은 구상나무' 같은 것이라면, 일반성이 없으니 다른 누구한테 대 신 내라고 하기 힘들었을 것입니다. 현금은 누구나 가지고 있는 것이지 만 이런 독특한 종류의 현물을 가지고 있는 사람을 찾는 건 보통 어려 운 일이 아니었을 테니까요.

이렇게 고대 사회에서 채무를 갚는 방식은 크게 두 가지 문제가 있었 습니다. 하나는 계산화폐로 등가를 이룬다고 해도 빚을 갚는 구체적인 방법은 여전히 화폐가 아닌 현물이었다는 점, 또 하나는-중세 영국의 부절 막대기와는 달리-타인에게 양도할 수 있는 몰인격적인 성격의 채무가 아니었다는 점입니다. 그래서 당시 지로 금융을 활용할 수 있었 던 건 큰 상인이나, 혹은 서로 잘 아는 상인들끼리의 특수한 네트워크 상에서나 가능한 일이었지 모든 백성들이 '술 익는 마을'처럼 광범위하 게 쓸 수 있는 방식은 아니었습니다. '지불 공동체'의 크기가 크게 제한 되어 있었던 셈입니다.

지금까지 말씀드렸듯 고대 사회에도 분명 신용 거래가 존재했고, 이 자나 고리대가 있었던 것도 사실이지만 그렇다고 해서 발달한 신용 시 장이나 화폐 시장이 존재했다고 보는 것은 무리입니다. 물론 아직 더 많은 연구와 논의가 필요한 부분인 만큼 제가 이렇다 저렇다 결론을 내려는 것도 아니고, 단언을 하려는 것도 아닙니다. 하지만 적어도 현대 경제학자들이 생각하는 것과 같은, 즉 수요와 공급에 의해 이자율과 거래량이 결정되는 화폐 시장이나 신용 시장이 있었다는 생각만큼은 분명히 잘못된 것이라고 봅니다.

4

우리는 환어음을
알아야 한다

환어음의 개념

좀 엉뚱한 비유인지 모르겠지만, 오늘날의 화폐를 보면 추어탕 같다는 생각을 합니다. 추어탕의 주재료는 미꾸라지인데, 통으로 넣기도 하지만 대개는 갈아서 넣지요. 그래서 처음 접하는 사람들은 먹으면서도 이 안에 미꾸라지가 들어갔는지조차 잘 모르는 경우가 많은데요, 현재 우리가 쓰는 화폐도 좀 비슷한 면이 있습니다. 이 화폐에는 별의별 희한한 제도와 희한한 기원이 다 갈려 들어가 있다고 해도 과언이 아닙니다. 앞에서 주화를 비롯한 화폐에 대한 다양한 이야기를 전해 드렸는데, 좀 더 깊이 들어가면 정말 할 이야기가 끝이 없을 정도입니다. 딱히 추어탕에 관심 없는 사람은 추어탕을 먹어도 그 안에 뭐가 들어가 있는지 모르는 것처럼 화폐도 어떤 제도와 어떤 기원이 그 안에 들어가 있는지 모르는 경우가 많습니다. 사실 추어탕은 먹어도 그만, 안 먹어도 그만이지만 화폐는 또 그렇지 않죠. 로빈슨 크루소처럼 살아갈 게 아니라면 화폐를 전혀 쓰지 않을 수는 없으니까요. 그러니 화폐 안에 들어가 있는 모든 제도와 모든 관습과 모든 기원까지는 아니더라도, 최소한 핵심 재료 정도는 알아 두는 게 좋지 않을까 생각합니다.

그중 하나가 바로 환어음입니다. 환어음이란 영어 'Bill of Exchange'를 번역한 말입니다. 환어음이 화폐 역사에 미친 영향력은 어마어마하다고 할 수 있습니다. 환어음이 처음 개발된 곳은 아랍이었는데 이후 십자군 전쟁이 벌어지면서 유럽 세계, 특히 이탈리아 북부 지방으로 퍼지는 과정을 거쳐 많이 쓰이게 됐습니다.

환어음의 개념을 알아보기 전에 사회학자 게오르크 지멜Georg Simmel부터 소개하겠습니다. 보통, 사회학을 만든 사람 몇 명을 꼽으라고 했을 때 마르크스와 베버 다음으로 내세울 수 있는, 그야말로 사회학의 거장입니다. 이 사람이 쓴 『돈의 철학』이라는 책에 보면 화폐에 대한 아주 유명하고 기막힌 정의가 나옵니다.

"화폐란, 사회 앞으로 끊은 어음이다."

어음이란, 그걸 들고 이름이 적혀 있는 사람에게 가서 들이밀면 그 사람은 어음에 쓰인 액수만큼을 지급해야 하는 일종의 명령서입니다. 이걸 누구 앞으로 끊었다고 표현합니다. 가령 어떤 은행이 자기 앞으로 어음을 끊으면 그 어음을 가지고 온 사람에게 그 은행이 현금을 지급해야 하는 자기앞수표가 되지요. 따라서 사회 앞으로 끊은 어음이라는 말은 화폐를 발행하고 화폐를 쓰는 사회는 화폐를 제시한 사람이 요구한 만큼의 사회 생산물을 내주어야 할 집단적 의무가 있다는 의미입니다.

환어음은 여기서 조금 더 확장된 개념인데요. 이해를 돕기 위해 예를 들어 보겠습니다. 각각 동탯집 · 식당 · 복덕방 · 술꾼 · 포장마차라고 부르겠습니다. 어느 날 동탯집이 식당에게 생선을 팔았습니다. "50만 원 결제하슈." 했더니 식당이 지금은 돈이 없고, 다음 달까지 주겠다고 합니다. 이걸 말로만 하면 믿을 수가 없으니 증서를 하나 씁니다. 〈식당은 다음 달 말일까지 동탯집에게 50만 원을 주겠다〉 그리고 도장 쾅쾅. 이게 아주 간단한 형태의 어음입니다. 이건 돈을 빌린 게 아니니까 차용증이라고 할 수는 없고, 보통 약속어음이라고 부릅니다.

여기서 환어음은 한사람이 더 등장합니다. 식당이 동탯집에게 이렇게 말합니다. "생각해 보니 다음 달까지 기다릴 필요 없겠어. 내가 복덕방한테 받을 돈이 50만 원 있으니까 그걸 그 사람한테 가서 받아." 식당은 어음의 내용을 바꿔 〈복덕방은 식당에게 진 채무 50만 원을 동탯집에게 지급하라〉는 증서를 씁니다. 이렇게 어음 발행자가 어음 소지자에게 주어야 할 돈을 다른 사람에게 위탁해 3자 간 거래가 이뤄지도록 하는 게 바로 환어음입니다.

무역과 이자 그리고 환어음

이런 환어음은 무역을 할 때 큰 위력을 발휘했습니다. 이를테면 베네치아에 사는 상인이 배를 타고 이집트로 가 수출을 했다고 칩시다. 이때 대금으로 1억 원을 받기로 했습니다. 이집트 상인이 이걸 결제하기 위해 1억 원을 들고 사막 넘어 지중해 건너 베네치아까지 가야 한다면 이 얼마나 피곤한 일입니까. 만약 이집트 상인에게 베네치아에 다른 거래처가 있고, 그 거래처에서 받아야 할 대금이 1억 원이라면 어떨까요? 베네치아 상인한테 환어음을 써 줘서 베네치아에 있는 다른 거래처에서 받으라고 하면 아주 간단합니다. 그러면 이집트 상인은 1억 원을 싣고 먼 길을 오가지 않아도 되니까요. 이렇게 해서 환어음이 무역이나 장거래 교역에 있어 아주 중요한 도구로 쓰이기 시작합니다.

약속어음은 두 사람 사이에서의 신뢰 관계라는 단일한 네트워크 안에서 존재합니다. 반면 환어음은 세 사람 사이에서 돈이 왔다 갔다 하게 되므로 두 네트워크가 서로 연결됩니다. 앞에서 든 예처럼 이집트 상인이 속한 상업 네트워크와 베니스 상인이 속한 상업 네트워크가 다각적 관계로 이어지지요. 바로 이것이 약속어음과의 차이점입니다.

무역 대금 지불 수단 외에 환어음이 중요하게 쓰이는 예가 하나 더 있습니다. 이슬람에서는 무슬림들 사이에 이자 수취가 금지되어 있습니다. 좀 의외죠? 아랍 두바이 같은 곳은 금융이 엄청나게 발달해 있는데 이게 무슨 엉뚱한 소리인가 싶을 수도 있겠으나 엄연히 불법입니다. 그걸 우회하기 위해 배당금을 지급하는 방식을 취한다든가, 그 외 이런저런 제도적 장치를 이용하고 있기는 합니다만, 지금도 이자 수취는 원칙적으로 금지하고 있습니다. 중세 때까지는 교회도 마찬가지였습니다. 한때는 교황청에서 "고리 대금업자들은 파문시켜라. 그놈들이 죽으면 교회 공동묘지에 묻어 주지도 말고, 그냥 길가에 버려라." 이런 험악한 이야기를 할 정도였습니다. 그러니 돈을 빌려주고 한 달이나 일 년 뒤에 웃돈을 얹어서 받으면 잡혀가거나 파문당해야만 했죠. 그렇다고 이때 사람들이 이자를 안 붙였을까요? 그랬을 것 같진 않죠.

유럽 세계에는 이자 붙이는 걸 업으로 삼아 살아가는 사람들도 있었는데, 그 이름하여 유대인입니다. 당시만 해도 유대인은 기독교인이 하지 않는 종류의 일을 하면서 살아가는 천민들이었습니다. 이런 사람들이 이자 금지를 우회해 이자를 받는 방법이 있었으니, 속칭 '어음 깡'이고 정식 용어로 하면 '어음 할인'입니다.

방법은 간단한데요, '일 년 후'에 천만 원을 갚겠다는 증서를 '지금' 900만 원에 사는 겁니다. 이를 잘 생각해 보면 차액 100만 원은 결국 이자가 되는 셈입니다. 지금은 900만 원을 주고 샀지만 이게 일 년 뒤에는 천만 원이 되니까 이자 수취와 같은 효과죠. 이건 법적으로 문제 될 게 전혀 없었습니다. 일 년 후에 들어오고 어쩌고 하는 관계를 떠나 그냥 겉으로는 천만 원짜리 환어음 증서를 할인해서 산 것이니 물건값을 깎은 것과 마찬가지인 셈입니다. 그래서 어음은 할인율이라는 용어를 쓰지만 알고 보면 이자율과 동의어가 됩니다. 요즘도 사업하는 사람들은 어음 할인을 많이 받습니다. 나는 지금 당장 돈이 필요한데 어음은 몇 달 뒤에나 돈이 됩니다. 그때까지 이건 그냥 종이 쪼가리에 불과할 뿐이죠. 이런 경우 얼마간의 할인을 감수하더라도 지금 당장 돈으로 바꾸는 경우가 왕왕 있습니다. 그 기원을 따지고 올라가 보면 이렇게 이슬람 세계에서나 기독교 세계에서 이자 수취를 우회하는 방법으로 환어음을 할인하는 관행에서 비롯된 것이죠.

수취 방식을 우회하는 또 다른 방법은 환율 차이를 이용하는 것인데, 이 시대에도 이를 적극적으로 활용한 예가 있습니다. 상인들은 자기들끼리 환어음을 사용할 때에는 환어음에 적혀 있는 액수의 계산 단위와는 별도로 에퀴 드 마르크écu de marc라는 계산 단위를 사용했습니다. 이 별도의 단위를 사용한 것은 실제 지불이 이루어지는 시점에서 여러 계산화폐 사이의 교환 비율을 조정하기 쉽도록 하기 위한 것입니다. 요즘 말로 하자면 '환차익'을 인위적으로 만들어 내는 것이라고 할 수 있겠습니다. 이렇게 환어음은 단순한 양자 간 증서가 아니라 '제3자'라는 빈칸을 포함하고 있어서 여러 가지 재주를 피울 수 있는 가능성이 생깁니다. 그리하여 이탈리아 북부 도시에서는 이런 여러 방법으로 이익을

남기는 각종 '환어음 재주 피우기exchange per arte'가 성행합니다.[92]

신용 증서가 화폐 증서로 발전할 수 있었던 이유

이렇게 여러 가지 재주를 피운 물건이 바로 환어음이었는데요, 환어음에서 우리가 정말 중요하게 알아야 할 점이 있습니다. 이 환어음으로 인해 채무의 몰인격성impersonality이 발생할 수 있게 되었다는 사실입니다. 이 말을 설명하기 위해 앞에서 고대 로마 시대 지로 금융의 한계에 대해서 말씀드린 바 있지요. 그래서 채무자나 채권자와 무관한 사람에게 이 채무증서가 양도될 수 있는가 하는 문제는 신용 증서가 화폐 증서로 발전할 수 있는가 하는 문제로 귀결됩니다. 이 판단 앞에서 어음이라는 새로운 속성을 지닌 종이가 화폐로 편입될 수 있을지 아니면 그냥 종이 나부랭이가 될지 기로에 서게 되는 것이죠. 이때 이서裏書라고 하는 굉장히 중요한 장치가 등장해 운명의 지침을 돌려놓습니다.

예전에는 수표를 건넬 때 뒷면에 주는 사람의 이름 · 주민번호 · 전화번호 등을 써서 상대에게 주었는데 이를 이서라고 합니다. 즉 이서裏書란 수표 뒷면[裏]에 이런저런 정보를 적었다[書]는 뜻입니다. 여기서 다시 아까 예를 들었던 동탯집과 식당 이야기로 돌아가 보겠습니다.

식당이 동탯집에게 환어음을 발행했다는 이야기까지 했지요. 이제 동탯집은 환어음을 들고 복덕방에게 갑니다. 가던 길에 동탯집은 그만

---

92 이 당시 지중해와 프랑스 남부에서 사용된 다양한 환어음 사용 기법에 대해서는 M. T. Boyer-Xambeau et. al, Private Money and Public Currencies: The Sixteenth Century Challenge, M. E. Sharpe, 1994. 또 제프리 잉햄, 『돈의 본성』, 홍기빈 역, 삼천리, 2004.

자기가 작년에 50만 원을 떼어먹었던 빚쟁이 술꾼을 덜컥 만나 버렸습니다. 실랑이가 벌어졌겠죠. 술꾼은 동탯집을 붙잡고 "드디어 만났구나. 내 피 같은 돈 50만 원 내놔라!"하면서 먹살잡이를 벌입니다. 동탯집은 어쩔 수 없이 방금 받은 50만 원짜리 환어음을 줍니다. "이거라도 받아라. 이걸 가지고 복덕방에 가면 50만 원을 줄 거야." 그런데 거기엔 식당과 동탯집과 복덕방의 이름만 적혀 있습니다. 그러니 술꾼이 이 증서를 가지고 간다고 돈을 주겠어요? 이때 동탯집은 다시 환어음을 뒤집어 자기 서명을 하는 겁니다. 비록 환어음에 나와 있는 수취자는 동탯집이라고 되어 있지만, 동탯집이 사인을 했으니, 그건 이 증서를 가지고 있는 사람이라면 그게 누구든 지급하라는 의미가 됩니다. 이게 바로 이서입니다.

이제 술꾼이 환어음을 들고 복덕방에 가서 돈을 받으면 끝나겠죠. 그런데 술꾼은 복덕방으로 가는 길에 오랜만에 먹살 드잡이를 했더니 속이 허하다 싶어 포장마차로 새어 버립니다. 그날 코가 비뚤어지도록 술을 마셨더니 술값이 무려 50만 원이 나왔습니다. 술값을 내려고 봤더니 돈이 한 푼도 없어요. 그럼 어떻게 해야 할까요? 환어음을 꺼내 다시 이서 과정을 반복합니다. 그 뒷면 맨 윗줄에는 동탯집의 서명이 있겠죠. 그 이름 아래에 술꾼이 자신의 이름을 한 번 더 서명을 한 뒤, 포장마차에게 줍니다. 결국 다음 날 복덕방에게 50만 원을 받은 사람은 애초 이 이야기의 시작을 장식한 동탯집도 식당도 술꾼도 아닌 포장마차가 됐습니다.

이서라는 장치를 거치면 환어음의 채무 관계는 인격성을 탈각하게 됩니다. '누구'라는 구체적 개인에 대한 채권·채무 관계가 아니라 막연한 '아무개'에 대한 채권·채무로 바뀌는 겁니다. 이걸 사회학적 용어로 채무의 몰인격화라고 합니다. 이서는 영어로 endorsement인데요, 이게 동사로 가면 endorse가 되고 '누구의 등을 밀어준다', '누구의 견해를 지지한다' 이런 뜻으로 쓰입니다. 이처럼 이서를 한다는 것은 거기에 적힌 이름을 지지하는 것, 즉 종이 쪼가리에 신뢰를 얹는 행위가 되는 것이죠.

환어음이 굉장히 편리해 보이지만 처음엔 그렇게 널리 퍼지지 못했습니다. 이건 로마법과 관련이 있는데요, 참고로 로마 제국이 망한 다음 법질서가 아주 엉망이 되면서 여러 법이 공존했습니다. 교회에서 정한 법, 세속의 군주들이 정한 법, 성경에 나오는 법 등 '이런 법 저런 법'이 난립했는데, 어느 법에도 해당하지 않을 때는 로마법을 적용하는 경우가 많았습니다. 특히 상업에 관한 부분이 그랬죠. 그런데 로마법에는 당사자들이 직접 하지 않은 계약은 무효라는 조항이 있었습니다. 이 때문에 환어음의 존재가 애매해지고 말았습니다. 환어음은 이서라는 장치를 통해 손을 바꾸면서 전혀 모르는 사람들의 채권·채무 관계를 엮어 주는 장치인데, 이게 로마법에 정면으로 배치가 되었으니까요. 그러다 보니 환어음이 법적으로 유효한 것인가 하는 논란이 있었고, 로마법을 엄수하는 나라에서는 환어음이 화폐처럼 유통되는 게 사실상 불가능했습니다.

하지만 대략 16세기경이 되면 은행 거래에서 로마법의 지배적인 위치가 사라집니다. 그때부터는 비록 직접 얼굴을 대면한 사람들끼리의 계약이 아니더라도 똑같은 계약으로 인정하는 관행이 나오게 됩니다. 이제 환어음이 여러 사람의 손을 바꾸는 과정에서 굳이 서로 얼굴을 맞대지 않더라도 서명만으로도 유효한 거래가 성립할 수 있게 된 셈입니다. 이런 과정을 통해 환어음은 발전을 거듭했고, 어느 순간 은행과 결합합니다. 그리고 마침내 우리가 지금 가장 많이 쓰고 있는 화폐인 은행권banknote, 즉 지폐가 탄생합니다.

5

은행은
벤치에서 나왔다

이제부터는 은행 이야기를 해 볼까 합니다. 요즘에는 은행 창구에 갈 일이 그리 많지는 않죠. 웬만한 건 휴대폰으로 처리할 수 있으니 ATM 도 점점 사용하지 않는 추세입니다. 그래서 제도로서의 은행이 아닌 기관으로서의 은행은 어쩐지 시대에 뒤떨어진 것처럼 느낄 수 있겠습니다만, 중요성에 있어서는 절대 그렇지 않습니다. 오늘날 우리가 쓰는 화폐를 만들어 낸 것이 바로 은행이기 때문입니다. 비록 우리가 은행을 거의 가지 않고 오프라인 은행 점포 역시 점점 사라져 가는 추세지만 은행은 여전히 우리의 삶을 지배하는 매우 중요한 제도이자 기관입니다.

은행에 관한 두 가지 속설

우선 은행이라는 제도가 어떻게 나오게 됐고, 어떻게 진화하게 되었는지 설명하기 전에 많은 사람들이 잘못 알고 있는 사실 두 가지만 짚고 넘어가겠습니다. 은행을 영어로 뱅크bank라고 합니다. 뱅크는 하천이나 바닷물의 범람을 막기 위해 설치하는 구축물을 뜻하는 둑이라는 뜻도 있죠. 이 때문인지 물을 받았다 필요한 곳에 쓸 수 있는 둑처럼 은행도 예금을 받아서 그걸 사람들에게 대출해 주는 기능을 한다고 생각하는데요, 이건 은행을 완전히 잘못 알고 있는 겁니다. 예금과 대출은 전혀 별개의 문제고, 심지어 어떤 은행이 예금을 하나도 못 받는다 하더라도 대출은 얼마든지 가능합니다. 그래서 은행은 '물을 가두어 둔 둑' 같은 개념과는 전혀 관련이 없습니다. 의외일 수 있겠지만 뱅크라는 말은 의자를 뜻하는 벤치bench에서 나왔습니다.[93]

은행과 관련하여 많이 퍼져 있는 잘못된 속설 두 번째는 은행이 골드스미스goldsmith에서 비롯되었다는 겁니다. 골드gold는 금이고, 스미스smith는 대장장이를 뜻합니다. 그러니 이 말은 옛날로 치면 금 대장장이, 요즘 말로는 금세공업자고 할 수 있겠는데요, 뭐가 됐든 금을 다루는 기술자를 말한다고 보면 되겠습니다. 이 설명에 따르면, 원래 화폐는 다 금 아니면 은이었습니다. 그런데 금이 무거우니까 어느 순간부터 금을 들고 다니지 않고 그냥 금세공업자 집에 모아 놓기 시작합니다. 그 대신 금 얼마를 맡겼다는 일종의 예치 증서를 받았고, 이 예치 증서가 지폐의 기원이 되었다는 겁니다.

한편 금 대장장이는 자기들이 받은 금의 상당 부분이 계속 쌓여만 있다는 걸 발견합니다. 가령 여기저기서 맡긴 금이 자기 수중에 총 100킬로그램 정도가 있다고 가정합시다. 이때 누군가는 맡겨 놓은 금을 찾아가기도 하고, 누군가는 금을 또 맡기기도 해서 10킬로그램 정도는 매일

---

93 뱅크 bank 의 어원은 옛날 이탈리아어 'banca'입니다. 즉 영어의 벤치 bench와 같은 말이며, 환전업자의 의자와 책상, 요즘말로 '부스'를 의미한다고 할 수 있습니다.

들어왔다 나갔다 하겠지만 나머지 90킬로그램 정도는 늘 쌓여 있다는 거죠. 이걸 그냥 둘 리 없는 업자들이 쌓여 있는 금의 상당 부분을 가지고 돈놀이를 하기 시작한 것이 은행의 기원이라는 주장입니다. 물론 당시 금세공업자들이 금 예치 증서를 화폐처럼 사용하기도 했고, 금을 가지고 돈놀이를 하기도 했습니다. 하지만 이게 은행의 기원은 아닙니다. 은행업자의 기원은 환전업자였고, 말씀드렸던 벤치는 이 환전업자들이 앉아 있는 의자를 뜻합니다. 앞서 주화의 진화를 설명하는 가운데 로마 제국이 멸망하고 화폐가 대혼란 상태에 빠졌을 때를 설명했는데요, 바로 이때 은행의 기원이 태동하게 됩니다. 이 시기에 어느 시장에서든 가장 중요한 역할을 하던 게 환전업자였습니다. 워낙 많은 주화와 워낙 많은 계산화폐가 공존했던 만큼 환전업자가 없으면 거래 자체가 성립될 수 없었기 때문이죠.

가령 이탈리아 베네치아에서 시장이 열렸다고 합시다. 유럽 각지에서 상인들이 각각 몰려올 텐데 그들이 가지고 오는 주화는 다 다릅니다. 그러면 누군가가 그 각각의 주화를 베네치아에서 통용될 수 있는 종류의 것으로 환전을 해 줘야만 합니다. 12~13세기부터 유럽의 중요한 상업 중심지가 두 군데 있었는데, 하나는 한자동맹을 맺은 북유럽 쪽 상업 도시들이고, 다른 하나는 이탈리아 북부에 있는 도시들입니다. 이런 주요한 상업 도시에서 환전업자들은 특히 중요한 역할을 했죠.

이를테면 베네치아에 리알토라는 유명한 광장이 있는데요, 이 광장 한편에 벤치가 늘어서 있고, 그 벤치에 바로 환전업자들이 쭉 앉아 있습니다. 이 벤치가 환전업자들의 좌판인 셈이죠. 그러면 사람들이 찾아와 자신들의 주화를 베네치아에서 통용되는 돈으로 바꾸고, 이후에 이러쿵저러쿵 거래가 벌어지는 방식입니다. 이때 환전업자가 망하거나 사업을 접어서 손해를 보는 사람이 생기기도 했습니다. 돈을 날린 사람이 가만히 있지는 않았겠지요. 환전업자가 앉아 있던 벤치를 부수는 일이 왕왕 있었다고 합니다. 부서진 벤치를 이탈리아어로 'banco rotto'라고 하는데, 여기서 영어 'bankrupcy(파산)'라는 말이 나온 것으로 추정하고 있습니다.

여기까지는 그렇게 신기할 것도 특이할 것도 없는데, 나중에 이 환전업자들이 독특한 기능을 하게 됩니다. 도시국가의 규모가 커지고, 벤치에 앉아 있는 환전업자의 규모도 커지면서 어느 순간 여러 명의 상인을 고객으로 독점하는 큰 환전업자가 나타납니다. 당연히 많은 돈을 받아 두게 될 테고, 이 환전업자는 항상 가지가지 주화를 쌓아 놓고 있습니다. 그런 환전업자는 어느 순간 도시에 드나드는 상인들 대부분의 외상 장부, 즉 계좌를 가지게 되는데요, 앞서 이야기했던 술 익는 마을의 술도가 주인이 되는 셈입니다.

예컨대 베네치아에서 A와 B가 거래를 합니다. A가 B에게 좋은 옷감을 사고 50두카트의 금화를 지불하기로 했습니다. 그런데 A가 환전업자에게 가서 자기 주화를 주고 50두카트를 바꾼 다음 다시 B에게 주는 건 이래저래 번거롭죠. 간단하게 일을 해결하려면 A가 "내가 가지고 있는 계좌에서 50두카트를 B에게 보내 주시오."라는 일종의 지급 명령서를 쓰면 됩니다. 그러면 B는 환전업자에게 가서 50두카트를 현금으로 받을 수도 있고, 다음 거래를 위해 자기 장부인 계좌로 이체해 달라고 할 수도 있고, 만약 B도 환전업자에게 외상이 있다면 그중 50두카트만큼을 제할 수도 있습니다. 첫 번째 경우는 현금 거래가 벌어지는 거고, 나머지 경우는 현금이 전혀 인출되지 않고 거래가 이루어지는 일종의 지로 금융 거래인 셈입니다.

그런데 이걸 결제로 인정을 할 수 있을까요? 이게 참 어렵고도 중요한 문제였습니다. 50두카트가 이 사람 주머니에서 저 사람 주머니로 옮겨 갔다면 '현금 박치기'가 일어난 셈이니 이의를 제기하는 사람은 없을 겁니다. 하지만 지로 금융이라는 것은 장부에 그저 숫자를 쓰고 만 것이니 누군가가 엉터리라고 하거나 거짓말이라며 시비를 걸어오면 좀 골치 아파지겠죠. 당시 로마법에 의하면 계약 당사자가 현장에 나타나 직접 맺은 거래만 법적 효력이 있었습니다. 이해를 돕기 위해 지급 명령서라고 했지만 사실 지로 금융을 할 때도 두 사람이 함께 환전업자에게 가야만 했습니다. 두 사람의 입회하에 장부상으로 50두카트를 옮기겠다고 해야만 효력을 갖는 좀 까다로운 조건이었죠.

또 하나의 문제는 이걸 국가가 법으로 인정할 것인가에 있었습니다. 중세에는 상인법이라는 것이 따로 있었는데, 이건 공인된 법이 아니라 그저 상인들끼리의 맺은 관습에 불과했습니다. 그전에는 몇 가지 법이 공통으로 존재하는 상황이었기 때문에 사안에 따라 어떤 법을 적용할지가 분쟁의 대상이 되곤 했습니다. 상인법이 상인들 세계에서 일종의 철칙으로 통하긴 했지만 치명적인 결함이 있었는데, 안 지키는 놈을 딱히 제재할 방법이 없다는 것이었죠. 상인들끼리 일종의 왕따를 시키거나 직접적인 폭력을 행사하기도 했지만, 그것만으로는 역시 부족한 점이 많았죠. 이런 이유로 당시 지로 금융 결제가 존재하는 것과 별개로 거래가 법의 인정과 보호를 받을 수 있느냐 하는 것은 또 다른 관점의 문제였습니다.

이후 15세기 초부터 지로 금융으로 결제한 경우라도 금화나 은화로 결제한 것과 같은 효력으로 인정한다는 법이 만들어졌고, 피렌체나 베네치아 같은 이탈리아 북부 도시들을 기점으로 서서히 다른 도시로 퍼져 나갔습니다. 요즘으로 치면 일종의 금융 혁신이 일어난 건데요, 이후부터는 이런 형태의 거래가 매우 활발해지면서 이탈리아 북부에서는 주화 거래를 능가할 정도로 중요한 위치를 점하게 됩니다.

6

허공에서 돈을 만드는
황홀한 이야기

드디어 지폐를 이야기할 차례입니다. 보통 은행의 발생과 진화 과정은 세 단계로 나눌 수 있습니다. 우선 환전업에서 지로 금융을 통해 상인들의 지불 결제 기능을 하게 되었고, 이후 이탈리아 북부에서 금융 혁신이 일어나면서 더욱 활발해졌습니다. 이제 마지막 세 번째 단계에서 비로소 우리가 알고 있는 은행의 형태가 나타나는데 통화, 즉 화폐를 창출해 낼 수 있는 능력을 가지게 됩니다.

이 과정을 설명하려면 16세기 유럽의 정치적 상황을 상기해야 합니다. 앞에서 이야기한 대로 유럽 역사에서 16세기는 흔히들 르네상스 시대라고 해서 휴머니즘이 발생하고, 온갖 예술과 문화가 찬란하게 꽃피웠다고 알고 있지만, 다른 면에서 보면 엄청나게 전쟁이 많이 벌어진 시기이기도 했습니다. 이 과정에서 금융업자들의 역할이 굉장히 중요했죠. 프랑수아 1세든 카를 5세든 메디치 가문 같은 큰손들이 돈을 빌려줘야만 전쟁을 치를 수 있었습니다. 왕들은 돈을 절실하게 필요로 하는 상황이었고요.

반대쪽의 도시국가들은 또 어땠을까요? 기본적으로 늘 불안에 떨어야만 했겠죠. 도시국가는 돈도 많이 유통되고 물자도 많으니 힘 있는 왕들이 늘 호시탐탐 노리고 있었고, 실제로 많이 쳐들어오기도 했습니다. 쳐들어오면 맞서 싸워야 했으니 여기는 또 여기대로 돈이 필요했을 테고요. 도시국가도 세금으로 운영되긴 매한가지였습니다. 시민들이 공업을 하고 상업을 하면 거기서 세금을 걷어서 돈을 마련해야 하는데, 세금을 걷은 다음에 왕들이 쳐들어온다는 보장은 그 어디에도 없었죠.

여기서 도시국가들의 고민이 시작되는데요, 이 고민은 '공공은행Public Bank'을 세우자는 혁신 단계로 넘어가면서 대전환을 맞이합니다. 과정은 이렇습니다. 보통 환전업자가 청산업자clearing house로 넘어가려면 일단 성공을 해야 합니다. 많은 상인이 달려와 외상 장부를 열고 돈을 맡겨야만 지로 금융을 통한 청산업이 가능해지니까요. 도시국가에서는 이 점을 이용해 국가가 세금을 걷고 그 재정을 바탕으로 절대로 파산하지 않는 환전업자, 국가가 보증하는 환전업자를 키워 냈던 겁니다.

국가가 나서서 신뢰성을 높여 주니, 그 도시와 상업적 연관을 맺는 거의 모든 사람이 그 환전업자에게 계좌를 열게 됩니다. 이 단계까지 오면 이제 은행은 허공에서 돈을 만들어 낼 수 있는 능력을 지니게 됩니다. "아니, 허공에서 돈을 만들어 낸다는 말입니까?" 네. 맞습니다. 허공에서 돈을 만들 수 있게 됩니다. 이건 그냥 하는 말이 아니라 경제학자인 조지프 슘페터Joseph Schumpeter가 근대 은행의 본질적인 특징으로 꼽았던 말입니다. 그의 말을 옮기자면 "은행은 허공에서 돈을 만들어 내는 기구"라고 할 수 있습니다. 그렇게 만들어 낸 돈이 바로 지폐, 은행권입니다. 무슨 무슨 은행에서 만들어 낸 얼마짜리 종이라는 게 지폐의 시작이죠. 앞서 이야기한 술 익는 마을의 예를 떠올려 보면 과정은 간단합니다. 막걸리 주전자를 그려 놓은 종이 쪼가리와 다를 게 전혀 없습니다.

이렇게 종이에 펜만 놀려서 뿌리면 공공은행에 빚을 지고 있는 상인들은 당연히 그 은행에서 발행한 차용증서를 화폐처럼 받아들입니다. 은행은 돈이 필요한 순간에 어떤 종류의 화폐든 필요한 만큼 종이에 써서 누구든 이 종이를 가져오면 그 액수만큼 장부에서 채무를 지워 주겠다고 약속하면 됩니다. 그 환전업자에게 계좌를 가지고 있는 모든 상인들은 당연히 그 종이를 화폐로 받습니다. 이게 허공에서 돈을 창출한다는 슘페터의 말이 그대로 적용된 경우입니다.

허공에서 화폐를 창출하는 이 은행권은 놀라운 금융 혁신이었고, 인류 역사에 있어서도 빛나는 발명이라고 할 수 있습니다만, 영어 표현에 이런 게 있습니다. "Sounds Too Good to Be True." 이 표현을 요즘에 "이게 실화냐?"라고 번역하기도 하던데요, 진실이라고 하기엔 너무 황홀하고 환상적이라 도저히 사실이라고 믿을 수 없다는 뜻입니다. 앞의 경우가 바로 이러했죠.

하지만 공중에서 돈을 만들어 내는 황홀하고 환상적인 일에 어찌 위험이 없겠으며, 역사에 어찌 흥망성쇠가 없겠습니까. 이런 시스템이 가능하려면 결국 공공은행의 뒤를 봐주는 도시국가가 굳건한 신용과 굳건한 주권을 동원해서 은행을 지켜 내야 하고, 그 사실을 사람들이 강하게 믿어야 합니다. 하지만 이게 쉬운 일이 아니었습니다. "저 은행이 지나치게 은행권을 많이 발행하는 건 아닐까?", "은행권을 발행한 만큼 외상을 가지고 있는 게 맞을까?" 사람들이 한번 이런 의문을 품게 되면 은행권을 잘 받아들이지 않을 뿐 아니라, 할인율이 붙고 또 올라가기 시작합니다. 이를테면 어떤 은행에서 5만 원짜리 은행권을 발행했는데 실제 거래는 3만 원, 2만 원에 이루어지는 거죠. 이러면 당연히 신용이 추락하고, 신용을 내세워 운영을 하는 은행 입장에서는 치명적일 수밖에 없습니다.

애초 도시국가가 보증하는 은행이고, 도시국가가 매년 걷는 세금과 재정으로 공공은행의 신용을 지켜 준다는 약속이 있지 않았냐고 의문을 제기할 수도 있겠습니다. 그런데 만약 도시국가 자체에 대한 신뢰가 흔들리면 어떻게 될까요? 이탈리아 북부에 있었던 도시국가들은 몇몇 귀족을 중심으로 한 몇 개 분파의 연합체에 가까웠습니다. 이 귀족들이 사이가 좋고 단단하게 뭉칠 때는 재정을 바탕으로 공공은행을 뒷받침하는 게 가능하지만, 만약 사이가 틀어져 분파들 사이에서 분쟁이 벌어지거나 도시가 사분오열되면 도시국가의 신용이 떨어지고, 동시에 공공은행의 신용 또한 추락하는 상황이 벌어졌습니다. 이런 문제를 해결하기 위해 16세기 이탈리아나 17세기 네덜란드에서 국가가 튼튼히 뒷받침하는 공공은행 시스템을 구축하기 위해 많은 노력을 기울였지만 번번이 실패하고 말았습니다.

여기서 중요한 포인트는 국가의 약속만으로는 부족하다는 사실입니다. 주권국가는 앞에서 말씀드렸던 것처럼, 귀금속을 가지고 일정한 계산 단위에 의해 지불 수단으로 찍어 낸 주화로 세금을 걷는 방식이었고, 은행권은 신용을 바탕으로 상인들끼리 종이에 써서 통용하는 방식이었습니다. 그러니 주화와 은행권은 질적으로 다른 두 개의 체제입니다. 결국 굳건한 공공은행이 만들어지려면 조세 권력으로 뒷받침되는 국가의 주화 시스템과, 상인들 사이의 신용으로 운영되는 은행을 중심으로 한 은행권이 하나로 합쳐져야만 합니다. 그럴 때 비로소 온전한 근대 화폐가 태어날 수 있죠. 이런 역사적인 사건은 '공공은행'을 설립하려는 시도가 시작된 지 100년이 훨씬 넘은 1694년이 되어서야 비로소 일어납니다.

7

은행의 진화,
근대 은행의 탄생

가계수표라는 걸 아시는지요? 개인이 발행하는 수표를 말하는데 미국 등에서는 자주 애용되기도 했습니다. 수표는 누구나 다 발행할 수 있는 거니까요. 만약 제가 수표를 발행해서 이 책을 읽는 독자들에게 뿌리면 어떨까요? 아마 "홍기빈 씨가 발행한 수표를 어떻게 믿느냐? 현금으로 바꿔 다오." 그러겠죠. 제가 만약 진짜로 만 원짜리나 오만 원짜리로 바꿔 드린다면 아주 만족한 표정으로 돌아가시겠죠?

그런데 좀 이상하지 않으세요? 둘 다 종이에 불과한데 왜 제 가계수표는 못 믿고, 다른 쪽 종이인 한국은행권은 철석같이 믿으시나요? 둘 다 어차피 종잇장에다가 '돈 줄게'라고 끄적여 놓은 것이라는 점에서는 전혀 차이가 없는데 말이죠. 바로 여기에 근대 화폐의 비밀이 있습니다. 사적으로 발행한 신용과 중앙은행이 발행한 신용이 매우 큰 질적 차이를 갖는다는 것입니다.

그냥 종이로 찍어 낸 은행권 쪼가리가 광부들이 목숨을 걸고 땅을 파서 어렵게 어렵게 얻은 귀금속 주화와 똑같은 힘을 발휘한다는 것, 이게 근대 자본주의 화폐 시스템의 큰 매력이자 강점입니다. 이런 화폐가 나타나게 된 결정적 계기는 1694년 영국 영란은행의 탄생입니다. 영란은행이 생겨나면서 비로소 근대적 화폐, 즉 금화나 은화와 같은 공신력을 가진 은행권이 생겨났다고 말할 수 있습니다. 이 은행이 어떻게 생겨났는지 이해하기 위해 17세기 영국으로 가 보겠습니다.

17세기 영국에 새로운 왕조가 들어섭니다. 그전에는 평생 독신으로 살면서 "나는 영국과 결혼했다."는 유명한 말을 남긴 여왕 엘리자베스 1세가 통치했지요. 영국이라는 남편이 자식을 낳을 능력은 없으니 엘리자베스 1세가 사망하면서 튜더 왕조가 끝납니다. 그래서 스코틀랜드 왕이었던 사람을 데리고 와 영국 왕 제임스 1세로 만들게 되지요. 지금은 하나가 됐지만 이때만 해도 영국은 잉글랜드, 스코틀랜드 등으로 나뉘어 있었습니다. 이때부터를 스튜어트 왕조라고 이야기하죠. 시간이 지나 스튜어트 왕조의 두 번째 왕인 찰스 1세가 즉위하면서 큰 문제를 일으키는데, 영국에서의 관습을 무시하고 계속 세금을 걷는 겁니다. 당연히 세금을 뜯기는 사람들도 발생했겠죠. 시골의 큰 재산을 가진 부자들, 런던 금융가City of London의 장사꾼들이나 금융업자들이 그랬습니다. 이들은 찰스 1세가 전쟁을 하겠다며 계속 세금을 뜯어 가니까 이래저래 못 살 지경이었습니다.

이때 에드워드 쿡Edward Coke이라는 유명한 법률가가 등장합니다. 이 사람이 왕의 폭주를 막을 방법이 없을까 고민하다가 영국 법 문서를 막 뒤지는데요, 그때까지 대충 망각되어 가고 있었던 먼지 쌓인 문서를 하나 찾아냅니다. 그 문서의 이름은 우리말로 '대헌장'이라고 번역하는 '마그나 카르타Magna Carta'였습니다. 간단하게 말하자면, 옛날 십자군 전쟁 당시 존이라는 왕이 세금을 많이 걷으니까 영국 귀족들이 우르르 몰려가 '세금을 내는 사람들이 동의하지 않는 한 함부로 걷지 않는다'는 약속을 받아 냈던 문서였습니다. 이 외에도 '자유인은 재판이나 국법에 의하지 않으면 체포하거나 감금할 수 없다' 같은, 왕에 대항하여 신민의 권리를 옹호하기 위한 조항들도 포함되어 있었고요. 에드워드 쿡은 이걸 찰스 1세에게 들이대며 "우리 잉글랜드에는 까마득한 옛날부터 내려오는 헌법이 있소. 함부로 세금을 걷으면 안 됩니다." 대들었고, 이 과정을 통해 이 문서가 유명해졌습니다.[94]

찰스 1세도 쉽사리 물러날 인물이 아니어서, 이들은 계속 세금을 뜯네, 안 뜯네 하며 옥신각신하다가 결국 청교도혁명이 일어납니다. 1649년, 크롬웰과 프로테스탄트들이 들고일어나 "세금이나 뜯는 스코틀랜드 왕은 맛 좀 봐라!" 하면서 도끼로 목을 끊어 버립니다. 그렇게 해서 영국 스튜어트 왕조가 중지되고, 크롬웰과 그 아들까지 이어지는 공화정 시기가 잠깐 찾아왔다가 그다음 대에 찰스 1세의 후사를 잇는 왕들이 들어서면서 다시 스튜어트 왕정이 복구됩니다. 이때까지도 세금과 관련한 분란은 끝나지 않았어요. 왕은 세금을 뜯으려고 하고, 잉글랜드 사람들은 더 이상 외국 왕에게 세금을 못 낸다며 계속 옥신각신합니다. 찰스 1세의 아들 찰스 2세는 걸핏하면 채권자들에게 채무 불이행, '배째라 신공'을 시전합니다.

드디어 1688년, 이른바 명예혁명이 일어나 스튜어트 왕조는 쫓겨나고, 옆 나라 네덜란드의 귀족이 새로운 영국의 왕 윌리엄 3세로 즉위합니다. 윌리엄 3세는 즉위 직후 의회의 압박 아래에서 엄청난 내핍 재정

---

94 영국혁명 과정에서 에드워드 쿡이 수행했던 '신화 제조기myth-maker'의 역할에 대해서는 다음을 참조하세요. Christopher Hill, Intellectual Origins of the English Revolution, Clarendon Press: 1965.

을 강요받습니다. 게다가 엎친 데 덮친 격으로 왕위에 즉위하자마자 전쟁이 벌어지게 되는데 이런 와중에 또 전쟁 자금을 어디서 구하겠습니까. 이때 스코틀랜드[95] 출신 금융업자였던 윌리엄 패터슨William paterson이라는 사람이 묘안을 짜 절박한 처지의 윌리엄 3세에게 해법을 제시하죠. 핵심은 "내가 은행을 만들 테니, 국가는 그 은행을 보증하라."이런 것입니다.

구체적인 방법은 이렇습니다. 영국 왕실이 120만 파운드의 국채를 발행하면 패터슨은 이를 인수하고, 그 대신 연 8퍼센트의 이자로 금융업자들로부터 같은 액수를 꾸어 정부에 넘겨줍니다. 그냥 왕실에 돈을 빌려준다고 하면 금융업자들이 주춤하겠지만, 중간에 잘 알려진 금융업자들이 나서서 8퍼센트를 약속하므로, 왕에 대한 융자가 아니라 일종의 금융 거래라고 여겨 돈을 내놓습니다. 당시 상황에서 8퍼센트는 매우 높은 금리였습니다. "8퍼센트 이자율이면 달나라의 금도 끌어올 수 있다." 이런 말이 있을 정도였으니, 이자 8퍼센트를 준다는 조건을 거절할 사람은 없었습니다. 그렇게 금융업자들은 120만 파운드를 조달해서 영국 정부에 넘겨주고, 영국 정부는 이걸 전쟁 자금으로 사용하는 방식이었죠. 안전장치도 있습니다. 이러한 약속을 이행하는 조건으로, 정부는 국채 증서가 단순히 허망한 종잇장이 아니라는 것을 입증하는 중요한 조치를 취합니다. 국채 원리금 상환을 보증하기 위해 국세 중

---

[95] 스코틀랜드가 경제적으로 낙후됐다는 이미지가 있는데, 글래스고나 에든버러 같은 곳은 상업이 발달하면서 여러 금융 혁신이 벌어졌던 곳입니다. 스코틀랜드 출신 중에는 주목할 만한 인물들도 많습니다. 프랑스에서 대규모 금융 위기를 불러오긴 했지만 엄청난 금융 혁신을 시도했던 존 로John Law 역시 스코틀랜드 사람입니다.

관세customs와 물품세excise에서 오는 수입을 담보로 내놓았습니다.

이렇게 시작한 영란은행은 순풍에 돛을 답니다. 국가로부터 원리금 상환 약속을 받아 냈을 뿐만 아니라, 그 120만 파운드의 국채를 자본으로 하여 스스로 화폐, 즉 은행권을 발행하는 수지맞는 장사를 시작합니다. 영란은행이 국가 은행이니만큼, 여러 특권이 듬뿍 주어집니다. 국가는 매년 4,000파운드의 관리 비용을 지급할 뿐만 아니라, 영란은행의 은행업에 대해 계좌 개설 · 은행권 발행 · 할인업 등을 포함하여 런던과 런던 인근 지역에서의 독점권까지 약속합니다. 결국 영란은행은 그 이전의 공공은행 설립을 시도했을 때보다 훨씬 큰 우위를 점하게 됩니다. 결정적인 조치가 또 있습니다. 1697년 영란은행은 자본을 강화하기 위해 20만 파운드의 은행권과 80만 파운드의 부절 막대기를 통화로 발행하는데, 이 80만 파운드의 부절 막대기를 영국 정부가 세금으로 받아들일 것을 약속합니다. 이에 조세 권력에 기반한 국가와 주화, 상업 네트워크의 신용에 기반한 각종 신용 증서들paper credit이 하나로 융합되기에 이릅니다.

국가는 이제 의회와 충돌을 벌일 필요가 없어졌습니다. 위의 조건을 이행한다는 전제에서 영란은행을 매개로 런던 금융가의 자금을 손쉽게 조달할 수 있게 되었기 때문입니다. 영란은행의 중재를 통해 국가의 부채는 주권자의 행위가 아니라 금융 시장에서의 유가증권으로 변모하였습니다. 또 영란은행권이 압도적인 위치를 가지게 되므로, 이를 뒷받침한 국가의 자금 융통도 좋은 상황으로 가게 됩니다. 그 대신 영국 정부는 영란은행의 출범과 상관없이 확고한 금본위제를 확립하고 귀금속 가치를 믿을 수 있는 양질의 주화를 계속 발행합니다. 그리고 영란은행은 자신들이 발행한 은행권을 법정 비율 아래에서 언제든 금으로 태환해 주겠다는 약속을 이행합니다. 영란은행은 이를 배경으로 삼아, 필요나 상황에 따라 탄력적으로 은행권 등의 각종 신용화폐를 발행합니다. 이렇게 해서 주화의 '신뢰성'과 신용화폐의 '탄력성'을 골고루 갖춘 근대 화폐가 나타났습니다.

그 비밀은 조세 권력에 기반한 국가의 주화 체제와 상인 네트워크에 기반한 금융가의 신용 체제가 불가분으로 융합된 것에 있습니다. 제프리 잉엄Geoffrey Ingham의 주장대로, 역사적 기원과 맥락이 달랐던 주화와 신용이라는 두 가지의 화폐가 하나로 '혼성화hybridization'된 것입니다.[96]

국가는 조세 권력을 이용하여 영란은행권의 권력을 보장하고, 영란은행은 신용 체제의 탄력성을 이용하여 국가에 풍부한 유동성을 공급합니다. 이렇게 무소불위의 권력을 가지게 된 영국 화폐는 계산 수단·교환 수단·(세금) 지불 수단·저축 수단의 모든 기능을 능히 수행할 힘을 한 몸에 지닌 '전목적적 화폐'가 됩니다.

좀 더 부연해 봅시다. 주화를 발행하는 권력은 군주가 다스리는 영토 안 어디서든 통용됩니다. 그 대신 금이 있고 은이 있어야 찍어 낼 수 있으니, 통화량이나 발행량을 고무줄처럼 늘이거나 줄일 수 없다는 한계가 있죠. 은행권을 포함한 각종 신용은 허공에서 화폐를 창출할 수 있는 놀라운 능력이 있습니다. 다만 그 신용 네트워크 안에 들어있는 사람들끼리만 통용된다는 문제가 있습니다. 이를테면 노동자들에게 임금을 지불하는 경우 즉시 문제에 부딪힙니다. 상인들끼리는 서로 신용관계에 있으니 돈을 갚아야 할 때 어음으로 대신할 수 있고, 손을 바꿔가

---

96 제프리 잉엄, 『돈의 본성』, 홍기빈 역, 삼천리, 2009.

며 통용시킬 수 있지만 당장 먹고살아야 하는 노동자들에게는 사용할 수 없습니다. 즉 유통 공간의 한계가 명확했지요.

이 영란은행 체제는 양쪽의 장점을 합쳐 놓은 것이라고 할 수 있습니다. 허공에서 화폐를 만들어 낼 수 있을 뿐만 아니라, 왕이 발행한 주화와 같은 힘을 가졌습니다. 이것이 최초의 근대 화폐가 지닌 의미입니다. 막스 베버는 근대국가와 근대 자본주의의 탄생을 '왕과 부르주아들의 기념비적인 동맹의 결과물'이라고 표현했고, 그러면서 지칭했던 사건이 바로 영란은행의 탄생이었죠. 이 '전목적적 화폐'라는 근대 자본주의의 화폐가 생겨나면서, 이제 '스스로 불어나는 화폐'인 자본은 사회의 모든 관계와 맥락을 통제할 수 있는 무소불위의 권력 형태로 자리 잡습니다. 비로소 자본이 주인 되는 사회, 즉 자본주의 사회가 나타날 수 있게 된 것입니다.[97]

---

97 제프리 잉엄의 연구는 근대 화폐의 진화 과정을 밝혀냈다는 점에서 독보적인 업적을 이룬 성과입니다. 이에 대한 설명은 앞에서 인용한 『돈의 본성』에도 나오지만 내용이 소략한 감이 있습니다. 보다 풍부한 그의 설명은 다음의 글에서 찾아볼 수 있습니다. Geoffrey Ingham, The Emergence of Capitalist Credit Money, W. Randall Wray ed., Credit and State Theories of Money, Edward Elgar, 2004.

PART 7

권력은 화폐로
화폐는 권력으로

지금까지 근대의 독특한 화폐가 어떻게 출현하게 되었는지를 보았습니다. 이렇게 되면 사회의 거의 모든 인적 · 물적 자원을 동원할 수 있는 힘은 화폐로 표현됩니다. 사실 사회적 권력이라는 것이 원하는 시점에 원하는 종류의 인적 · 물적 자원을 원하는 방식으로 동원할 수 있다는 것 이외에 무엇이겠습니까? 이리하여 근대의 화폐는 그 이전 몇천 년 동안 존재해 왔던 여러 화폐와 달리 '보편적인 사회 권력'이 됩니다. 사극에서 암행어사가 마패를 꺼내 들면 역관은 그에 해당하는 만큼의 인적 · 물적 자원을 내놓아야 하듯, 이제 어디에서든 화폐를 꺼내 들면 동일한 권력 행사가 가능해지는 셈입니다. 이렇게 화폐가 권력이 되었으니, 이제는 반대로 권력이 화폐가 되는 과정도 생각해 보아야 합니다. 중상주의 국가의 가장 중요한 권력 추구 활동들이 상업으로 또 화폐 취득 활동으로 모아지는 과정입니다.

1

회사의
기원과 발전

회사는 오늘날 산업 분야에서 매우 흔한 조직 형태입니다. 많은 사람들이 노동 활동을 하는 장이기도 하지요. 회사라는 건 언제부터 있었고, 어떻게 발전했고, 또 주식회사는 어떻게 생겨났을까요?

회사의 기원은 보따리장수?

우선 보따리장수 이야기부터 시작해 보겠습니다. 1989년 전까지만 해도 우리나라는 해외여행이 자유롭지 않았습니다. 그렇다고 그때 외국에 다니던 사람들이 전혀 없었던 건 아니었죠. 외국 상사 주재원이나 외교관 같은 여러 예외가 있었는데, 보통 이들의 배우자나 가족이 보따리 장사를 하는 경우가 있었습니다. 외국에서 좋은 물건을 보따리에 바리바리 싸 들고 와서 파는 방식인데요, 이때 사람들이 자기들 돈으로만 물건을 사 오는 게 아니었습니다. 아무래도 장사가 쏠쏠했으니 알음알음 돈을 모아서 물건을 사 온 다음 팔아서 수익을 나누곤 했었죠. 물론

컨테이너를 띄우거나 할 수는 없었고 직접 날라야 했으니 몸이야 다소 피곤했겠지요. 이런 게 몇십 년 전 우리나라 모습이었습니다.

뜬금없이 보따리장수 이야기를 한 이유가 있습니다. 회사의 기원을 거슬러 올라가면 이런 풍경과 크게 다르지 않기 때문입니다. 보통 로마 시대의 합자 사업 조직인 소키에타스societas와 무역 조직인 코멘다commenda를 회사의 기원으로 보는 경우가 많은데요, 모두 상업과 관련이 있습니다. 어떤 상인이 원거리에서 향료 같은 물건을 사 가지고 와서 파는 일을 할 때, 이걸 혼자서 모두 돈을 대는 게 아니라 같이 돈을 모으고 배를 구해서 장사를 조직하는 합자 사업 조직이 만들어지는데, 이것이 소키에타스였습니다. 사회를 뜻하는 소사이어티society와 어원이 같지요.

하지만 이는 일종의 사조직이었습니다. 근대 이전에 있었던 경제 활동의 기본은 자급자족이었기 때문에 이윤을 목표로 하는 경제 조직은 거슬러 올라갈수록 존재가 희박하거나 아예 없습니다. 그래서 오늘날과 비슷한 영리 조직 회사의 형태가 어떻게 발달하게 되었는지는 19세기 말의 중요한 연구 과제이기도 했죠. 참고로 이 책에서도 자주 언급하는 경제사학자인 막스 베버의 박사 논문도 「13~14세기 중세 사회에서의 회사의 발생」이었습니다.[98]

막스 베버가 기원을 찾아보니 철저하게 영리 사업을 목표로 하는 조직이라는 게, 고대에는 법적·사회적 지위가 모호한 투자 네트워크였고, 중세로 범위를 확대해 봐도 뚜렷한 조직이 있었다고 보기에는 애매했습니다. 한 개인이 장사를 하는 것을 넘어서 합자 조직이 법적으로

---

98 막스 베버의 논문을 묶은 책으로는 Max Weber, The History of Commercial Partnerships in the Middle Ages, Rowman and Littlefield, 2003.

보장된 시점은 그렇게 오래전이 아니라는 이야기입니다.

그러면 회사 조직이 어떻게 발달하게 되었는가 하니 처음엔 성공한 상인들이 자기 돈을 가지고 크게 사업을 벌이게 된 것이 일반적인 형태였습니다. 이것저것 다 취급하는 상점도 열고 무역도 했습니다. 또 무역을 하다 보면 금융업을 안 할 수 없게 되는데요, 우리나라 경제사에 나오는 객주와 비슷했다고 볼 수 있습니다. 우리나라 객주도 여관도 하고 식당도 하고 돈놀이도 하고 그랬으니까요. 영국 영어에서 하우스house라고 하면 집 말고도 상업가라는 뜻이 있습니다. 금융 재정 가문으로 유명한 로스차일드가The House of Rothschild를 아실 겁니다. 이때의 하우스house가 바로 가문 혹은 가족 기업체를 뜻하는 말이죠. 13세기 정도가 되어서야 이탈리아 북부 도시에서 이런 하우스 형태가 서서히 생겨나기 시작했습니다.

합작회사의 등장

그러다 14세기, 15세기쯤 되면 상업과 사업의 자본 규모가 커지면서 합작회사,[99] 즉 파트너십partnership 형태의 회사가 본격적으로 나타납니다. 참고로 회사를 뜻하는 컴퍼니company라는 말의 어원은 '빵을 같이 나누어 먹는 사람들'에 있습니다. 빵은 pan에서 나온 말입니다. com은 함께라는 뜻을 가지고 있고요. 그래서 빵을 함께 먹는 사람들, 같이 투자하고 같이 나누는 합작회사 집단을 컴퍼니company라고 부르게 된 것입니다.

---

99 합작회사는 합명회사General Partnership와 합자회사Limited Partnership를 모두 포함하는 개념입니다.

이런 합작회사 형태가 나타난 것은 두말할 필요 없이 규모가 커졌기 때문입니다. 상업의 규모도 커지고 무역의 규모도 커져서 자본을 합쳐 일할 수밖에 없는 상황이 됩니다. 이 단계가 매우 중요한데요, 개인회사 혹은 가족회사인 하우스의 경우 상인의 집안 살림살이와 회사의 회계 및 재정이 구별되지 않는 경우가 많습니다. 그냥 그 돈이 다 내 돈이죠.

파트너십으로 이루어진 컴퍼니가 된 다음부터는 이야기가 달라집니다. 가족이 아닌 사람들끼리 사업을 해야 하는 만큼 합리적으로 경영을 하기 시작했고 공과 사 또한 명확히 나누게 됐습니다. 이때부터 회사가 집안 차원에서 돌아가는 수준을 넘어서 체계를 갖추기 시작합니다. 즉 동업 관계에 있는 사람들에게 모든 경영에 대해 명확하게 설명할 수 있어야 했습니다. 특히 돈과 관련이 있다 보니 회계가 가장 중요했을 겁니다. 이런 일련의 과정을 어카운터빌리티accountability라고 합니다.

여기서 잠깐 어카운터빌리티에 대해 짚고 넘어가겠습니다. 어카운트account는 회계라는 뜻이고, 어카운터빌리티라고 하면 '회계를 할 때 왜 이렇게 계산이 되었는지 명쾌하게 설명할 수 있다'는 정도의 의미입니다. 그런데 이 상황에 들어맞는 우리말이 없습니다. 간혹 책임성이나 투명성 등으로 옮기기도 하는데 과정 특성 중 일부를 설명할 수는 있지만 이 말이 회계에서 지닌 뜻 전반을 아우르지는 못합니다. 저는 예전에 번역한 책에서 어카운터빌리티를 한자어인 석명성釋明性[100]으로 옮겼는데요, 독자들이 무슨 말인지 이해하지 못하겠다고 해서 난감했던 기억이 있습니다. 번역어가 없다는 건 그 단어에 대한 명확한 개념이 없

---

100 이때의 석명은 '무엇인가를 설명해 밝힌다'는 뜻입니다.

다는 뜻과 같습니다. 우리나라도 근대적인 정치 체계·경제 체계를 가진 지 100년이 넘었는데, 어카운터빌리티에 해당하는 말이 없다는 건 정치를 하거나 기업을 하는 사람들 사이에서 이 개념이 명확하게 확립되지 못한 것은 아닌지 한 번쯤 생각해 볼 문제입니다.

다시 이야기로 돌아와 회사가 성립하고 발달하는 과정에서 개인회사에서 합작회사로 넘어가는 것은 합리적 자본주의가 나타나는 계기가 되었다는 점에서 중요하다고 할 수 있습니다. 가정과 직장, 집안일과 회사일이 분리되지 않는다는 건, 집안에서 통용되는 합리성과 직장에서 통용되는 합리성이 분리되지 않았다는 걸 의미하는 것이니, 그걸 합리적 자본주의라고 말할 수는 없을 것입니다.

이런 개념이 국가에 적용되면서 왕실 재정과 국가 재정도 분리되기 시작했습니다. 고대 사회를 보면 이게 말이나 되는 일이겠습니까. 국가 것이 왕의 것이요, 왕의 것이 왕의 것이었죠. 근대국가가 출현하면서 생겨난 가장 중요한 개념 중 하나가 국가 이성, 즉 국가 자체가 가지고 있는 고유의 합리성과 논리가 일관성 있게 적용되는 시스템입니다. 이게 가능하려면 국가의 세수와 지출이 왕실의 재정과 분리되어야 합니다. 왕실의 영광과 국가의 영광이 분리되고, 또 왕실의 번영과 국가의 번영이 나뉠 때 비로소 근대국가라고 할 수 있습니다. 영국의 경우엔 17세기 말~18세기 초에 비로소 이런 모습을 갖추게 됩니다.

참고로 우리나라 근대가 언제부터인가 하는 것에도 많은 이야기가 있는데요, 두부 자르듯이 언제라고 딱 정하기는 힘듭니다. 보통은 대한제국이 수립한 해인 1897년부터라고 보기도 하는데 저는 좀 의문입니다. 고종이 대한제국 수립 선포를 했을 때 황실의 재정과 대한제국의 제정이 분리되어 있었다고 말하긴 힘들기 때문입니다. 고종은 황실의 내탕금과 국가 재정의 구별에 대한 의식이 아주 희박했던 이였고, 그래서 근대적 '개혁 군주'라고 보는 것에는 무리가 있습니다. 말하자면 재정과 논리가 명확하게 분리되는 지점에서부터 근대국가와 자본주의의 합리성이 시작된다고 할 수 있습니다.

2

주식회사의
등장

주식회사가 등장한 것은 그리 오래되지 않았습니다. 주식회사가 기업과 영리 조직의 지배적 형태로 자리 잡기 시작한 것은 1870년대 '2차 산업혁명'과 함께 벌어진 일이었다고 보아야 합니다. 이후 1880년대 들어서면서 미국과 독일에서 폭발적으로 확산되기 시작했는데요, 그때도 체계를 갖춘 완벽한 조직 형태라고 말하기는 힘듭니다. 사실 주식회사라고 하면 우리 주변에 너무 많아서 아주 대단한 조직 형태라고 느껴지지 않지만, 그 탄생 과정과 성장 과정을 보면 생각이 조금 달라질 수도 있습니다.

주식회사의 기원과 발전에 대해 이야기하기 전에 그 성격을 몇 가지 짚고 넘어가고자 합니다. 보통 주식회사가 수익을 내면 그 돈은 주주들이 가져가게 되어 있습니다. 주주총회에서 배당률 같은 것을 결정하곤 하죠. 누군가 이걸 왜 주주들이 가져가느냐고 하면 많은 경우 이렇게 이야기합니다. "우리는 이 돈을 몽땅 날릴 각오를 하고 출자한 사람들이다. 위험을 무릅쓴 만큼 회사가 사업에 성공하면 투자한 사람이 성과

물을 가져가는 건 당연한 이치 아닌가?"

주식회사를 둘러싼 두 가지 의문

언뜻 맞는 말 같지만 여기에는 두 가지 의문이 있습니다. 첫 번째는 주주들이 정말 그 위험을 감수했냐는 것입니다. 생각해 보면 회사가 경영상 어려움에 직면했을 때 가장 먼저 희생당하는 건 노동자들입니다. 보통 정리해고라는 형태로 회사에서 쫓겨나기 마련이죠. 물론 회사가 법적으로 언제든 노동자를 해고할 수 있는 건 아니지만, 경영상 어려움을 겪고 있고 다른 구제 방법이 없다는 걸 입증하면 정리해고가 가능합니다. 지난 몇십 년간 한진이나 쌍용 같은 기업들이 해 온 행태를 보면 그 입증이란 게 그리 어려운 일도 아닌 것 같습니다. 요즘엔 인기가 시들해졌지만, 예전에 꽤 이슈가 되었던 신자유주의 시대 경영 문화의 열쇠말 중 하나가 '린 앤드 민lean and mean'입니다. 사람들을 해고하면 회사가 군살이 쫙 빠지고[lean] 더 독해지니까[mean] 경쟁력을 회복한다는 뜻인데요, 만약 출자가 위험을 짊어지는 일이라면, 이렇게 출자하지도 않은 노동자들이 정리해고 형태로 회사에서 쫓겨나는 것은 과연 온당한 일일까요?

두 번째, 주주들은 사업이 잘되지 않으면 돈을 날린다고 하는데 여기서 중요한 점 하나를 간과하고 있습니다. 주식회사의 주주들은 유한 책임이라는 사실입니다. 가령 제가 개인 사업을 하는데 처음 자본금 10억 원으로 시작했다가 일이 잘못되어서 빚이 800억 원으로 늘었다고 치겠습니다. 개인파산을 신청하지 않는 한 이 빚에 대한 모든 책임은 제가 감당해야 합니다. 이걸 무한 책임이라고 하지요. 그에 반해 주식회사는 어마어마한 부채를 남기고 파산했다 하더라도 주주들은 회사 창립 당시와 유상증자 때에 납입한 자본 말고는 아무런 책임도 지지 않습니다. 물론 그 돈은 날리겠지만 그것으로 끝입니다. 개인회사를 운영하는 저는 무한 책임이지만 주식회사의 주주들은 유한 책임이라는 거죠. 이게 정말 제대로 위험을 짊어지는 게 맞나요?

지금은 이런 전후 사정들이 무시된 채 주식회사는 무조건 주주들의 것이라고 여기는 경우가 많지만 일본이나 유럽, 한때는 미국에서도 많은 논쟁을 불러일으켰던 문제입니다.

주식회사의 역사적 기원

이제 이렇게 수수께끼 같은 조직인 주식회사의 기원에 대해서 말씀드리겠습니다. 이 기원 속에 앞서 말씀드린 주식회사를 둘러싼 의문이 어떻게 나오게 되었는지 파악할 수 있는 지점이 있습니다.

잠깐 다른 이야기지만 알렉상드르 뒤마Alexandre Dumas의 소설 『삼총사』에 나오는 일화 하나를 소개하겠습니다. 이 소설에 나오는 아토스라는 인물이 이런저런 사연으로 여관방에 고립되어 있었습니다. 심심해서 다른 사람들과 노름판을 벌이다 그나마 조금 있던 돈까지 다 날려 버리고 말지요. 급기야 데리고 있는 하인을 걸고 노름을 벌였는데, 아무래도 하인이라면 재산 가치가 크겠죠. 한 번에 걸기엔 부담스럽다며 어처구니없는 짓을 벌이는데요, 하인의 소유권을 다섯 개로 쪼갠 겁니다. 다시 말해 상대방이 아토스에게서 하인을 뺏으려면 5번을 연속으로 이겨야만 합니다. 이게 참 기막힌 발상인지는 모르겠지만, 우리는 이 일화를 통해 이런 질문을 할 수 있습니다. 소유권은 분할이 가능한가?

인간일 때는 윤리적인 문제가 생기겠지만, 주식회사라면 당연히 가능합니다. 소유권이 조각조각 나뉘어 있는 물질적 존재이기 때문입니다. 가령 주식이 100장 발행됐고, 이걸 100명이 한 장씩 가지고 있다면 100명의 주주가 1퍼센트씩 소유권을 가지고 있는 것입니다. 이 회사의 큰 방향을 결정하거나 회사를 매각하려면 100명이 한자리에 보인 주주총회에서 각자가 가진 권리만큼 의결해야 가능합니다. 이 권리를 지분이라고 합니다. 물론 어느 문명에서나 권리를 나누는 경우는 있었습니다. 12세기 송나라에도 이런 형태의 회사가 있었다고 하고, 근대화되기 전에 일본의 미쓰이나 미쓰비시도 가문 성원이 모여야 전체 회사 사업체의 중요한 의사를 행사할 수 있는 총유제라는 소유 제도를 운영했습니다.

서양의 경우, 이런 형태의 회사를 영국식 영어로 Joint-Stock Company라고 하는데요, 그 계기는 원거리 무역과 떼어 설명할 수 없습니다. 16세기 말, 17세기 초의 영국이나 네덜란드에는 동인도 회사가 있었습니다. 인도까지 가는 원거리 무역은 웬만한 규모의 자본으로는 어림도 없는 일입니다. 먼 거리를 오갈 수 있는 튼튼하고 강한 배를 여러 척 건조해야 했던 것도 그렇지만 좋은 선원을 모으는 데도 많은 돈이 필요했습니다. 사람들이 선뜻 그 배를 타려고 하지 않았을 테니까요. 대서양을 거쳐 인도양을 지나야 하는 만큼 많은 두려움이 있었을 겁니다. 따라서 웬만한 선원으로는 해결할 수 있는 문제가 아닙니다. 능력 있고 경험 많은 선원이 긴 기간 동안 큰 위험을 무릅써야만 하는 일이었으니 당연히 돈을 많이 줘야 했겠죠. 한마디로 어마어마한 자본이 드는 일이었습니다. 그래서 이 사업이 가능하려면 더 많은 자본을 모아 더 큰 규모의 사업을 벌여야만 했습니다. 즉 합자Joint-Stock를 하지 않으면 안 되는 일이었던 거죠.

앞서 근대국가를 이야기하면서 홉스의 저서 『리바이어던』을 언급했었는데요, 이 책에 의하면 근대국가란 수많은 작은 사람들이 모여 거대한 괴물인 리바이어던을 만드는 일입니다. 실제 근대국가가 홉스의 상상대로 되었는지에 대해서는 의문의 여지가 있지만, 이걸 주식회사에 갖다 붙이면 정확하게 맞아떨어집니다. 돈 있는 사람들 3~4명이 모여 파트너십을 맺는 수준을 넘어 몇 달러에 한 주라는 원칙 아래 수없이 많은 익명의 투자자들을 모아 누구든지 출자하고, 낸 돈에 비례해 나누는 방식이었으니까요. 이렇게 하여 동인도 회사라는 무시무시한 능력을 가진 괴물을 만들어 낸다면, 무려 인도를 왔다 갔다 하는 거대한 사업도 감당할 수 있게 됩니다.

다만 이론적으로 가능하다고 해서 사람들이 무작정 투자하진 않겠죠. 사람들을 꾈 무언가가 있어야 하지 않겠어요? 그때 내세운 게 바로 사업의 독점권과 유한 책임이라는 개념입니다. 이걸 영국 왕실이 보장했던 거예요. 동인도 회사에 출자한 사람들의 특권 첫 번째는 동인도와 관련한 모든 무역을 비롯해 여타의 사업을 다른 업체는 하지 못하게 만들었다는 것입니다. 왕의 특권으로 발행한 독점권이니까 신뢰성은 충분했습니다. 오늘날 같았으면 공정거래위원회에 제소가 들어가고 난리가 났겠지만 이때는 중상주의 초기 단계입니다. 아직 정립된 개념도 없고 완벽한 체제 합의도 이루지 못한 상태에서 세금을 뜯고 특권을 남발하던 시기였던 만큼 왕이 자기 이익이라고 생각하면 독점권을 만들어 내는 것도 얼마든지 가능했습니다.

두 번째가 유한 책임인데요, 동인도 회사가 배를 보냈다가 설령 「베니스의 상인」에 나온 것처럼 배가 뒤집히거나, 또는 다른 이야기에 나오는 것처럼 해적에게 몽땅 털려서 어마어마한 빚을 짊어진다 하더라도 이 사업에 출자한 사람들은 무한 책임으로부터 면제됩니다. 최초 납입 자본 말고는 책임질 필요가 없다는 특권을 부여받은 셈이죠. 동인도 회사의 경우 17세기 초에 주주총회에서 모은 의결이 회사의 최종 결정권을 갖는다는 내용도 확립되었는데요, 이렇게 만들어진 영국 동인도 회사를 최초의 주식회사라고 보는 것이 일반적입니다. 지분을 완전히 주주들이 갖고, 주주총회가 전권을 쥐는 유한 책임의 독점적 회사였습니다. 그 이후에도 합작회사라고 부를 수 있는 주식회사들이 몇 개 더 생겨났는데 이때도 역시 사업의 독점권과 유한 책임이라는 두 가지 특권이 항상 따라왔습니다. 전형적인 것 중 하나가 영란은행이었습니다. 런던 반경 몇 마일 내에서는 오직 영란은행만 은행권을 발행할 수 있다는 특권을 쥐고 있었죠.

이 당시 주식회사나 법인회사라는 게 왕과 국가가 부여한 특권의 산물이라는 점을 기억해야 합니다. 아니, 이러한 독점 대기업 주식회사들은 사실상 국가와 한 몸이었다고 보아야 합니다. 영국 동인도 회사보다 2년 늦은 1602년에 출범하지만 규모와 힘은 더욱 컸던 네덜란드 동인도 회사의 경우 회사의 운영과 전략에 네덜란드 공화국 전체가 깊이 관여하였기에 사실상의 국가 사업체였다고 할 수 있습니다. 이게 미국으로 가면서 주로 '법인 기업corporation'으로 불리는데요, 법인法人이란 말에서 알 수 있듯, 회사를 하나의 '인격체'로 보는 것입니다. 이렇게 부여받은 법적 권리를 통해 회사가 영리 사업 활동의 주체가 될 수 있었습니다. 대서양을 건너면서 명칭이 바뀌었지만 법인이라는 게 미국 주 정부나 연방 정부가 부여하는 특권이었다는 점은 똑같습니다.

3

모두가 한통속이다
왕과 귀족과 부르주아의 관계

앙시앵 레짐에 관해서

앞에서 영리를 목적으로 하는 회사, 주식회사 등에 대해서 쭉 알아보았는데요, 그러면 이때 어떤 집단들이 이런 회사를 운영했으며, 당시 군주와 귀족과 부르주아는 또 어떤 관계를 맺었을까요?

보통 16~18세기의 사회 흐름이나 특징을 일컬어 앙시앵 레짐Ancien Régime이라고 합니다. 이를 흔히 구체제라고 옮기기도 하는데 이것 역시 정확한 번역이라고 할 수는 없습니다. 이 말에 담겨 있는 의미는, 오래전 중세 봉건제 때부터 내려오는 영주의 지배권이나 온갖 케케묵은 특권 같은 것들이 덕지덕지 붙어 있는 엉망의 사회 정치 체제로, 결국 특권 계층만 배를 불리고 대부분의 근로 민중은 수탈과 억압에 시달릴 수밖에 없는, 사회악적인 모순 덩어리라는 느낌을 강하게 주는 것인데, 구체제라는 표현은 단순히 '예전의 체제'라는 피상성만 남기 때문입니다.

프랑스혁명을 필두로 한 19세기 이후의 시민혁명이 바로 이 '앙시앵 레짐'을 타도하려는 시도이며, 새로운 세계를 열고자 하는 열망이었습니다. 새삼 그 중요성은 강조할 필요도 없겠지요. 하지만 이것이 곧 19세기 초 시민혁명을 기점으로, 그 이전의 권력 체제는 '왕과 귀족의 봉건제'였고 그 이후의 권력 체제는 '부르주아 대의제'로 갈라진다는 것을 뜻할까요? 법과 제도상으로는 분명히 그러한 모습이 보입니다만, 실제 사회 권력 차원에서도 봉건제와 단절했는지에 대해 저는 회의적입니다. 결론부터 말씀드리면, 왕과 귀족과 부르주아 모두 화폐와 자본이라는 새로운 권력 체제에 한통속이 되어 있던 것이 18세기 이전의 상태였고, 19세기가 되어도 집단 내부에서 세력 균형은 변했을지언정 블록 전체가 대체되는 일이 벌어진 것은 아닙니다. 제가 볼 때, 18세기의 자본주의나 21세기의 자본주의나 '화폐와 자본의 형태를 띤 사회적 권력의 집중과 집적'이라는 점에서는 근본적인 차이가 없습니다.

좀 더 자세히 보겠습니다. 자본주의의 발전과 경제사를 설명할 때, 16~18세기를 바라보는 시선이 조금씩 다릅니다. 18세기 말에 프랑스에서는 시민혁명, 영국에서는 산업혁명이 벌어진 영향으로 19세기에 자본주의 산업사회가 본격적으로 전개되었다는 것에 대해서는 이견이 없습니다. 하지만 이 앙시앵 레짐을 어떤 사람들은 봉건제의 연속이라고 하고, 또 어떤 사람들은 초기 자본주의라고 주장합니다. 아닌 게 아니라 이런저런 체제와 성격이 뒤섞여 어떤 부분을 보면 봉건제 같기도 하고, 또 어떤 부분을 보면 자본주의 같기도 해서 좀 혼란스러운 게 사실입니다. 그렇다 보니 "근대 초기 유럽의 경제 체제와 사회 체제의 성격이 무엇이냐?" 하는 논란이 뜨거운 감자처럼 인식되면서 애매하게 이야기하는 경우가 많습니다. 보통 마르크스주의나 자유주의 사관에서는 봉건적 성격을 강조하는 편입니다. 상업과 산업을 대표하는 부르주아 계급들이 봉건적인 앙시앵 레짐의 왕과 귀족에 맞서 부르주아혁명을 일으켰고, 그래서 프랑스혁명은 곧 부르주아혁명이라고 주장하죠.

저는 이 시기를 면밀하게 살펴볼 필요가 있다고 생각합니다. 과연 이때 왕과 귀족과 부르주아가 서로 싸웠을까요? 아니면 완전히 한통속이었을까요? 치고받고 싸우기도 했지만 전체적인 맥락에서 보면 한통속에 가까웠다는 데 한 표를 던지고 싶습니다.

조금 다른 이야기지만 19세기에 새로운 산업사회가 만들어졌다고 생각하는 마르크스주의나 자유주의와 같은 진보사관에서는 경제가 정치와 국가로부터 분리되었다는 점 그리고 자본주의 시장 경제가 새로운 운동 법칙에 따라 굴러가게 되었다는 점 등을 현대 자본주의의 특성으로 꼽습니다. 즉 전 시대와는 완전히 다른 새로운 영역이 생겨났다는 것인데요, 저는 이 주장에 결코 동의할 수가 없습니다. 19세기 이후, 오늘날의 자본주의 경제가 과연 국가와 정치 영역으로부터 분리된 고유의 영역인가요? 전혀 그렇지 않습니다. 지금도 정치와 경제는 떼려야 뗄 수 없는 관계, 아니 애초부터 한 덩어리로 존재하는 영역이며, 이는 이미 오래전에도 마찬가지여서 왕과 귀족과 부르주아도 사실 다 한통속이었다고 보는 게 더 정확하다는 견해입니다. 이들이 함께 만들어 낸 새로운 형태의 권력 지배 체제를 자본주의라고 보는 것이 옳습니다.

왕, 귀족 그리고 부르주아

당시의 왕과 귀족과 부르주아가 각각 어땠는지 알아볼 필요가 있겠습니다. 우선 왕입니다. 이때의 왕은 더 이상 중세 때의 왕이 아니었습니다. 예전에는 왕의 역할이라는 것이 정의의 집행자, 체제의 수호자 정도였습니다. 하지만 이 시기에는 한가하고 점잖게 앉아서 정의나 체제를 운운할 처지가 아니었습니다. 전쟁을 벌였고, 상비군과 관료를 거느렸습니다. 세금을 한 푼이라도 더 뜯어야 했고 산업을 육성하고 수출해야 했습니다. 한마디로 돈독이 오른 왕이었습니다. 그러다 보니 귀족들과는 관계가 좋지 않았지만, 부르주아들과는 좋은 관계를 유지할 수밖에 없었습니다.

귀족들은 어땠을까요? 이들 또한 이제는 부르주아 없이는 살아갈 수 없는 상태라고 봐야 합니다. 베르너 좀바르트가 자본 축적의 기원을 설명하기 위해 저술한 『사치와 자본주의』와 『전쟁과 자본주의』라는 흥미로운 두 권의 연작이 있는데요,[101] 좀바르트는 이 책에서 자본주의의 기원을 전쟁과 사치 두 가지로 설명합니다. 이 두 가지는 귀족들의 메인 비즈니스라고 해도 과언이 아닙니다. 왕과 하나가 되어 전쟁을 벌여 전리품이나 땅을 얻기도 했고, 엄청난 사치를 부리며 계속 돈을 써 댔죠.

이 시기에 귀족들이 벌였던 사치 행각이라는 건 우리의 상상을 넘어서는 면이 있습니다. 『사치와 자본주의』에 나오는 예를 하나만 소개해 드리겠습니다. 프랑스 대공이 어떤 여인을 자기 정부로 만들고 싶어 편지를 씁니다. 이때 편지 내용이 문제가 아닙니다. 편지 위에 풀을 바른 다음 다이아몬드 가루를 그 위에 뿌려서 보냈다고 합니다.

이런 식이었으니 귀족들은 항상 빚에 시달릴 수밖에 없었는데 이들의 재산과 권리라는 게 곧 영지고, 영지에서 나오는 수입이었습니다. 영지에서 나오는 수입으로 이 사치를 누리기엔 턱없이 부족했죠. 수시로 은행가들에게 돈을 꾸는 수밖에 없었는데, 당연히 그냥 꿔 주진 않

---

[101] 베르너 좀바르트, 『사치와 자본주의』, 이상률 역, 문예출판사, 2017., 『전쟁과 자본주의』, 이상률 역, 문예출판사, 2019.

았습니다. 귀족들이 가지고 있는 영지에서 일 년에 나오는 수입이 몇 프랑인지 계산해서, 요즘 용어로 하자면 '이자율로 나눈 뒤 현재 가치로 할인해 자산 가치로 환원한 다음 그걸 담보로 돈을 빌려주는 식'이 었습니다. 이때는 귀족이라고 해도 이미 중세 때처럼 성에 들어앉아서 창과 칼을 휘두르던 그런 귀족이 아니었습니다. 그저 돈 계산 하기 바쁜 사람들이었죠. 영주의 권력도 이미 화폐화된 상황이었습니다.

이렇게 해도 부족하면 왕의 연금에 기대는 경우도 많았습니다. 브르봉 왕조의 왕이었던 루이 14세 때가 전형적인 경우인데요, 왕이 정치적 혹은 기타 다른 이유로 귀족에게 뭔가 보상할 때 엄청난 액수의 연금을 주곤 했습니다. 그러니 왕의 권력과 왕의 보상도 이미 다 화폐화되어 있는 상태라고 보아야겠죠. 큰 부르주아들 역시 좁은 의미의 시민이 아니라 왕과 귀족들이 베푸는 이런저런 혜택과 독점권을 전제로 큰돈을 버는 특권층이었습니다. 국가가 펼치는 여러 중상주의 정책에서 절대 왕정과 친한 부르주아들은 예외 없이 특혜를 받았고, 그걸로 막대한 수익을 냈습니다. 이렇게 벌어들인 수입의 상당 부분을 왕에게 세금으로 바쳤죠. 특히 법 분야에서는 능동적인 주체로 참여하여 이른바 '법복 귀족'의 신분으로 올라서는 경우도 많았습니다. 각자 처한 상황이 이렇다 보니 왕과 귀족과 부르주아는 한통속이 되어 공동 사업을 벌이는 집단으로 변모했습니다.

제이콥 바이너Jacob Viner라는 미국 경제학자가 중상주의에 대해 내린 유명한 정의가 있습니다.[102] "권력을 위해 부를 추구하고, 부를 위해 권

---

102 Jacob Viner, Power Versus Plenty as Objectives of Foreign Policy in the Seventeenth and Eighteenth Centuries, World Politics 1(1), 1948.

력을 추구하는 것." 이 말처럼 왕과 귀족과 부르주아는 국가라는 조직을 중심으로 한 덩어리가 되었습니다. 전쟁을 벌이고, 식민지를 개척하고, 큰 무역을 하고, 국내 산업을 일으켰습니다. 이 네 가지 종류의 사업이 하나로 엮여 시스템처럼 가동된 것이 중상주의 시절의 국가이며, 국가를 앞에 내세운 지배 계층의 특징이라고 할 수 있습니다. 안토니오 그람시Antonio Gramsci의 개념을 빌리자면, 이런 현상을 역사적 블록blocco historico이라는 말로 설명할 수 있습니다. 즉 16세기와 18세기 사이에 왕과 귀족과 부르주아가 한 덩어리로 엮이는 역사적 블록, 지배 블록이 강력하게 형성되면서 절대주의 국가를 이끌었다고 말할 수 있는 것이죠.

이처럼 봉건적이고 보수적인 특권 계층과, 독점적인 사업을 벌이는 큰 부르주아들과, 국가라는 조직이 하나의 권력 집단을 형성하는 자본주의적 행태는 시기와 장소를 가리지 않고 그 예를 얼마든지 찾아볼 수 있습니다. 그래서 이 무렵은 자본주의가 덜 발달해 서로의 관계가 느슨했던 때가 아니라, 오히려 정치와 권력과 경제가 밀접하게 연관되어 있는 21세기 자본주의의 성격을 고스란히 드러내는 시기입니다. 그것도 아주 노골적으로, 아주 순수한 형태로 말이죠.

4

공민의 등장과
애덤 스미스

공민의 등장

앞에서 제가 드린 말씀을, 18세기 자본주의의 권력 지배 블록과 그 이후의 지배 블록이 동일하다는 뜻으로 이해하면 안 됩니다. 여러 지배 세력들이 뭉친 자본주의 지배 블록은 그 당시로부터 19세기까지, 또 19세기로부터 오늘날까지 실로 눈부신 변화와 진화를 거듭해 왔습니다. 이러한 진화와 변화를 파악하기 위해서는 반드시 그 '연속성'이 유효하다는 관점을 견지해야 합니다. 이 관점을 전제로, 이 지배 블록 내에서 부르주아 세력들이 자신들의 새로운 정체성으로 내세운 이름이 바로 '공민公民'입니다.

앞 장에서 부르주아와 왕과 귀족이 서로 유착하면서 온갖 특권과 독점권으로 무장해 큰 이익을 누리고 있다는 이야기를 했습니다. 이런 행태를 모두가 환영하고 반긴 건 아닙니다. 여기에 반감을 가지고, "너희가 다 해 먹냐?" 불만을 품은 또 다른 부르주아들이 있었는데요, 이들은 특권층 부르주아를 '사적인 이익에만 몰두하는 장사치'라고 폄하하고 이들과 구분짓기 위해 자신들을 '공적인 시민', 즉 공민citoyen으로 정의했습니다.

정치 경제학을 영어로는 폴리티컬 이코노미Political Economy라고 하는데요, 앞에서 아리스토텔레스의 경제 사상을 이야기하면서 언급했던 것처럼 이코노미economy는 원래 집안 살림이라는 뜻입니다. 이게 정치와 결합하면서, 군주들이 전쟁도 하고 세금도 얻기 위해 나라 전체 살림살이와 경제 활동을 돌봐야 한다는 뜻이 되었습니다. 이 말이 처음으로 등장한 것은 프랑스의 앙투안 드몽크레스티앵Antoine de Montchrestien이 1615년 출간한 『정치 경제학 논고Traité de l'économie politique』에서입니다. 그 이후로 정치 경제학은 늘 군주나 지배자의 입장에서 나라 전체의 살림살이를 어떻게 다스릴 것인가 하는 국가 지배술의 일환으로 존재했습니다. 따라서 장 자크 루소Jean Jacques Rousseau와 같이 절대왕정을 곱지 않은 눈으로 보던 사람은 이 말 자체에 대해서도 아주 비판적이기도 했습니다.

그런데 18세기 중반이 되면 프랑스에 묘한 사람들이 나타나서 정치 경제학의 전통을 완전히 뒤집는 입장을 제시합니다. 이들의 주장을 한마디로 요약하면 "국가는 뒤로 빠져!"라고 할 수 있습니다. 나라 살림의 기술로 인정받던 정치 경제학을 전면에서 부정하고 새로운 대안을 제시한 것이죠. 피시스physis, 자연 자체나 자연의 힘에는 그 나름대로의 질서가 있고, 경제의 작동도 그 질서를 따르기 때문에 경제가 자연 질서 그대로 굴러갈 수 있도록 국가는 간섭하지 말고 물러나 있어야 한다는 주장이었습니다. 이들을 보통 '중농주의자들Physiocrats'이라고 번역해서 부르고 있습니다.

중상주의가 계속 발전하고, 영국이나 프랑스가 근대국가를 만들면서 왕과 귀족과 부르주아가 유착한 강력한 지배 블록이 형성되었습니다. 이들은 산업도 일으키고, 무역도 많이 하고, 돈도 많이 벌고, 점점 더 사회적 권력을 획득하는 데 집중했는데요, 당연히 긍정적인 면만 있었던 건 아닙니다. 그 반대편에는 온갖 불합리와 불평등을 비롯한 여러 사회적 모순이 벌어졌습니다. 여기에 저항하는 형태도 여러 가지여서, 영국의 경우 과도한 세금을 걷지 말라며 사람들이 힘을 합쳐 시민혁명을 일으키면서 17세기부터 새로운 질서를 만들었습니다. 프랑스에서는 그런 정치혁명 대신 계몽주의 운동이라 불리는 철학혁명 형태로 나타났습니다. 이에 참여한 '철학자들Les Philosophes'은 프랑스 절대 국가 부르봉 왕조에 상당한 반감을 갖고 있었습니다. 통치 방식이 너무 미개하고 봉건적이라는 것이었죠. '중농주의자들' 또한 이러한 지적 흐름 속에 존재했다고 볼 수 있습니다.

흥미로운 점은 이들이 사상적으로 기댔던 원천 중 하나가 동양 고전이었다는 사실입니다. 보통 중국 학자들의 영어 이름을 보면 재미있는 사실을 발견할 수 있는데요, 장자는 Zhuangzi, 노자는 Laotzu처럼 이름의 중국식 발음을 옮기는데, 유독 공자와 맹자만은 각각 Confucius, Mencius로 적어 마치 로마 시대 철학자처럼 표기합니다. 왜 이렇게 되었는가 하니, 18세기 중반 프랑스 사상가들이 공자나 맹자를 하늘처럼 받들어서 자신들이 알고 있는 최고의 철학자들 반열에 올린 것이죠. 18세기에 유럽 전체를 풍미했던 가장 중요한 사상 키워드는 자연이었습니다. 신은 더 이상 인격신으로 존재하는 게 아니라 자연에 내재해 있는 섭리로 존재한다는 이신론이 18세기 유럽의 사상을 지배하면서 자연은 모든 질서의 준거점이자 표본이 되었습니다. 이들이 정말로 논어나 맹자를 깊이 있게 이해했는지는 모르겠지만, 공자나 맹자가 말하는 중국의 사상이 자신들의 주장과 일치한다고 생각한 것은 분명합니다.

유가에서 내려오는 '도'나 '천' 같은 개념들이 결국 자연에 내재한 질서를 말하고 있고, 이에 따라 왕은 함부로 전횡하거나 이익을 취하는 정치를 할 게 아니라 맹자님 말씀처럼 덕을 쌓고 도를 따르는 질서로서 나라를 운영하는 게 맞다고 생각한 것이죠. 이 사람들은 자기들이 공자와 맹자의 제자와 마찬가지라고 생각했다고 합니다. 이런 사상을 중농주의physiocracy 라고 하는데요, 여기서 피시스phyis는 그리스말로 자연을 뜻합니다.

이들이 생각하는 자연의 개념은 동양에서 생각하는 자연과는 좀 달랐는데요, 있는 그대로의 자연이라기보다 스스로의 질서와 논리를 가지고 운동하는 자연이라고 보는 것이 좀 더 정확합니다. 이 사람들은 인간 세상도 그렇게 봤습니다. 인간 세상 나름의 돌아가는 섭리와 원리가 있고, 그것 그대로 내버려 두는 게 가장 좋다는 생각이었죠. 그래서 이들은 피시스라는 거대한 자연 안에서 경제는 알아서 잘 굴러가도록 되어 있으니 그런 흐름을 거스르지 말고 왕과 귀족들과 부르주아들이 인위적인 규제나 독점이나 특권을 만들지 않는 것이 가장 좋은 통치 방법이고 이상적인 경제 질서라고 주장합니다.

따지고 보면 멀리 로마 공화정의 키케로까지 거슬러 올라가는 이러한 사상이 오늘날 자유방임주의Laissez-faire의 원천이 되었습니다. 자유방임주의는 21세기 신자유주의 사회로까지 연결되는데요, 오랫동안 인류가 경제를 바라보는 하나의 질서와 관념이 형태를 조금씩 변형하면서 오늘날까지 자리 잡고 있는 셈입니다.

참고로 이들이 자연 이야기만 한 건 아닙니다. 자연에서 또 하나 주요하게 생각한 지점이 잉여생산물과 순생산물이라는 개념인데요, 중요한 이론가였던 프랑수아 케네François Quesnay는 실제로 물질 생산이 일어나는 분야는 농업밖에 없다고 강조했습니다. 왕과 귀족은 생산물을 사치라는 형태로 소비할 뿐이고, 수공업자들은 이미 자연에서 생산된 농산물이나 여러 가지 소출들을 형태만 변형하는 것에 불과하다고 보았습니다. 이런 논리로 보면 실질적 생산이 벌어지는 건 농업밖에 없습니다. 그러니 수공업이나 상업, 공업 같은 것이 주가 되거나, 이걸 왕과 귀족이 마구 가져가는 일이 있어서는 안 된다는 것이었죠. 농업에서의 순생산물을 중심으로 자유방임의 질서를 만들어 나가는 게 옳은 길이라고 생각했습니다.

애덤 스미스의 등장

이런 영향을 받은 위대한 경제 사상가가 나타나는데 바로 스코틀랜드 출신의 애덤 스미스입니다. 애덤 스미스는 원래 가정교사였는데요, 담당하던 귀족 자제가 프랑스로 여행을 가는 일이 있었습니다. 애덤 스미스도 제자를 수행하러 함께 갔는데 거기서 '중농주의자들'로부터 큰 영향을 받습니다. 비단 애덤 스미스뿐만 아니라 동시대 스코틀랜드의 계몽주의 사상가들도 마찬가지였습니다.

애덤 스미스의 경우에는 또 다른 사상의 원천이 있는데요, 18세기 초 버나드 맨더빌Bernard Mandeville이 지은 『꿀벌의 우화Fable of the bees』 속에 실린 풍자시입니다. 벌들이 벌집에서 어떻게 살고 있는지에 관한 은유를 통해 인간 사회가 어디로 나아가야 하는지를 이야기하고 있는 이 시는 당시 사람들이 가지고 있던 전통적인 도덕관념을 완전히 전복한 작품이라고 할 수 있습니다. 담고 있는 메시지는 대략 "사치가 미덕이요, 검소는 악덕이다.", "사람들이 이기적으로 이익을 추구하는 것은 사회와 나라를 부강하게 하는 원동력이요, 욕심 없이 소박하게 살아가는 것은 인간 세상을 망하게 만드는 지름길이다." 정도로 요약할 수 있겠습니다. 이 책에 의하면 꿀벌들이 열심히 일을 하는 건 사치하고 탐욕을 부리기 위해서인데요, 이 꿀벌들처럼 인간도 그렇게 해야 상업이 발달하고 경제가 살아난다는 이야기입니다. 내용도 동의하기 쉽지 않은 데다가 운율도 잘 맞지 않아서 문학적으로 높이 평가하기는 힘들다고 합니다.

맨더빌은 해당 작품만 낸 게 아니라 작품의 교훈이나 감상 포인트 등을 설명한 일종의 해설서도 같이 출간했는데 이게 영국에서 굉장히 큰 파문을 일으켰습니다. 일단 사람들에게 어마어마한 욕을 먹었고, 금서가 되기도 했습니다. 하지만 한편으로 엄청나게 팔리면서 대중의 속된 마음을 건드린 것도 사실입니다. 어떤 도덕심 같은 것 때문에 겉으로 드러내 놓고 말을 하지는 못했지만 속으로 동의하는 사람도 많았던 거죠. 그덕에 『꿀벌의 우화』 파문은 단순한 해프닝으로 끝나지 않고 애덤 스미스를 비롯한 18세기 굵직한 사상가들에게 많은 영향을 주었습니다.

하지만 애덤 스미스가 맨더빌 생각을 완전히 수용한 것은 아닙니다. 맨더빌의 논지와 다르게 인간의 '이기심'이라는 것을 '악덕'이 아닌 '자연의 섭리'라는 개념 틀 안에서 포착하면서 자신만의 경제 사상을 구축해 나갔습니다. 애덤 스미스는 인간을 결코 자기만 생각하는 이기주의자로 보지 않았습니다. 그의 저서 『도덕 감정론』을 보면 인간의 가장 중요한 성정과 심성으로 동정심과 공감을 꼽기도 했습니다. 또 애덤 스미스는 인간이 짐승처럼 이기적이기만 한 것은 아니라고 생각했습니다. 오히려 인간이 가지고 있는 이기심은 동정심과 조화를 이루고 결합할 수 있다고 믿었지요. 그래서 인간의 욕심과 이기심을 두려워하거나 무서워하거나 없애려고 할 것이 아니라 계속 추구하도록 내버려 두어야 한다고 주장했습니다. 이런 맥락에서 '보이지 않는 손'이라는 유명한 말이 나오게 되었죠. 이 '거대한 인간 세상The Great Society of Man'에서 작동하는 인간의 질서라는 게 모든 것을 조화시킬 것이라는 낙관론이었습니다.

사람들의 상거래 질서 자체가 겉으로 보면 이기심으로 아수라장이 되는 것 같지만 그 나름의 보이지 않는 섭리가 작동해서 조화를 이루게 되어 있으니, 규제다 독점이다 하는 건 다 필요 없고 오히려 자유방임을 택하는 것이 인간 세상을 번영하게 하는 첩경이라는 것입니다.

여기서 아주 중요한 지점이 있습니다. 애덤 스미스가 『국부론』을 통해 옹호하고자 했던 건 대기업이나 특권적 대부르주아가 결코 아니었습니다. 그는 시장에서 자기 이기심과 개인적인 이익을 스스럼없이 추구하면서 혁신도 하고 정보도 자유롭게 취하고 활발한 상거래를 벌여 시장이 융성해지길 바랐습니다. 『국부론』에 의하면 오히려 온갖 비합리적인 권력과 특권을 내세워 기득권을 강화하려고 했던 무리들을 시장 질서를 어지럽히는 적이라고 생각했죠. 애덤 스미스는 어떻게 보면 키케로와 비슷한 '전통주의자'의 면모를 더 많이 보입니다. 그의 생각을 정리하면 다음과 같습니다.

"상인들은 하나같이 사기꾼들이며 이들이 지배하는 시장은 온갖 악덕이 만연해 나라를 파멸로 이끌 위험이 있다. 따라서 지배계급은 농업을 수행하는 지주 출신이어야 하며, 고전 교육을 받고 미덕을 갖춰 공덕심이 높은 엘리트여야 한다. 이들의 도덕적·철학적·정치적 인도를 받을 때, 시장은 비로소 모든 이들이 공영을 누리는 장이 될 것이다."[103]

---

103 Jacob Soll, Free Market: History of an Idea Basic Books, 2022. 제이콥 솔, 『자유시장 사상의 역사 (가제)』, 홍기빈 역, 이십일세기북스, 2023.

아이러니하게도 『국부론』을 바라보는 시각은 19세기, 20세기를 지나 21세기에 이르면서 점점 변질되기 시작해 마치 대기업과 대상인 무리에게 무제한의 자유를 허락하라는 사상인 것처럼 정반대 의미로 둔갑해 버렸습니다. 19세기 말에 사회진화론Social Darwinism 사상이 나왔는데요, 시장은 약육강식의 장이고, 강자가 약자를 잡아먹는 것은 너무 당연하고, 경쟁해서 이긴 사람이 싹쓸이하는 건 그 자체로 자연의 질서이기 때문에 이걸 건드려서는 안 된다는 주장입니다. 사회진화론의 대표적인 인물로 허버트 스펜서Herbert Spencer를 꼽을 수 있는데요, 이런 인물들이 애덤 스미스를 자기 사상의 원조쯤으로 악이용하면서 벌어진 일이었습니다. 어떤 경제사가는 이렇게 애덤 스미스의 사상이 본래와는 달리 대기업이나 대자본을 옹호하는 논리로 변질되어 가는 걸 보면서 '경제 사상사의 대열차 강도 사건'이라고 표현하기도 했습니다.

저는 애덤 스미스를 오해하지 않기 위해서라도 한 번쯤 『국부론』을 읽어 보라고 권하고 싶습니다. 처음엔 좀 지루하지만 읽다 보면 익숙해지고 심지어 재미있기까지 합니다. 인간의 지성이라는 게 이토록 위대하다는 걸 새록새록 느낄 수 있지요.

이야기를 정리하겠습니다. 18세기 중반, 후반이 되면서 경제 질서를 중상주의와 중상주의의 배후를 이루고 있는 특권 세력에게 맡겨 놓아서는 안 되고, 시장 질서 자체를 자유방임이라는 새로운 조직 원리로 재편할 필요가 있다는 주장이 나오기 시작했습니다. 이 주장을 바탕으로 대내적인 차원에서는 규제와 특권과 독점을 철폐하고, 대외적인 차원에서는 보호주의무역이 아니라 자유무역으로 가야 한다는 자유무역론이 등장하게 되었습니다.

이렇게 새로운 사상으로 무장한 새로운 종류의 부르주아들은 세상의 많은 것을 바꿉니다. 프랑스에서는 시민혁명의 주역이 되고, 영국으로 가면 산업혁명의 역군이 됩니다. 산업혁명이 벌어지면서 중상주의와 중상주의의 배후를 이루던 왕과 귀족과 특권적 대부르주아의 연합 형태는 변화를 겪지 않을 수 없었고, 이 지구도 또 한 번 대전환을 맞습니다.

어나더 경제사 - 자본주의 편을 마치며
자본주의, 새로운 '권력 양식'

이 책의 시작에서 우리는 '자본'이란 '무한히 가치가 증식되는 것을 전제로 하는 자산'이라고 이야기하였습니다. 그리고 자본주의란 그것을 최고의 원리로 삼아 인간 · 사회 · 자연을 동원하고 배치하고 재조직하는 활동과 제도의 총합이라고 이야기했습니다. 이제 이런 것들이 어떻게 해서 나타나게 되었고 어떤 성격을 갖는지 보다 잘 이해할 수 있을 것이라고 믿습니다.

권력은 인류 역사상 모든 사회에 존재합니다만 그것이 조직되는 방식, 행사되는 방식, 또 정당화되는 방식은 사회마다 다릅니다. 그래서 동서고금의 여러 모든 사회마다 지배와 권력은 다양한 형태를 띠었습니다. 하지만 권력과 지배에는 동일한 속성이 하나 있습니다. 그것은 바로 '크기'입니다. 꼬맹이 시절 우리 모두 '누가 더'라는 게임을 한 적이 있습니다. '누가 더 키가 큰가?', '누가 더 달리기를 잘하나?', '누가 더 주먹이 큰가?', '누가 더 예쁘다는 소리를 듣는가?' 등등 다양한 비교 가치를 두고 상대와 나를 비교하곤 했습니다. 사람들은 보통 어른이 되면서 이런 유치한 게임을 그만두지만 결코 철이 나지 않고 이 게임을 계속하는 존재가 있습니다. 그것은 바로 '권력' 입니다.

따지고 보면 권력이란 실체가 애매한 허망한 문제입니다. 하지만 그 허망함을 놓고 누가 더 많이 가졌는가를 다투는 세력들이 존재하는 한 대단히 현실적인 문제일 수 있습니다. 그래서 인간 사회가 정치체라는 것을 만들어 낸 이후, 모든 정치체는 이 권력이라는 것을 더 크게 만들기 위해서 끊임없는 싸움을 해 왔습니다. 여기에는 살펴보아야 할 두 가지 차원이 있습니다. 첫째는 외부의 정치체와 맞서는 싸움입니다. 다른 부족, 다른 도시, 다른 왕국, 다른 제국에 이르기까지 바깥에 '더 큰' 권력을 가진 존재가 있다면 내부의 정치체는 거기에 복속될 수밖에 없고, 이에 따라 권력은 그쪽으로 넘어갑니다. 따라서 권력을 계속 쥐고 싶은 개인이나 집단은 이러한 일을 막기 위해 어떻게 해서든 그 바깥에 있는 정치체의 권력에 맞설 수 있을 만큼의 힘을 키워야 합니다.

둘째, 정치체 내부 성원 간의 싸움입니다. 바깥과의 싸움에서 더 큰 권력을 발휘하기 위해서는 내부 성원들과 그들이 가진 것들을 최대한 동원하고 사용할 수 있어야 할 뿐만 아니라, 임의대로 배치하고 움직일 수 있어야 합니다. 하지만 각자 자신들의 삶을 영위하기에 바쁘고 또 이를 위해 자신들의 각종 자원을 활용하기에 바쁜 사람들을 권력자 마음대로 전권을 휘두르는 것은 결코 쉬운 일이 아닙니다. 겁박이나 폭력이 일시적인 힘을 발휘할 수는 있지만, 안정적으로 또 장기적으로 정치체가 권력의 중심에 서려면 내부 성원들 모두가 권력자의 동원과 명령에 동의할 수 있는 안정된 지배 체제를 만들어야 합니다.

따라서 모든 정치체는 사회마다 시대마다 무수히 많은 방식으로 권력이 존재하고 작동하는 형태를 이루었으며, 이들이 서로 권력의 크기를 재고 경쟁하는 방식과 결과는 인구, 영토, 군사력, 권력자가 보유한 재물의 양 등 다양한 척도에 따라 좌우되었습니다.

그런데 16세기 유럽에서 근대국가라고 하는 완전히 새로운 종류의 정치체가 나타났고, 불과 얼마 지나지 않아 유럽 전역, 나아가 전 세계를 석권하게 됩니다. 이런 근대국가는 무엇을 척도로 권력의 크기를 잴까요? 처음에 나타난 근대국가의 모습은 절대 군주가 지배하는 절대주의 국가였습니다. 이때는 군주, 즉 왕실의 '영광glory'을 기준으로 삼는 경향이 있었습니다.[104]

다시 말하지만, 권력이란 그 실체가 모호한 개념입니다. 그것이 힘을 발휘하는 것은 오로지 바깥 세력이나 내부 신민들을 무릎 꿇려서 무엇인가를 뜯어낼 때입니다. 권력의 원천이 되는 요소에는 여러 가지가 있지만 궁극적으로는 정치제 수장이 내부든 외부든 무릎을 꿇릴 수 있는 권능을 가지고 있다는 것을 과시하는 데 있습니다. 그래서 군주는 전쟁과 통치를 통해 무소불위의 절대 권력을 가지고 있음을 알려 내부든 외부든 누구도 감히 도전하지 못하게 하는 것이 중요합니다. 이에 따라 절대 군주의 '영광'을 극대화하는 것을 권력으로 정의하는 방법이 나타났습니다. 17세기 프랑스에서 루이 14세를 정점으로 했던 부르봉 왕조의 절대국가가 그 예라고 하겠습니다. 끊임없이 전쟁을 일으켜서 유럽의 모든 왕국과 정치체를 불안하게 만듭니다. 이는 또 다른 '장점'이 있습니다. 나라 전체를 항시적인 '전쟁 상태'로 만들어서 가능한 한 최대의 인적 · 물적 자원을 군주와 왕실의 명령 아래에 두고 움직일 수 있도록 하는 명분이 됩니다. 덕분에 군주와 왕실을 중심으로 한 이런저런 권력 집단의 힘과 권세는 갈수록 커집니다.

---

[104] Albert O. Hirschman, The Passions and the Interests: Political Arguments for Capitalism before Its Triumph Princeton University Press: 1977.

당연히 그 대가가 뒤따랐습니다. 정의하기도 애매하고 합리성마저 결여된 '영광'이라는 것을 키우는 데에 몰두하다가 다른 것들이 희생되고, 그 결과는 다시 권력 자체의 정체 혹은 약화로 되돌아왔습니다. 루이 14세가 어린 나이에 즉위하였을 때 지혜로운 재상 콜베르Jean Baptiste Colbert는 농업 생산력도 변변치 못한 후진국 프랑스에 상업과 산업을 심고 키우기 위해 안간힘을 썼으며, 놀라운 성공을 거두었습니다. 그래서 콜베르 말년의 프랑스는 영국 및 네덜란드와 어깨를 나란히 하는 거대한 상업 및 산업 세력으로 성장하게 됩니다. 하지만 콜베르가 죽은 뒤 고삐가 풀려 버린 부르봉 왕조가 벌인 전쟁과 권력 과시가 극에 달하게 되고, 일껏 만들어 놓은 산업과 상업도 한계를 맞게 됩니다. 그래서 18세기에 후반으로 가게 되면 프랑스의 '국력'은 외부적으로도 내부적으로도 한계를 맞게 됩니다. 이러한 형태의 국가를 고집하던 부르봉 왕조는 결국 1789년 프랑스혁명으로 무너지고 맙니다.

이 권력이라는 것에 다른 방식으로 접근한 국가는 네덜란드와 영국이었습니다. 네덜란드에는 '영광'을 누릴 왕이 없었습니다. 영국은 이런 형태의 권력을 고집하는 스튜어트 왕조의 권력을 이미 17세기에 두 차례에 걸쳐 몰아낸 바 있습니다. 이후에 들어선 영국의 국가도 겉으로 보면 식민지 경략과 전쟁 등 프랑스와 크게 다르지 않은 듯했습니다만, 안팎으로 갈등을 빚다가 거꾸러진 프랑스 왕실의 권력과는 분명히 다른 점이 있었습니다. 왕의 권력은 의회와 헌법으로 제한되었습니다. 그 대신 국가와 권력 관리의 '합리성'은 '영광'이 아니라 '화폐로 계산되는 권력', 즉 부wealth의 증진에 초점이 맞춰지게 됩니다. 이러한 영국의 국가 관리는 프랑스 지식인들의 큰 부러움을 샀습니다. 볼테르 그리고 그와 생각이나 정서를 느슨하게 공유하던 프랑스 '철학자들'은 영국을 모델로 하여 프랑스라는 국가와 사회를 전면적으로 개조해야 한다는 데에 공감하여 계몽주의 사상 운동을 만들어 내기도 합니다.

2권에서 조금 더 자세하게 살피겠지만 영국이 인류의 생산과 소비 활동 나아가 사회 전체를 바꾸어 놓는 산업혁명의 산실이 된 것은 그래서 우연이 아닙니다. 영국에서는 권력과 화폐의 결합이 동시대 유럽 어느 곳보다 더 온전하게 이루어졌습니다. 결국 권력이 지향했던 것은 더 많은 화폐를 얻는 것이었으며, 화폐만 있으면 동원할 수 있는 사회적 권력이 그 어느 곳보다 많았습니다. 그래서 영국 사람들은 더 노골적으로 권력을 화폐의 크기로 측량할 수 있다는 생각을 갖게 됩니다.

권력의 크기를 측량하고 표현하는 형식으로서 화폐가 갖는 놀라운 힘을 기억해야 합니다. 권력의 다른 척도, 이를테면 인구 · 영토 크기 · 군사력 등은 모두 측량이 애매할 뿐만 아니라 그 구체적 성격과 내용이 때와 장소에 따라 균일하지 않기 때문에 비교하기 어렵습니다. 하지만 화폐는 단일한 기준으로 표시되는 추상적인 '숫자'입니다. 교황의 권력, 영주의 권력, 동인도 회사의 권력, 공장주의 권력은 모두 그 내용과 질이 다른 권력이지만 모두 스스로를 '어느 만큼의 화폐 수익의 흐름을 만들어 낼 수 있는가'라는 기준으로 환산할 수 있고, 따라서 비교가 가능해집니다. 영국은 18세기 말의 산업혁명을 발판으로 삼아 19세기가 되면 전 세계 경제를 좌지우지하는 명실상부한 세계 제국으로 부상합니다. 이제 유럽 나아가 지구 위의 다른 지역에서도 권력자들은 이렇게 스스로의 권력을 화폐로 표현하는 형식을 속속 받아들입니다. 19세기 후반에는 전 세계의 공통적인 화폐 본위로서 금본위제가 자리 잡습니다. 이에 자본주의라는 하나의 새로운 '권력 양식mode of

_{power}'이 확립하기에 이릅니다.[105]

'경제'로의 침투와 지배, '경제'의 무한팽창

이제 우리에게 익숙한 모습의 자본주의, 즉 '경제와 한 몸이 된 자본주의'가 나타납니다. 산업혁명을 전후하여 자본주의는 인간의 살림살이에 전면적으로 침투하여 그것을 자기의 뜻대로 완전히 바꾸어 지배하는데, 이는 인류 역사상 초유의 사태라고 볼 수 있습니다.

그전까지의 지배 권력도 인적 · 물적 자원의 '수탈'에 근거를 두고 있었지만, 이는 어디까지나 수탈일 뿐입니다. 무수한 인간들이 자연과 얽혀 생산과 소비를 이루는 경제 과정 속에 권력이 직접 개입하는 일은 많지 않았습니다. 지배 권력은 더 많은 경제 공동체를 지배하고자 영토를 늘리고 빼앗는 데에 골몰하였고, 일단 확보한 지역 안에서는 그 공동체들로부터 더 많은 잉여를 수탈하는 방법을 개발하는 데 몰두하였습니다. 하지만 왕과 귀족들은 사람들의 생산과 소비 활동으로 이루어지는 경제, 그 자체는 자신들과 무관한 천한 영역으로 여겨 그 안으로 들어가려 하지 않았습니다.

자본주의가 등장한 이후부터는 이야기가 다릅니다. 권력 자체가 점차 '화폐로 계산되는' 부로 존재하고 표현된다면, 새로운 식민지를 개척하고 새로운 영토를 빼앗는 것만큼이나 사람들의 생산과 소비 활동에 개입하여 더 많은 화폐를 얻는 것이 권력 확장의 중요한 원천이 됩

---

105 Jonathan Nitzan and Shimshon Bichler, Capital as Power: A Study of Order and Cre-order, Routledge: 2009.

니다. 스페인은 처음에 아메리카 대륙으로부터 엄청난 금과 은을 수탈하여 부와 권력을 누렸지만, 오래가지는 못했습니다. 유럽 특히 영국·프랑스·네델란드의 권력자들은 생산과 소비라는 산업 활동 그 자체가 훨씬 더 오래가며 또 무궁무진한 부의 원천이라는 점을 깨닫습니다. 그리하여 시장 및 화폐와 연결되는 산업 활동을 적극적으로 장려하고 심지어 스스로 조직하기도 합니다. 그리하여 더 많은 돈만 벌 수 있다면, 그래서 더 많은 조세 징수와 자본 축적이 가능하다면 어떤 종류의 생산 및 소비 활동이든 관심의 대상으로 삼습니다.

이 일을 적극적으로 수행했던 이들은 왕과 귀족들이라기보다는 그들과 한 몸이 된 '부르주아', 즉 상업적 사업가들이었습니다. 이들은 그 이전 몇천 년 아니 몇만 년 동안 조용히, 하지만 끊어지지 않고 이어져 온 인간의 경제 안으로 깊이 침투합니다. 그리하여 더 많은 돈을 버는 데 도움이 되는 것이라면 어떤 것이든 상품으로 만들어 거래합니다. 이 '상품화'의 범위는 갈수록 넓어졌고, 18세기와 19세기 초에 이르면 마침내 인간·자연·화폐 모두를, 시장에서 수요와 공급으로 가격과 거래량이 결정되는 명실상부한 상품으로 만들어 냅니다. 이렇게 '화폐의 모습을 띤 권력'인 자본주의의 지배 아래로 들어가면서부터 경제는 무한 팽창을 시작합니다. 저는 이것이 인류의 역사, 아니 진화 과정 전체에서 가장 결정적인 변곡점이며, 그 중요성은 대략 1만 년 전에 나타났던 '신석기혁명'을 능가한다고 생각합니다.

이 책의 서두에서 말씀드렸듯이, 본래 사람들의 삶을 지탱하는 의미에서 경제는 절대로 무한히 팽창하는 것이 아닙니다. 사람들이 가지고 있는 물질적·정신적 욕구의 크기와 그 총량은 인구·기술·문화 등등의 변화에 따라 오르내리게 마련이지만, '무한 팽창'이란 가능하지도 않으며, 무작정 무한한 팽창 자체를 목표로 할 이유도 없습니다. 하지만 자본주의에 포획된 '경제'는 다릅니다. 이제부터 '경제'의 작동 목표는 사람들의 욕구 충족에 있는 것이 아니라 화폐라는 숫자로 표현되는 자산의 크기를 불리는 것에 있으므로, 숫자가 무한하듯이 그 팽창의 경계선도 무한히 열리게 됩니다. 그리하여 19세기 이후 인류라는 생물종의 경제는 아찔한 속도, 아니 가속도로 팽창하게 되고, 21세기의 오늘날에는 자원의 고갈은 물론 기후 위기를 비롯한 지구 생태계 전체의 존속까지 위협하도록 불어납니다. 이러한 지구적 차원에서의 대사건이 벌어지게 된 근원은 바로 인류가 경제를 무한히 팽창하려고 했던 욕심에 기원합니다.

이 우주에 무한히 팽창하는 것은 없습니다. 무서운 속도로 팽창하고 성장하다가도 일정한 지점에 달하면 그 속도가 줄어들면서 S자 곡선처럼 일정하게 치솟다가 완만한 고원을 그리며 정체 상태로 들어갑니다. 하지만 권력은 팽창할 수 있는 여지가 있고 또 경쟁 권력이 존재하는 한 무한히 팽창합니다. 옛날에 루소는 「전쟁 상태」라는 짧은 에세이에서 이러한 진실을 날카롭게 간파한 바 있습니다.[106] 모든 '자연적 몸체'는 무한히 성장하고 팽창하려고 하는 법이 없다고 말입니다. 하지만 루소에 따르면 루소가 살던 시대의 프랑스 부르봉 왕조와 같은 국가 권력체는 다르다고 합니다. 이런 국가는 자연적으로 존재하는 것이 아니라 문명이 만들어 낸 '관념적인 몸체'이기 때문에 그 크기에 있어서 자연적인 한계라는 게 애초에 있을 수가 없다고 합니다. 이것들의 팽창의

---

106 Jean-Jacque Rousseau, "The State of War" in The Social Contract and Other Later Political Writings ed. and tr. by V. Gourevitch, Cambridge University Press: 1997.

한계는 오로지 다른 '관념적 몸체'들인 국가와의 충돌과 전쟁에 의해서 주어질 뿐이라고 합니다. 따라서 권력에 휘둘리는 국가는 필연적으로 항시적인 전쟁 상태에 있을 수밖에 없다고 합니다. 유럽의 패자를 꿈꾸었던 '태양왕' 루이 14세 이후 내내 끝없는 전쟁과 세금으로 사람들의 삶이 황폐화되는 모습을 보면서 살아야 했던 루소의 분노가 절절히 느껴집니다. 하지만 이러한 그의 통찰은 비단 18세기의 프랑스 국가에만 적용되는 것이 아니라, 시대와 장소를 넘어 인간 세상 어디에도 나타나는, 권력의 보편적이며 본질적인 성격이라고 볼 수 있습니다.

'산업 문명'의 탄생으로

자본주의가 '경제'에 침투하여 지배하게 되고, 이에 경제의 무한 팽창이 시작되면서 벌어진 사건이 '산업 문명'입니다. 경제는 이제 인간과 자연이라는 존재의 리듬과 흐름과 한계를 넘어서, 모조리 상품으로 변하여 자산 증식의 논리에 따라 전면적으로 재편됩니다. 그에 따라 오대양 육대주의 모든 사람과 자연 환경이 낱낱이 파헤쳐지고 들쑤셔지며, 인간 세상의 만사만물은 물론 자연을 구성하는 모든 요소와 과정은 철저하게 분해되고 다시 재조합됩니다. 한편으로는 물리적 법칙·화학적 법칙·생물학적 법칙 심지어 심리적 법칙에 따라 분석되며, 다른 한편으로는 보다 많은 이윤, 즉 보다 크고 빠른 자산 가치의 증식이라는 '자본 회계의 합리성'에 따라서 재구성되는 것입니다.

산업혁명을 18세기 후반 영국에서 이런저런 기계가 발명된, 특정한 시간과 장소에서 벌어진 '단순 사건'으로 보아서는 안 됩니다. 이는 인류의 '경제' 생활을 송두리째 바꾸어 놓았을 뿐만 아니라 모든 사람의 세세한 일상까지 완전히 다른 세상으로 만들어 가는, 18세기 후반에 시작되어 지금도 진행 중이며 언제까지 계속될지 알 수 없는 길고 긴 '과정'입니다. 그 속에서 인간도 그전과는 도저히 같은 종이라고 보기 힘들 정도로 새롭게 진화해 가고 있습니다. 인류 또한 산업의 변천 못지않게 오랜 진화와 역사를 거쳐 이제 막 새로운 여정을 시작한 것입니다.

권력과 화폐의 진화와 결합에서 배태된 자본주의는 이제 '산업 문명'이라는 새로운 세상을 가져오게 되었습니다. 자본주의가 경제, 즉 생산 및 소비 활동과 완전히 하나로 결합되었을 뿐만 아니라, 그것을 넘어서 정치·종교·문화·경제·예술 등 모든 활동의 영역을 아우르고 또 우리 일상의 세세한 부분과 우리 가장 깊숙한 내면의 심리와 성향까지 모두 바꾸어 놓는 세상이 펼쳐지는 것입니다. 그래서 이러한 세상에 살고 있는 우리는 자본주의 그 자체와 경제, 나아가 산업 문명 전체를 몽땅 하나로 인식하여 자본주의라고 뭉뚱그려 부르기 일쑤입니다.

하지만 이를 혼동해서는 안 됩니다. 비록 산업 문명이라는 것이 자본주의가 없었다면 절대로 성립할 수 없는 것이기는 하지만, 이 책에서 우리가 살펴본 '권력과 화폐의 결합'으로서의 자본주의라는 논리만으로 '산업 문명'에서 일어났던 여러 사건과 그 작동 원리를 다 설명하는 것은 무리입니다. 생물학적 과정이 물리적·화학적 과정에 기반을 두고 있지만 결코 그것으로 환원될 수 없는 독자적인 층위가 있듯이, 산업 문명이라는 것 또한 자본주의의 논리를 밑에 깔아 놓은 위에서 독자적으로 작동했던 방식을 추적할 때 그 의미를 명확히 이해할 수 있습니다. 이에 대해서는 2권에서 자세하게 풀어 나가도록 하겠습니다.

어나더 경제사 1 - 자본주의

초판 1쇄 발행   2023년 7월 1일
1판 3쇄 발행   2024년 10월 20일

글   홍기빈
펴낸이   박정우
편집   고흥준
디자인   디자인 이상

펴낸곳   출판사 시월
출판등록   2019년 10월 1일 제 406-2019-000107 호
주소   경기도 고양시 일산동구 문봉길62번길 89-23
전화   070-8628-8765
E-mail   poemoonbook@gmail.com

ⓒ 홍기빈
ISBN   979-11-91975-11-6(03300)